고등학교 생활과 윤리
자습서

이재헌 | 이진희 | 권윤호 | 윤인철

금성출판사

이 책의 구성과 특징

이 책은 '생활과 윤리' 교과서에 맞추어 개발된 내신 기본서로, 짧은 시간에 핵심 개념 및 원리를 익히면서 효과적으로 내신에 대비하도록 하였습니다. 핵심 정리, 자료 뜯어보기를 통해 교과서의 주요 내용을 정리하고, 개념 익히기, 내신 유형 다지기, 주관식·서술형 잡기, 영역 마무리하기 등 단계별 문제로 배운 내용을 점검하도록 하였습니다.

내용편

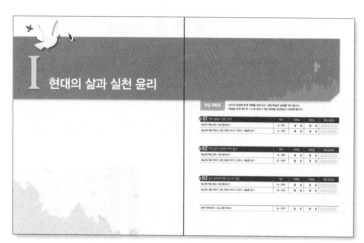

▪ 영역 들어가기
학습 계획표를 통해 각 영역에 맞게 자기 주도 학습 계획을 세워 볼 수 있습니다.

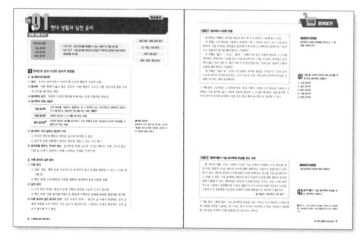

▪ 단원 흐름 읽기
각 단원의 주요 개념을 도식화하여 흐름을 한눈에 살펴볼 수 있습니다.

▪ 핵심 정리
교과서의 핵심 내용이 체계적으로 정리되어 있으며, 친절한 용어 풀이를 통해 더욱 쉽게 학습할 수 있습니다.

▪ 자료 뜯어보기
교과서 속 자료나 보충·심화 자료들을 엄선하여 더욱 깊은 이해를 돕고 있습니다.

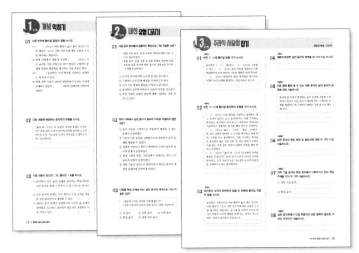

■ 1단계 개념 익히기

간단한 문제들을 통해 개념을 익힐 수 있습니다.

■ 2단계 내신 유형 다지기

시험에 자주 나오는 문제들을 통해 철저한 내신 대비를 할 수 있습니다

■ 3단계 주관식·서술형 잡기

주관식, 서술형 등 다양한 유형의 문제들을 통해 탐구력과 사고력을 키울 수 있습니다.

■ 영역 마무리하기

종합적인 분석 능력, 응용력을 키울 수 있는 문제로 영역을 확실히 마무리할 수 있도록 하였습니다.

■ 수능 유형 익히기

최근 5개년 동안 출제된 수능 문제를 분석한 후 출제 빈도가 높은 내용을 엄선하여 수록하였습니다.

정답과 해설편

■ 정답과 해설

자기 주도 학습이 가능하도록 채점 기준, 선택지 분석 등 친절한 해설을 제공하였습니다.

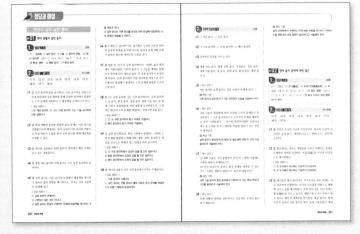

차례

I 현대의 삶과 실천 윤리

II 생명과 윤리

III 사회와 윤리

I

현대의 삶과 실천 윤리

학습 계획표

- 자신의 일정에 맞게 계획을 세워 보고, 실제 학습한 날짜를 적어 봅시다.
- 학습을 마무리한 후 스스로 얼마나 학습 목표를 달성했는지 점검해 봅시다.

단원 01 현대 생활과 실천 윤리	쪽수	계획일	완료일	목표 달성도
Day 01 핵심 정리, 자료 뜯어보기	8~11쪽	월 일	월 일	☆☆☆☆☆
Day 02 개념 익히기, 내신 유형 다지기, 주관식·서술형 잡기	12~15쪽	월 일	월 일	☆☆☆☆☆

단원 02 현대 윤리 문제에 대한 접근	쪽수	계획일	완료일	목표 달성도
Day 03 핵심 정리, 자료 뜯어보기	16~19쪽	월 일	월 일	☆☆☆☆☆
Day 04 개념 익히기, 내신 유형 다지기, 주관식·서술형 잡기	20~23쪽	월 일	월 일	☆☆☆☆☆

단원 03 윤리 문제에 대한 탐구와 성찰	쪽수	계획일	완료일	목표 달성도
Day 05 핵심 정리, 자료 뜯어보기	24~27쪽	월 일	월 일	☆☆☆☆☆
Day 06 개념 익히기, 내신 유형 다지기, 주관식·서술형 잡기	28~31쪽	월 일	월 일	☆☆☆☆☆

영역 마무리하기, 수능 유형 익히기	쪽수	계획일	완료일	목표 달성도
	32~37쪽	월 일	월 일	☆☆☆☆☆

현대 생활과 실천 윤리

단원 흐름 읽기

| 윤리학의 유형
• 기술 윤리학
• 규범 윤리학
• 메타 윤리학 | • 이론 윤리 윤리 문제를 해결할 수 있는 이론적 근거를 제시함.
• 실천 윤리 이론 윤리를 바탕으로 현실의 구체적인 문제에 대해 타당한 해결책을 제시함. | 생명 의료·생명 공학 윤리
성·직업·사회 윤리
과학 기술 윤리
환경·문화·평화 윤리 |

1 현대인의 삶과 다양한 윤리적 쟁점들

1. 삶 속에서의 윤리학

(1) **윤리** 우리가 살아가면서 지켜야 할 도덕적 행동의 기준과 규범

(2) **윤리학** 어떤 행위가 옳고 좋은 것인지, 어떤 행위가 그르고 나쁜 것인지에 대한 규범적 근거를 제시하는 학문

(3) **윤리학의 성격** 마땅히 도덕적 행위를 하게 하는 실천 지향적인 학문임.

(4) **윤리학의 유형** 자료1

기술 윤리학	도덕 현상을 기술하고 설명하는 데 그 목적이 있고, 역사적이고 과학적인 면에서의 기술적이고 경험적인 탐구를 하는 학문 자료2
규범 윤리학	규범적 판단과 그 근거를 제시하는 학문
메타 윤리학❶	도덕적 언어의 의미를 분석하고, 도덕 추론의 논증 가능성과 논리적 타당성을 규명하고자 하는 학문

(5) **윤리학이 우리 삶에서 중요한 이유**

① 우리의 생각과 행동은 대부분 윤리와 분리할 수 없음.

② 윤리적 문제 상황에서 올바른 판단을 내릴 수 있는 기준 제시

(6) **윤리학을 배우는 우리의 태도** 윤리학을 통해 단순히 지식을 배우는 것에 그치지 않고, 이를 삶 속에서 실천하기 위해 노력하는 자세를 가져야 함.

2. 이론 윤리와 실천 윤리

(1) **이론 윤리**

① 성품, 제도, 행동 등을 이론적으로 분석하여 윤리 문제를 해결할 수 있는 근거를 제시해 줌.

② 핵심 과제: 도덕 판단의 기준을 명확히 설정하여 윤리 이론을 정립

(2) **실천 윤리**

① 도덕 원리 외에도 현실의 문제 상황과 관련된 사실적 지식이 필요함.

② 핵심 과제: 이론 윤리를 바탕으로 현실의 구체적인 문제에 타당한 해결책을 제시함.

(3) **이론 윤리와 실천 윤리의 관계** 상호 보완적 관계 → 현실의 삶 속에서 발생하는 윤리 문제에 적용할 도덕 원칙은 이론 윤리가 제공하지만, 구체적인 문제의 해결책은 실천 윤리가 제시해 주기 때문

❶ **메타 윤리학**
윤리학의 주요 영역 중 하나로, 도덕의 개념에 대한 존재와 의미론, 규범의 지위, 정당화 등을 다룬다.

자료 1 윤리학의 다양한 유형

윤리학을 이해하는 방식을 다음과 같이 세 가지 종류로 구분해 볼 수 있다.

첫 번째는 도덕 현상을 기술하고 설명하는 데 그 목적이 있다고 보는 기술 윤리학이다. 이를 지지하는 학자들은 윤리학이 역사적이고 과학적인 면에서의 기술적이고 경험적인 탐구를 해야 한다고 주장한다.

두 번째는 '옳다.', '그르다.', '좋다.', '나쁘다.'와 같은 규범적 판단과 그 근거를 제시하는 것에 목적, 이유를 두는 규범 윤리학이다. 이를 지지하는 학자들은 윤리학이 옳은 것과 선한 것, 혹은 의무가 무엇인가를 묻는 것과 같은 종류의 규범적 성찰을 해야 한다고 주장한다.

세 번째는 "'옳다.'와 '그르다.'의 표현의 의미와 용법은 무엇인가?" 등과 같이 도덕적 언어의 의미를 분석하고, 도덕 추론의 논증 가능성과 논리적 타당성을 규명하고자 하는 메타 윤리학이다.

○ **자료 분석** 윤리학은 그 성격에 따라, 특정 사회나 시대의 도덕 현상을 기술하고 설명하는 기술 윤리학, 옳고 그름의 규범적 판단과 그 근거를 제시하는 규범 윤리학, 도덕적 언어의 의미를 분석하는 것을 주로 하는 메타 윤리학으로 분류할 수 있다.

자료 2 철학자들이 기술 윤리학에 관심을 갖는 이유

한 개인의 생활 그리고 사회의 구조와 기능 속에서 존재하는 도덕 현상에 대한 이런 경험적 지식은 현실적 도덕에 대한 과학적인 기술이고 설명이라고 요약할 수 있다. 편의상 현실적 도덕에 관한 이러한 과학적인 연구를 기술 윤리학이라고 부를 수 있다. 기술 윤리학은 현실적 내지 이상적 도덕에 대한 철학적 연구와 쉽게 구별될 수 있다. 철학자들이 현실적 도덕에 관심을 가지는 이유는 이를 과학적으로 기술하고 설명해야 할 사실의 집합으로서가 아니라 어떤 이상적인 도덕을 구축하고 또 정당화할 가능성을 모색하기 위한 출발점으로 생각하기 때문이다.

– 폴 테일러, "윤리학의 기본 원리" –

○ **자료 분석** 철학자들이 기술 윤리학에 관심을 갖는 이유는 단지 현실적 도덕에 대한 다양한 측면을 기술하는 데 그치는 것이 아니라 이상적인 도덕을 구축하고 정당화할 가능성을 모색하기 위한 출발점으로 삼는다는 것이다.

뜯어보기 포인트

윤리학의 다양한 유형들을 알아보고, 그 특징을 구분해 보자.

Q1 다음 중 도덕적 언어의 의미 분석을 주로 하는 윤리학의 유형은?

① 규범 윤리학
② 실천 윤리학
③ 메타 윤리학
④ 기술 윤리학
⑤ 응용 윤리학

뜯어보기 포인트

기술 윤리학의 의미에 대해 이해하자.

Q2 철학자들이 기술 윤리학에 관심을 갖는 궁극적인 이유는?

답 Q1 ③ / Q2 이상적인 도덕을 구축하고 또 정당화할 가능성을 모색하기 위한 출발점으로 삼기 위해서이다.

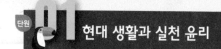

01 현대 생활과 실천 윤리

2 실천 윤리학의 성격과 특징

1. 실천 윤리학의 등장 배경과 필요성

(1) 실천 윤리학의 등장 배경 자료 3

① 현대 과학 기술의 급속한 발달로 새로운 윤리적 쟁점과 딜레마❷에 직면하게 됨.

② 한 시대의 변화에 따라 다양한 삶의 영역에서 적용되어 왔던 기존의 윤리가 그 기능을 제대로 발휘하지 못하여 새로운 윤리가 필요하게 됨.

③ 과거에 절대적이었던 신념이나 제도 중 수정을 하거나 예외를 허용할 필요성이 있음.

(2) 실천 윤리학의 필요성

① 구체적인 삶 속에서 경험하는 다양한 쟁점에 대해 숙고하게 함.

② 최선의 대안을 모색하고, 대안을 합리적으로 정당화하는 논의를 이끌어 낼 필요가 있음.

2. 실천 윤리학의 특징: 인접 학문과의 상호 연관성

(1) 인접 학문과의 상호 협력의 필요성 구체적인 문제 해결 방향을 제시하기 위해 문제 상황과 관련된 전문적이고 사실적인 지식이 필요하기 때문

(2) 인접 학문과의 상호 협력의 예

① 환경 윤리 분야에서는 생태학적 지식이 필요함.

② 생명 윤리 분야에서는 유전 공학❸과 의학적 지식이 필요함.

③ 사이버 공간에서의 윤리적 문제를 다루기 위해서는 정보 통신 기술의 특성 및 시스템에 대한 지식이 필요함.

3. 다양한 윤리적 쟁점들

(1) 다양한 윤리적 쟁점과 딜레마 상황이 발생한 이유

① 현대 사회에서는 새로운 지식의 축적이 가능하고, 다양한 가치관이 공존하기 때문

② 정보 통신 기술과 최첨단 과학 기술의 발달로 새로운 윤리적 쟁점과 딜레마 상황이 발생하기 때문

(2) 다양한 윤리의 영역

윤리의 영역	핵심 주제
생명 의료 윤리	생식 보조술, 인공 임신 중절, 안락사와 뇌사 등의 허용 문제
생명 공학 윤리	생명 복제, 인간의 이익을 위한 동물 실험 등의 허용 문제
성 윤리	성과 사랑의 관계, 성적 소수자 문제
직업윤리	직업적 성공의 도덕적 의미, 직업인에게 요구되는 덕목
사회 윤리	공정한 분배의 기준, 사형 제도 존폐 문제
과학 기술 윤리	과학 기술의 가치 중립성 및 사회적 책임
환경 윤리	자연의 가치, 환경 문제의 해결 방안
문화 윤리	예술과 도덕의 관계, 문화 다양성 존중과 보편 윤리의 관계
평화 윤리	통일의 필요성과 바람직한 통일의 방법, 해외 원조를 보는 관점

(3) 다양한 윤리적 쟁점을 대하는 자세 새로운 윤리적 문제와 쟁점을 명확하게 분석하고, 이를 해결하기 위한 합리적이고 새로운 방안 마련 자료 4

❷ 딜레마(dilemma)
선택해야 할 길은 두 가지 중 하나로 정해져 있는데, 그 어느 쪽을 선택해도 바람직하지 못한 결과가 나오게 되는 곤란한 상황

❸ 유전 공학
유전자의 합성, 변형 따위를 연구하는 학문

자료 3 실천 윤리학의 등장 배경

오늘날 사람들이 삶의 도덕적 영역에 대해 고민하는 이유는, 우리 사회에서 현재 봉착하는 대부분의 도덕적 문제들에 그들의 신념을 제대로 적용하는 방식을 모르고 있기 때문이다. 응용(실천) 윤리학은 바로 그러한 문제에 응답하고자 하는 시도이다. …… 우리는 이론적인 도덕적 신념으로는 해결할 수 없는 여러 가지 도덕적 문제들에 봉착하고 있다. 이러한 문제들은 우리의 삶이 갖는 도덕적 차원의 정당성에 대한 도전은 아니다. 또한 그것은 옳고 그름 간에 아무런 차이도 없다거나, 무엇이 옳고 그른지 알 수 없음을 의미하지는 않는다. 그러한 문제들이 암시하는 것은 우리가 현재 당면한 많은 실제적 문제들에 윤리적 지식을 적용하기가 어렵다는 점이다.

– 바루흐브로디, "응용 윤리학" –

◉ **자료 분석** 실천 윤리학이 등장한 배경 및 필요성에 대한 글이다. 즉 현대 사회가 복잡 · 다양해짐에 따라 칸트 윤리, 자연법 윤리, 덕 윤리, 공리주의 등 기존의 이론 윤리학으로는 해결하기 어려운 다양한 분야에서의 도덕적인 문제들이 발생하였고, 이를 해결하기 위해 실천 윤리학이 등장하게 되었다.

뜯어보기 포인트
실천 윤리학의 등장 배경에 대해 생각해 보자.

Q3 실천 윤리학이 등장하게 된 이유는 무엇인가?
① 공리주의의 중요성 때문
② 이론 윤리학의 파기 때문
③ 기존 윤리학의 한계 때문
④ 칸트 이론의 완벽성 때문
⑤ 기술 윤리학의 불필요 때문

자료 4 연구 윤리의 등장

연구에 참여한 아동들은 때때로 난처한 질문을 듣기도 한다. 이 점은 성인의 경우도 마찬가지지만 대부분의 성인들이 자신의 의사 표시를 할 수 있는데 반해 아동들은 대다수가 그렇지 못하다. 정신적 결함을 가지고 있는 성인 등 예외가 있긴 하지만 대개의 경우, 성인은 연구 참여 여부를 스스로 결정한다. 아동들은 개인의 자발적 의사와 상관없이 이들의 교육자나 양육자의 동의로 연구에 개입되거나 연구자가 임의로 아동을 연구에 참여시키는 일이 많다. 이처럼 연구 대상 아동의 자발적 의사가 고려되지 않는 관행에 대해서 그 심각성을 지적하지 않고 있는 우리의 아동 연구 풍토는 개선되어야 할 것이다. 아동 연구는 아동을 위하여 필요하고 중요한 문제를 다룬다. 아동 연구의 결과는 궁극적으로 아동의 복리와 관련된다. 그러나 아무리 연구의 결과가 아동들에게 이익을 가져온다고 하더라도 연구 과정에서 아동 개인의 권리가 침해되는 일이 있다면 그것은 정당화될 수는 없다.

– 한국아동권리학회편, "아동 권리 보호와 연구 윤리" –

◉ **자료 분석** 제시문은 아동을 대상으로 한 연구에서 연구 윤리가 등장한 배경에 대해 설명하고 있다. 아동은 보통 성인보다 연구 과정에서 자유롭게 자신의 의사를 개진할 가능성이 떨어진다. 따라서 아동이 연구 대상자일 경우 연구 과정에서 더 엄격한 연구 윤리를 적용하여 그들을 보호해야 할 것이다.

뜯어보기 포인트
연구 과정에서 나타나는 다양한 도덕적 문제로 연구 윤리가 등장하였다. 특히 아동은 연구 과정에서 더욱 취약하므로 연구 윤리가 엄격하게 적용되어야 한다는 것을 기억하자.

Q4 연구 대상으로서 아동이 연구 과정에서 취약한 이유는 무엇인가?

🔘 Q3 ③ / Q4 성인보다 인지 능력이 떨어지고 연구 과정에서 의사 표현 방식이 성인보다 자유롭지 않기 때문이다.

01 다음 빈칸에 들어갈 알맞은 말을 쓰시오.

(1) (   )은(는) 어떤 행위가 옳고 좋은 것인지, 어떤 행위가 그르고 나쁜 것인지에 대한 규범적 근거를 제시하는 학문이다.

(2) 현대 사회에서 새롭게 등장한 (   )은(는) 이론 윤리를 기본 바탕으로 하여 현실의 구체적인 문제에 타당한 해결책을 제시하는 것을 목표로 한다.

(3) (   ) 윤리학은 도덕 현상을 기술하고 설명하는 데 목적이 있다.

(4) 현대 과학 기술이 급속히 발달하면서 우리는 이전에 존재하지 않았던 (   )와(과) 딜레마에 직면하게 되었다.

02 다음 내용에 해당하는 윤리학의 유형을 쓰시오.

> "'옳다.'와 '그르다.'의 표현의 의미와 용법은 무엇인가?" 등과 같이 도덕적 언어의 의미를 분석하고 도덕 추론의 논증 가능성과 논리적 타당성을 규명하고자 하는 윤리학이다.

03 다음 내용이 맞으면 ○표, 틀리면 ×표를 하시오.

(1) 윤리학이 인간 삶의 문제를 탐구하는 학문이라면, 실천 윤리를 통해 그 특징이 더 잘 드러나는 것이다. (   )

(2) 모든 윤리적 문제는 도덕 원리나 도덕 규칙을 적용한 실천 윤리만으로 해결할 수 있다. (   )

(3) 새로운 윤리 문제가 등장할수록 인간의 삶 속에서 올바름을 숙고하는 윤리학의 필요성과 영향력은 더욱 커지고 있다. (   )

04 다음과 같은 윤리 문제를 다루는 윤리의 영역을 |보기|에서 고르시오.

> ┌ 보기 ┐
> ㄱ. 사회 윤리　　　　　ㄴ. 환경 윤리
> ㄷ. 생명 의료 윤리　　ㄹ. 생명 공학 윤리

(1) 공정한 분배의 기준은 무엇인가? (   )

(2) 인간의 이익을 위한 동물 실험을 허용해야 하는가? (   )

(3) 생식 보조술과 인공 임신 중절을 허용해야 하는가? (   )

05 다음 중 옳은 것에 ○표 하시오.

> 실천 윤리의 여러 분야 중에서 (환경 / 생명) 윤리 분야에서는 생태학적 지식이 필요하고, (환경 / 생명) 윤리 분야에서는 유전 공학과 의학의 전문 지식이 필요하다.

06 다음과 관련 있는 실천 윤리의 영역을 쓰시오.

> • 통일을 해야 하는 이유는 무엇일까?
> • 남한과 북한에게 모두 바람직한 통일의 방법은 무엇인가?
> • 난민을 돕는 것은 지구촌 시민으로서의 의무인가, 자선인가?

07 다음과 관련 있는 실천 윤리의 영역을 쓰시오.

> • 자연은 개발의 대상인가, 보존의 대상인가?
> • 인간 중심주의 윤리로 환경 문제를 해결할 수 있는가?

01 다음 윤리 분야들의 공통적인 특징으로 가장 적절한 것은?

> • 생명 의료 윤리: 유전 공학과 의학에 관한 전문 지식이 필요하였다.
> • 동물 윤리: 동물 실험 및 동물 학대와 관련한 동물 보호와 동물 복지에 관한 윤리적 정당성을 추구하기 위해 등장하였다.

① 도덕적 언어에 대한 논리적 분석을 중시한다.
② 구체적인 도덕 문제 해결을 모색하고자 한다.
③ 도덕 이론 체계의 확립을 무엇보다 중시한다.
④ 윤리학의 실천적 측면보다 이론적 측면을 강조한다.
⑤ 특정 시대의 규범과 관습에 대해 기술하는 것을 목적으로 한다.

02 현대 사회에서 실천 윤리가 필요한 이유로 적절하지 <u>않은</u> 것은?

① 윤리 이론을 기계적으로 적용하여 해결할 수 없는 문제가 등장하였다.
② 기존의 이론 윤리를 강화함으로써 대부분의 윤리 문제를 해결할 수 있었다.
③ 절대적 신념이나 제도가 변화하여 수정이 필요한 윤리적 문제가 등장하였다.
④ 현대 사회의 복잡·다양성에서 비롯되는 여러 가지 윤리적 문제가 등장하였다.
⑤ 과학 기술이 급속도로 발달하면서 새로운 윤리적 쟁점과 딜레마에 직면하게 되었다.

03 다음을 핵심 주제로 하는 실천 윤리의 영역으로 가장 적절한 것은?

> • 예술과 도덕은 갈등할 수밖에 없는가?
> • 문화 다양성의 존중과 보편 윤리는 양립 가능한가?

① 성 윤리　　② 문화 윤리　　③ 사회 윤리
④ 환경 윤리　　⑤ 생명 의료 윤리

04 ㉠, ㉡에 해당하는 실천 윤리의 영역을 바르게 연결한 것은?

> • (㉠): 의료 기술의 발달에 따라 나타나는 안락사, 뇌사, 생식 보조술 등에 대한 윤리적 평가를 내리고 구체적인 상황에서의 문제 해결을 도모하고자 한다.
> • (㉡): 사회 안에서 발생하는 다양한 차별 문제나 제도 및 구조에 대한 윤리적 평가를 내리고 개선에 대한 대안 설정에 강조점을 둔다.

	㉠	㉡
①	정보 윤리	사회 윤리
②	문화 윤리	평화 윤리
③	정보 윤리	생명 의료 윤리
④	생명 공학 윤리	평화 윤리
⑤	생명 의료 윤리	사회 윤리

05 다음 글에서 강조하는 내용으로 가장 적절한 것은?

> 윤리 문제를 접할 때 우리에게 적용할 윤리 이론이나 도덕 원칙이 없다면, 무엇을 응용하고 적용하는 것 자체가 불가능할 것이다. 이런 의미에서 실천 윤리는 이론 윤리에 토대를 두고 있다.

① 이론 윤리와 실천 윤리는 전혀 관계가 없다.
② 실천 윤리와 이론 윤리는 서로 구분되지 않는다.
③ 이론 윤리와 실천 윤리는 상호 보완적 관계에 있다.
④ 실천 윤리는 현실과 무관한 형이상학적 논의로 구성된다.
⑤ 실천 윤리를 토대로 하여 비로소 이론 윤리가 형성된다.

06 밑줄 친 'A' 학문에 대한 설명으로 옳은 것을 |보기|에서 고른 것은?

A는 본질적으로 어떤 행위가 옳고 좋은 것인지, 어떤 행위가 그르고 나쁜 것인지에 대한 규범적 근거를 제시하는 학문이다. 동시에 삶 속에서 우리로 하여금 마땅히 도덕적 행위를 하게 하는 성격도 있다. 따라서 본질적으로 A는 실천 지향적 성격을 지닌다.

┌ 보기 ├
ㄱ. 도덕 문제 해결에 관심을 기울이지 않는다.
ㄴ. 인간의 심리 현상을 분석하는 데 주력한다.
ㄷ. 도덕의 이론적 측면과 실천적 측면을 동시에 지닌다.
ㄹ. 윤리적 문제 상황 속에서 올바른 판단을 내리도록 도움을 준다.

① ㄱ, ㄷ　　② ㄱ, ㄹ　　③ ㄴ, ㄷ
④ ㄴ, ㄹ　　⑤ ㄷ, ㄹ

07 밑줄 친 '이것'의 특징으로 옳지 <u>않은</u> 것은?

• 이것은 실천 윤리학이라고도 한다.
• 이것은 현대 사회에 새롭게 나타난 다양한 도덕적 문제로 인해 등장하게 되었다.

① 다학문적 접근을 강조한다.
② 도덕 문제의 해결을 모색한다.
③ 이론 윤리학을 토대로 삼지 않는다.
④ 정보 윤리, 환경 윤리, 생명 윤리 등을 예로 들 수 있다.
⑤ 기존의 윤리학이 지닌 한계를 극복하기 위해 등장하였다.

[08~09] 다음 글을 읽고 물음에 답하시오.

A 윤리학에서는 '옳다.', '그르다.', '좋다.', '나쁘다.'와 같은 규범적 판단과 그 근거를 제시하는 것에 목적을 둔다. 하지만 B 윤리학에서는 현대 사회에서 발생하는 다양한 도덕적 문제들을 지혜롭게 해결하는 것이 무엇보다도 중요하다고 본다.

08 A 윤리학보다 B 윤리학의 탐구 주제로 적절한 것은?

① 사람은 어떻게 살아야 하는가?
② 보편적인 도덕규범은 무엇인가?
③ '옳음'과 '그름'의 의미는 무엇인가?
④ 인간이 지녀야 할 도덕적 가치는 무엇인가?
⑤ 다문화 가정을 돕는 것은 의무인가? 자선인가?

09 다음 질문에 대한 A, B 윤리학의 입장으로 옳은 것은?

	질문	A	B
①	다학문적 접근 방법을 특히 중시하는가?	아니요	예
②	인생에 보편적 규범이 있다고 전제하는가?	아니요	예
③	규범 윤리학의 이론을 현실에 적용하는가?	예	아니요
④	도덕적 언어 분석을 주된 탐구 요소로 삼는가?	예	예
⑤	도덕적 행위의 이론적 분석과 정당화를 중시하는가?	아니요	예

10 다음을 주제로 하는 윤리학에 대한 설명으로 옳은 것을 |보기|에서 고른 것은?

• 성적 욕망과 사랑의 차이는 무엇인가?
• 자연은 개발의 대상인가? 보존의 대상인가?
• 사이버 공간에서 표현의 자유를 어디까지 허용해야 하는가?

┌ 보기 ├
ㄱ. 정보 통신 및 과학 기술의 발달로 인해 등장하였다.
ㄴ. 공리주의 윤리설, 의무론적 윤리설, 덕 윤리 등이 해당된다.
ㄷ. 전통 윤리의 틀로 새로운 가치관과 원칙을 대신할 수 있다고 믿는다.
ㄹ. 삶의 영역에서 제기되는 다양한 윤리 문제를 해결하는 것을 목표로 삼는다.

① ㄱ, ㄴ　　② ㄱ, ㄹ　　③ ㄴ, ㄷ
④ ㄴ, ㄹ　　⑤ ㄷ, ㄹ

주관식

01 빈칸 ㉠, ㉡에 들어갈 말을 각각 쓰시오.

> 윤리학은 (㉠)와(과) (㉡)(으)로 구분할 수 있다. (㉠)은(는) 윤리 이론을 정립하고 이를 정당화하여 도덕 판단의 기준을 명확히 하려 한다면, (㉡)은(는) 현대인의 삶의 영역에서 제기되는 다양한 윤리 문제를 해결하는 것을 목표로 삼는다.

주관식

02 빈칸 ㉠~㉢에 들어갈 윤리학의 유형을 각각 쓰시오.

> (㉠)은(는) 도덕 현상을 기술하고 설명하는 데 그 목적이 있다고 보는 윤리학이다. 이를 지지하는 학자들은 윤리학이 역사적이고 과학적인 면에서의 기술적이고 경험적인 탐구를 해야 한다고 주장한다.
> (㉡)은(는) '옳다.', '그르다.', '좋다.', '나쁘다.'와 같은 규범적 판단과 그 근거를 제시하는 것에 목적, 이유를 두는 윤리학이다. 이를 지지하는 학자들은 윤리학이 옳은 것과 선한 것, 혹은 의무가 무엇인가를 묻는 것과 같은 종류의 규범적 성찰을 해야 한다고 주장한다.
> (㉢)은(는) "'옳다.'와 '그르다.'의 표현의 의미와 용법은 무엇인가?" 등과 같이 도덕적 언어의 의미를 분석하고, 도덕 추론의 논증 가능성과 논리적 타당성을 규명하고자 하는 윤리학이다.

주관식

03 윤리학의 성격과 관련하여 밑줄 친 부분에 들어갈 적절한 말을 쓰시오.

> 윤리학은 기본적으로 어떤 행위가 옳고 좋은 것인지, 어떤 행위가 그르고 나쁜 것인지에 대한 규범적 근거를 제시하는 학문이다. 동시에 삶 속에서 우리로 하여금 마땅히 도덕적 행위를 하게 하는 성격도 지니고 있다. 따라서 윤리학은 본질적으로 _____
> _____.

주관식

04 새롭게 등장한 실천 윤리의 영역을 네 가지 이상 쓰시오.

서술형

05 다음 글에 통해 알 수 있는 이론 윤리와 실천 윤리의 관계에 대해 서술하시오.

> 현실의 삶 속에서 발생하는 윤리 문제에 적용할 도덕 원리나 원칙은 이론 윤리가 제공하지만, 구체적인 문제를 해결하는 데 구체적인 방법은 실천 윤리가 제시해 준다.

서술형

06 실천 윤리의 등장 배경 및 필요성에 대해 두 가지 이상 서술하시오.

서술형

07 과학 기술 윤리와 환경 윤리에서 다루어지고 있는 핵심 주제를 각각 두 가지 서술하시오.

(1) 과학 기술 윤리: _____

(2) 환경 윤리: _____

서술형

08 실천 윤리학에서 인접 학문과의 상호 협력이 필요한 이유는 무엇인지 서술하시오.

현대 윤리 문제에 대한 접근

단원 흐름 읽기

동양 윤리의 접근	
	• 유교 윤리 　도덕주의, 공동체주의, 인본주의
	• 불교 윤리 　인과응보, 윤회, 업 사상, 내세관, 공 사상, 무소유 정신
	• 도가 윤리 　과도한 욕망 절제, 무위자연의 삶

서양 윤리의 접근	
	• 의무론 　칸트의 의무론, 자연법 윤리
	• 공리주의 　'최대 다수의 최대 행복' 추구
	• 덕 윤리 　덕과 품성 중시
	• 도덕 과학적 접근 　과학적 연구 결과를 윤리학에 활용

1 동양 윤리의 접근

1. 유교 윤리

(1) **유교의 가르침**

　① 공자: 인❶ 사상 제시, 도덕 정치로서 덕치(德治)와 예치(禮治) 강조

　② 맹자와 순자: 내적 수양과 외적 실천을 통한 도덕적 완성 추구

(2) **이상 사회 및 이상적 인간상**

　① 이상 사회: 모든 사람이 더불어 잘 사는 대동 사회(大同社會)

　② 이상적 인간상: 성인(聖人), 군자(君子), 대장부(大丈夫), 대인(大人)

(3) **영향과 현대적 의의**

　① 동아시아에서 통치와 교육의 이념으로 영향을 끼침.

　② 도덕주의, 공동체 윤리, 인본주의 등은 현대 사회의 문제를 해결하는 데 도움을 줌.

2. 불교 윤리

(1) **석가모니** 　연기❷의 가르침을 바탕으로 해탈❸에 이르는 길을 제시 → 해탈을 위한 수행을 강조

(2) **이상 사회 및 이상적 인간상**

　① 이상 사회: 불국정토(佛國淨土)

　② 이상적 인간상: 보살(菩薩) → 위로는 깨달음을 구하고 아래로는 중생 구제

(3) **평등적·연기적 세계관** 　모든 생명에 대한 경외심, 인간과 자연의 조화 강조

(4) **영향과 현대적 의의**

　① 인과응보, 윤회❹, 업❺ 사상, 내세관 등이 현대에까지 영향을 끼침.

　② 공(空) 사상, 무소유 정신이 현대 사회에 시사점을 줌. 　자료1

3. 도가 윤리

(1) **노자와 장자** 　무위자연❻의 삶 강조, 자연의 질서에 순응하는 삶, 평등한 인간관 　자료2

(2) **이상 사회 및 이상적 인간상**

　① 이상 사회: 자연 그대로의 소박한 삶을 이상적으로 보고, 소국과민❼을 이상 사회로 제시

　② 이상적 인간상: 지인(至人), 신인(神人), 천인(天人)

(3) **영향과 현대적 의의**

　① 자연적이고 정신적인 가치가 더 중요하다는 교훈을 줌.

　② 환경 문제 해결에 사상적 실마리를 제공해 줄 수 있음.

---

❶ **인(仁)**
공자의 중심 사상. '어질다', '자애롭다'라는 뜻으로, 선(善)의 근원이 되고 행(行)의 기본이 되는 것

❷ **연기(緣起)**
불교의 근본 교리로, 인연생기(因緣生起) 즉 인연에 따라 생겨난다는 뜻이며, 세상 모든 존재는 서로 의지한다는 상의성(相依性)을 말함.

❸ **해탈**
번뇌의 얽매임에서 풀리고 미혹의 괴로움에서 벗어남.

❹ **윤회(輪廻)**
수레바퀴가 구르는 것과 같이 중생이 생사 세계를 돌고 돈다는 불교 교리 가운데 하나

❺ **업(業)**
미래에 선악의 결과를 가져오는 원인이 된다고 하는 선악의 소행

❻ **무위자연(無爲自然)**
노자의 대표 사상으로, 억지로 무엇을 하지 않고 순수하게 자연의 순리에 따르는 삶을 산다는 의미

❼ **소국과민(小國寡民)**
작은 나라에 적은 백성

자료 1 불교의 무소유(無所有) 정신

우리들의 소유 관념이 때로는 우리들의 눈을 멀게 한다. 그래서 자기의 분수까지도 돌볼 새 없이 들뜬다. 그러나 우리는 언젠가 한번은 빈손으로 돌아갈 것이다. 내 이 육신마저 버리고 홀홀히 떠나갈 것이다. 하고많은 물량일지라도 우리를 어떻게 하지 못할 것이다.

크게 버리는 사람만이 크게 얻을 수 있다는 말이 있다. 물건으로 인해 마음을 상하고 있는 사람들에게는 한 번쯤 생각해 볼 말씀이다. 아무것도 갖지 않을 때 비로소 온 세상을 갖게 된다는 것은 무소유의 또 다른 의미이다.

– 법정, "무소유" –

🔵 **자료 분석** 법정 스님의 "무소유"의 일부 내용이다. 연기적 세계관과 공(空) 사상에 따라 세상에는 자기 소유의 것이 아무것도 없기 때문에 나누고 베푸는 삶을 강조한 것이 무소유의 정신이다.

뜯어보기 포인트

불교의 연기적 세계관이 무소유의 정신과 어떻게 연결되는지를 생각해 보자.

Q1 불교의 무소유 정신과 관련 있는 것을 모두 고르면?

① 공(空)
② 인(仁)
③ 연기(緣起)
④ 군자(君子)
⑤ 안빈낙도(安貧樂道)

자료 2 장자의 제물론(齊物論)

사람은 습한 데서 자면 허릿병으로 반신불수가 되기도 하는데
미꾸라지도 그렇던가?
사람은 나무 위에 있을 경우 벌벌 떨지만
원숭이도 무서워하던가?
셋 가운데 어느 쪽이 바른 거처를 알고 있는 것인가?
원숭이는 편저를 짝으로 하고
고리니는 사슴과 교배하고
미꾸라지는 물고기와 함께 놀지.
모장과 여희는 세상 사람들이 미녀라고 칭송하지만,
그들을 보면 물고기는 물속 깊이 달아나고
새는 하늘 높이 날아오르며
순록과 사슴은 황급히 달아나지.
넷 가운데 누가 세상의 올바른 아름다움을 아는 것일까?

– 장자, "장자" –

🔵 **자료 분석** 장자는 인위적인 것을 고집하지 말고 자연의 질서에 따라야 한다고 주장하였다. 인위적인 구별은 인의(仁義)의 단서와 시비(是非)의 방편이 복잡하게 얽혀서 혼란스러워졌을 따름이지, 사실은 구별할 수 없다고 하면서 만물은 모두 평등하다고 주장하였다.

뜯어보기 포인트

장자가 '제물론'을 통해서 우리에게 전달하려는 교훈은 무엇인지 생각해 보자.

Q2 노자와 장자의 도가 사상과 관련이 없는 것은?

① 인과응보(因果應報)
② 무위자연(無爲自然)
③ 상선약수(上善若水)
④ 소국과민(小國寡民)
⑤ 물아일체(物我一體)

📖 Q1 ①, ③ / Q2 ①

2 서양 윤리의 접근

1. 의무론

(1) **의미** 행위의 옳고 그름은 결과와 상관없이 그 행위가 의무에 부합하느냐에 의해 결정된다는 도덕적 입장

(2) **칸트의 의무론과 자연법 윤리**

의무론 (칸트)	• 이성적·자율적인 인간은 보편적인 도덕 법칙을 알고 그것을 정언 명령❽의 형식으로 제시할 수 있음. 자료 3 • 개인의 행위 규칙(준칙 또는 격률❾)을 도덕 법칙과 구별할 것을 주장
자연법 윤리 (토마스 아퀴나스)	인간의 본성 또는 인간이 공유하는 자연적 경향성에 따르는 행위를 옳다고 보는 도덕 윤리설

(3) **장점과 한계**

① 장점: 인간의 존엄성 중시, 보편적인 도덕의 중요성 강조

② 한계: 형식에 치우쳐 현실에서 도덕적 지침 제시 미흡, 도덕 법칙 상충 시 이를 해결할 방안 미흡

2. 공리주의

(1) **의미** '최대 다수의 최대 행복'이라는 도덕 원리를 제시하면서 이기적 쾌락과 사회 전체의 행복을 조화시키려는 사상

(2) **벤담과 밀의 공리주의**

양적 공리주의 (벤담)	• 모든 쾌락은 질적으로 동일하고 양적으로만 차이가 있음. • 쾌락의 계산법❿ 제시
질적 공리주의 (밀)⓫	• 쾌락은 질적으로도 차이가 있음. • 고상하고 차원 높은 정신적 쾌락 추구

(3) **행위 공리주의와 규칙 공리주의**

행위 공리주의	어떤 행위의 평가는 그 행위가 산출하는 쾌락과 고통의 전첫값에 따라야 한다는 도덕적 입장 → 공리의 원리를 충족한 개별 행위는 옳은 것
규칙 공리주의	특정 행위가 최선의 결과를 가져온다는 것보다 최선의 결과를 가져오는 규칙에 따른 행위가 옳은 행위라고 보는 도덕적 입장 → 규칙에 들어맞는 행위가 옳은 것

(4) **공리주의의 한계** 소수의 권리와 이익 훼손 우려, 행위의 동기나 인간의 내면적 측면을 소홀히 취급함.

3. 덕 윤리와 도덕 과학적 접근

덕 윤리	• 의미: 인간의 내면적 도덕성과 인성의 중요성을 강조하는 도덕적 입장 • 아리스토텔레스⓬: 행위자의 덕과 품성을 중시 • 매킨타이어: 개인의 자유나 선택보다는 공동체의 역사와 전통을 중시하고 더불어 살아가는 인간으로서의 삶을 강조
도덕 과학적 접근	• 도덕적 현상을 과학적, 분석적으로 탐구하기 위한 일련의 연구 경향 • 인간이 추구해야 할 도덕성의 방향이나 행위의 지침, 도덕 판단의 메커니즘 등을 설명하는 데 과학적 연구 성과(예 신경 과학, 뇌 과학 등)를 반영하자는 입장 자료 4

❽ **정언 명령**
행위의 결과에 상관없이 그 자체가 선(善)이기 때문에 무조건 그 수행이 요구되는 도덕적 명령

❾ **준칙(準則)/격률(格率)**
개인의 주관적인 행위의 규범이나 윤리의 원칙

❿ **벤담의 쾌락의 계산법**
강도, 지속성, 확실성, 근접성, 생산성, 순수성, 파급 범위 등의 기준으로 쾌락을 계산

⓫ **밀의 질적 공리주의**
"배부른 돼지보다는 배고픈 인간이 되는 것이 더 낫고, 만족스러운 바보보다는 불만족에 가득 찬 소크라테스가 되는 것이 더 낫다."

⓬ **아리스토텔레스(Aristoteles, B.C. 384~B.C.322)**
고대 그리스의 철학자. 플라톤과 더불어 이성을 인간의 본질로 삼는 소크라테스의 사상적 계보를 이어받았음.

자료 3 칸트의 가언 명령과 정언 명령

모든 실천은 가능한 행위를 선한 것으로, 그렇기에 이성에 의해 실천적으로 규정될 수 있는 주관에 대해서는 필연적인 것으로 표상하기 때문에 모든 명령들은 어떤 방식에서든 선한 의지의 원리에 따라 필연적인 행위를 규정하는 공식들이다. 그런데 행위가 한낱 무언가 다른 것을 위해, 즉 수단으로서 선하다면 그 명령은 가언적인 것이다. 행위가 그 자체로서 선한 것으로 표상되면, 그러니까 그 자체로서 이성에 알맞은 의지에서 필연적인 것으로, 즉 의지의 원리로 표상되면 그 명령은 정언적인 것이다.

― 칸트, "윤리 형이상학 정초" ―

◉ **자료 분석** 칸트는 어떤 것을 위한 수단적인 성격을 지닌 명령을 조건 명령, 즉 '가언 명령'이라 하였고, 이것은 도덕 법칙이 될 수 없다고 보았다. 반면 행위의 결과와 상관없이 그것이 선하다는 이유로 무조건 행위해야 한다는 조건 없는 명령을 '정언 명령'이라 하였다. 그리고 도덕 법칙은 정언 명령의 성격을 지녀야 하는 것으로 보았다.

뜯어보기 포인트
칸트의 정언 명령과 가언 명령을 구분하여 기억하자.

Q3 칸트의 정언 명령으로 보기 어려운 것은?

① 매사에 정직하라.
② 자연환경을 보존하라.
③ 가난한 자에게 자비를 베풀라.
④ 남의 잘못을 함부로 말하지 말라.
⑤ 친구를 많이 사귀려면 약속을 잘 지켜라.

자료 4 뇌는 윤리적인가?

뇌 과학의 성과는 경이롭고 우리에게 혜택을 줄 것이지만, 뇌의 상태가 인간의 본성을 드러낼 수 있는 것인지, 뇌를 스캔하는 기술 자체는 믿을 만한 것인지 등에 대한 사회적 우려는 이미 우리 사회에 조금씩 퍼지고 있다. 인간의 본성이나 도덕적 상태는 뇌의 상태로 완전히 설명할 수 없고, 자유 의지의 영역은 여전히 남아 있으며, 이 영역을 긍정적인 방향으로 계발해야 한다. 그래서 '뇌는 윤리적인가?'라는 논의는 '뇌가 윤리적이다.'라는 단정적인 주장을 하기 위한 것이 아니라, 뇌의 어디까지가 윤리적이고 어디까지가 그렇지 않은지를 이야기하기 위한 것이다.

― 마이클 가자니가, "뇌는 윤리적인가" ―

◉ **자료 분석** 도덕 과학적 접근의 한 연구 경향인 뇌 과학은 많은 성과에도 불구하고 그것의 신뢰성 및 인간의 본성이나 도덕성, 자유 의지 등은 여전히 풀리지 않는 미지의 영역이다. 화자는 인간의 뇌가 윤리적이라는 것이 아니라 윤리적 판단이 뇌의 특정 부위와 관련이 있으므로 과학을 통해 도덕을 이해하면서 뇌 과학의 한계를 밝히고자 한다.

뜯어보기 포인트
인간의 도덕적 행위를 이해하는 데 있어 도덕 과학적 접근의 한 분야로서 뇌 과학이 기여하는 부분과 그 한계에 대해 생각해 보자.

Q4 뇌 과학에 대한 설명으로 옳지 않은 것은?

① 최근에 등장한 이론이다.
② 도덕 과학적 접근 중 하나이다.
③ 윤리학 이론에 반영될 여지가 있다.
④ 인간의 뇌는 윤리적이라고 주장한다.
⑤ 과학을 통해 도덕을 이해하려는 경향이다.

🔑 Q3 ⑤ / Q4 ④

01 다음 빈칸에 들어갈 알맞은 말을 쓰시오.

(1) 공자는 인간의 도덕성을 회복하고 안정된 사회를 이루고자 (　　　) 사상을 제시하였다.

(2) 석가모니는 모든 존재는 서로 의존하여 존재한다는 (　　　)의 가르침을 바탕으로 해탈에 이르는 길을 제시하였다.

(3) 노자와 장자로 대표되는 도가 사상은 자연의 질서에 순응하는 삶, 즉 (　　　)의 삶을 강조하였다.

(4) 내 것이라 할 수 있는 것이 아무것도 없기에 나누고 베풀어야 한다는 (　　　)의 정신은 물질 만능주의와 과소비, 이기주의가 만연한 현대 사회에 시사점을 준다.

02 동양 윤리에서 제시한 이상적 인간상을 바르게 연결하시오.

(1) 유교 •　　　　　• ㉠ 지인(至人)

(2) 불교 •　　　　　• ㉡ 보살(菩薩)

(3) 도가 •　　　　　• ㉢ 군자(君子)

03 칸트의 의무론에서, 행위의 결과와 상관없이 그 자체가 선(善)이기 때문에 무조건 그 수행이 요구되는 도덕적 명령을 무엇이라고 하는지 쓰시오.

_____

04 다음 내용이 맞으면 ○표, 틀리면 ×표를 하시오.

(1) 칸트는 이성적이고 자율적인 인간은 보편적인 도덕 법칙을 알고 그것을 정언 명령의 형식으로 제시할 수 있다고 하였다. (　　　)

(2) 벤담에 의하면, 인간이 공유하는 자연적 경향성을 따르는 것은 옳다. (　　　)

(3) 의무론은 행위의 옳고 그름은 결과와 상관없이 그 행위가 의무에 부합하느냐에 의해 결정된다는 이론이다. (　　　)

(4) 덕 윤리에서는 도덕적으로 옳은 결정을 하고 착한 삶을 살기 위해 무엇보다도 유덕한 성품을 갖추는 것이 중요하다고 말한다. (　　　)

(5) 공리주의에 따르면, 신경 과학이나 뇌 과학 등 여러 가지 과학적 연구 성과는 도덕을 이해하는 데 유용하게 활용될 수 있다. (　　　)

05 공리주의에서 더 많은 사람이 행복을 누리는 것은 좋은 일이라고 간주하면서 도덕과 입법의 원리로 삼아야 한다고 주장한 원리는 무엇인지 쓰시오.

_____

06 다음 빈칸에 들어갈 윤리 이론을 쓰시오.

(　　　)의 입장에서는 의무론과 공리주의적 관점을 인간의 내면적 도덕성과 인성의 중요성을 소홀히 취급했다는 점에서 비판한다.

01 다음 빈칸에 들어갈 말로 적절하지 **않은** 것은?

> 유교에서는 모든 사람이 더불어 잘 사는 대동 사회(大同社會)를 이상 사회로 보았다. 그리고 이상적인 인격에 도달한 사람을 (　　　)(이)라 불렀는데, 이는 선한 본성을 지키고 함양해 나가기 위해 끊임없이 도덕적 수양과 사회적 실천을 해 나가는 사람이다.

① 군자(君子)　　　② 대인(大人)
③ 천인(天人)　　　④ 성인(聖人)
⑤ 대장부(大丈夫)

02 불교에서 말하는 이상적 인간상은 무엇인가?

① 군자(君子)　　　② 보살(菩薩)
③ 천인(天人)　　　④ 지인(至人)
⑤ 성인(聖人)

03 다음의 사상을 기반으로 하는 동양 윤리 사상에 대한 설명으로 옳지 **않은** 것은?

> 이것이 생(生)하면 저것이 생(生)하고, 이것이 멸(滅)하면 저것이 멸(滅)한다.

① 모든 존재는 서로 의존하여 존재한다고 믿는다.
② 내세에 대한 관념을 일깨우는 등 전통 사유 체계에 변화를 가져왔다.
③ 동아시아에서 오랫동안 통치와 교육의 이념으로 많은 영향을 끼쳐 왔다.
④ 불성을 깨달으면 누구나 부처가 될 수 있다는 평등적 세계관을 중시한다.
⑤ 삶의 괴로움에서 벗어나 열반의 즐거움을 누리기 위한 수행을 중시하였다.

04 다음 내용에 해당하는 사상으로 옳은 것은?

> 가장 선한 사람은 물과 같다. 물은 만물을 이롭게 하면서도 다투지 않고, 뭇 사람들이 싫어하는 곳에 머문다. 그러므로 도에 가깝다.

① 공(空) 사상
② 무소유 정신
③ 극기복례(克己復禮)
④ 인과응보(因果應報)
⑤ 상선약수(上善若水)

05 다음과 같은 동양의 유기체적 세계관의 긍정적 측면으로 보기 **어려운** 것은?

> 동양에서는 전통적으로 자연과 사람을 떼어 놓고 생각하지 않았다. 사람은 자연과의 어울림 속에서만 살아남을 수 있다고 보았으며, 그래서 자연을 대상화하기보다는 자연을 닮으려고 하였다. 이것이 철학에서 추구해 온 자연과 하나 됨, 즉 '천인합일(天人合一)'이었다. 그래서 유교에서는 자연법칙을 도덕 법칙으로 끌어들여 인간의 자연스러운 마음 상태와 그 마음 상태에서 나오는 자연스러운 행동을 추구하였고, 도가는 인간 중심의 가치론적 판단을 버리고 내 몸과 자연이 하나로 만나는 존재론적 합일을 추구하였다.

① 환경 문제를 해결할 수 있는 지혜를 제공해 준다.
② 핵 문제에 대처하는 기본적인 지혜를 제공해 줄 수 있다.
③ 서양의 과학적 관점에 비해 정확성과 실증성이 우수하다.
④ 인간 소외, 인간성 상실 등의 현대 윤리 문제를 해결해 줄 수 있다.
⑤ 서구의 이분법적 세계관에 의해 발생하고 있는 윤리적 문제들을 해결해 줄 수 있는 지혜를 제공해 준다.

06 다음의 답변을 공통적으로 유도할 수 있는 질문으로 가장 적절한 것은?

> • 행위의 결과보다 동기를 중시한다.
> • 도덕 법칙은 정언 명령의 형식으로 제시할 수 있다고 본다.
> • 오직 의무 의식에서 나온 행위만이 도덕적 가치를 지닌다고 여긴다.

① 덕 윤리의 성격은 무엇인가?
② 칸트 사상이 지닌 특징은 무엇인가?
③ 밀의 윤리 사상이 지닌 특징은 무엇인가?
④ 요나스의 윤리 사상이 지닌 한계는 무엇인가?
⑤ 매킨타이어와 칸트 사상의 공통점은 무엇인가?

07 다음은 공리주의자인 벤담과 밀의 주장이다. ㉠에 들어갈 내용으로 옳지 **않은** 것은?

> 벤담: _____㉠_____
> 밀: 질적으로 고상한 정신적 쾌락을 중시하였다.

① 쾌락의 계산법을 제시하였다.
② '최대 다수의 최대 행복'을 궁극적 목적으로 삼았다.
③ 행동의 결과적 유용성을 정확하게 측정하고자 하였다.
④ 쾌락의 양뿐만 아니라 질적인 차이도 고려해야 한다고 보았다.
⑤ 사회 전체의 행복을 증진하는 것을 도덕과 입법의 원리로 제시하였다.

08 다음의 주장을 한 사상가는 누구인가?

> • 행위자의 품성과 덕성을 중시한다.
> • 공동체 구성원으로서의 삶에 관심을 갖는다.

① 밀 　　　② 벤담 　　　③ 칸트
④ 하버마스 　　⑤ 매킨타이어

09 다음은 (가), (나) 사상에 대한 특징 및 그 사상에 대한 비판이다. 빈칸 ㉠, ㉡에 들어갈 말로 옳은 것은?

윤리 이론	특징	비판
(가)	㉠	• 다수의 행복을 중시함으로써 소수의 이익이 훼손될 우려가 있음. • 행위의 결과만을 문제 삼기 때문에 행위의 동기나 인간의 내면적 측면을 소홀히 하는 측면이 있음.
(나)	㉡	• 도덕의 근본 원리를 만족시키는 의무 규칙들이 서로 대립하는 경우, 행위의 지침을 제시하지 못함. • 일체의 경험적 내용을 배제하고 보편화 가능한 순수한 윤리의 형식만을 강조하고 있음.

① ㉠: 도덕 법칙은 무조건적인 명령의 형식으로 제시된다.
② ㉠: 선의지에 따른 자율적 행위를 도덕적 선이라고 본다.
③ ㉡: 결과적으로 많은 사람에게 행복을 가져오는 행위를 선으로 여겨야 한다.
④ ㉡: 이성적이고 자율적인 인간은 보편적인 도덕 법칙을 인식할 수 있다고 본다.
⑤ ㉡: 행위의 평가 기준은 그 행위로 인해 생겨날 쾌락과 고통에 달려 있다고 본다.

01 주관식

빈칸 ㉠, ㉡에 들어갈 말을 각각 쓰시오.

> 중국 춘추 전국의 혼란기에 (㉠)은(는) 인간의 도덕성을 회복하고 안정된 사회를 이루고자 인(仁) 사상을 제시하였고, 도덕 정치로서 덕치(德治)와 예치(禮治)를 강조하였다. 그의 사상을 계승한 맹자와 (㉡)은(는) 인간 본성에 대한 탐구를 통해 내적 수양과 외적 실천을 통한 도덕적 완성을 추구하였다.

02 서술형

다음 장자의 글을 통해 알 수 있는 도가 사상의 특징을 서술하시오.

> 사람은 습한 데서 자면 허릿병으로 반신불수가 되기도 하는데 미꾸라지도 그렇던가? 사람은 나무 위에 있을 경우 벌벌 떨지만 원숭이도 무서워하던가? 셋 가운데 어느 쪽이 바른 거처를 알고 있는 것인가? 원숭이는 편저를 짝으로 하고 고라니는 사슴과 교배하고 미꾸라지는 물고기와 함께 놀지. 모장과 여희는 세상 사람들이 미녀라고 칭송하지만, 그들을 보면 물고기는 물속 깊이 달아나고 새는 하늘 높이 날아오르며 순록과 사슴은 황급히 달아나지. 넷 가운데 누가 세상의 올바른 아름다움을 아는 것일까?

03 주관식

다음과 같은 불교 사상이 우리나라 전통 사유 체계에 가져온 가장 대표적인 변화는 무엇인지 쓰시오.

> '원인이 있으면 반드시 결과가 있다.'라는 인과응보 및 윤회와 업 사상은 선행의 실천을 이끌었고, 현세주의적 성격이 강한 중국과 한국 등에 수용되면서 전통 사유 체계에 변화를 가져왔다.

04 주관식

다음 내용으로 대표되는 사상가를 쓰시오.

> 배부른 돼지보다는 배고픈 인간이 되는 것이 더 낫고, 만족스러운 바보보다는 불만족에 가득 찬 소크라테스가 되는 것이 더 낫다.

05 서술형

덕 윤리학자인 아리스토텔레스는 좋은 품성을 갖추기 위해 어떤 노력을 강조하였는지 서술하시오.

단원 03 윤리 문제에 대한 탐구와 성찰

단원 흐름 읽기

도덕적 탐구
- 의미: 도덕적 추론 과정을 통해 도덕 판단을 내리고, 도덕적 행위를 실천하는 활동
- 과정: 윤리적 문제 인식 → 자료 수집 및 분석 → 선택 및 정당화 → 대안 도출 → 반성적 성찰

비판적 사고 / 배려적 사고 → 윤리적 성찰 → 윤리적 실천

1 도덕적 탐구의 방법

1. 윤리 문제의 인식과 도덕적 탐구

(1) **도덕적 탐구** 윤리 문제를 해결하기 위하여 도덕규범을 토대로 도덕적 추론 과정을 통해 도덕 판단을 내리고, 도덕적 행위를 실천하고자 하는 활동

(2) **도덕적 탐구 방법**

① 비판적 사고: 객관적 증거에 비추어 사태를 파악하고, 여기서 얻어진 판단에 따라 결론을 맺거나 행동하는 과정 → 비판적 사고의 과정을 통해 윤리 문제의 쟁점과 해결책을 이성적으로 검토할 수 있음.

② 배려적 사고: 도덕적 감수성과 공감 능력을 통해 상대방의 입장에서 생각해 보고, 상대방의 처지와 감정을 존중해 주는 것

(3) **도덕적 탐구의 중요성** 도덕적 의미를 발견하고 실천 의지를 고양, 윤리적 정당화의 과정을 통해 성숙한 윤리적 주체로 성장할 수 있음.

2. 도덕적 탐구의 과정

(1) **도덕적 탐구의 과정**

윤리적 문제의 인식	자료 수집 및 분석	선택 및 정당화	최선의 대안 도출	반성적 성찰
윤리 문제의 핵심 파악, 문제 발생 이유 검토	다양한 관련 자료의 수집 및 분석	대안 마련, 근거 검토(도덕 원리 검사 방법 적용)	대안의 장단점 비교 및 검토, 토론, 해결책 선택	탐구 과정 반성 및 최종 정리

(2) **도덕 원리 검사의 방법❶** 역할 교환 검사, 보편화 결과 검사, 포섭 검사, 반증 사례 검사 등

3. 토론의 중요성과 도덕적 탐구의 실제

(1) **토론의 일반적인 과정** 입론 → 확인 심문❷ → 반론 → 재반론 → 최종 발언 → 반성 및 정리 자료1

(2) **토론의 필요성** 상대방을 설득 또는 이해하는 과정에서 주어진 문제에 대한 최선의 대안을 찾기 위해 토론이 필요함.

(3) **토론의 중요성** 토론을 통해 비판적 사고와 배려적 사고 능력, 윤리 문제에 대한 객관적 관점, 상호 존중 및 협력적 태도(상호 주관성❸) 함양, 윤리적 실천 동기와 의지 등 윤리적 실천력 향상

❶ 도덕 원리 검사 방법
- 역할 교환 검사: 제시된 도덕 원리를 자신에게 적용하는 것에 동의할 수 있는지를 따져 보는 방법
- 보편화 결과 검사: 어떤 도덕 원리를 모든 사람이 보편적으로 실천했을 때 나타날 수 있는 결과를 예상하여 도덕 원리의 적절성을 검토하는 방법
- 포섭 검사: 선택한 도덕 원리를 좀 더 일반적이고 포괄적인 도덕 원리에 따라 판단해 보는 것
- 반증 사례 검사: 상대방의 도덕 원리에 반대되는 사례를 제시함으로써 도덕 판단의 근거로 제시된 원리에 반박하는 방법

❷ 확인 심문
개념의 의미, 사실 여부, 출처 확인, 연관 질문 등을 통해 상대방의 논거에 대한 종합적 검토가 가능하게 돕는 질문으로 교차 질문이라고도 함.

❸ 상호 주관성(相互主觀性)
많은 주관 사이에서 서로 공통적인 것이 인정되는 성질

자료 1 교차 조사형 토론

교차 조사형 토론은 기존의 토론 형식이 주장과 반박만으로 이루어져 있어 토론자들이 각자 자신의 주장만 내세우고 상대방 주장에 대해서 들으려 하지 않는 문제점을 보완하기 위해서 1971년 미국의 교차 조사형 토론 협회(Cross Examination Debate Association)가 상호 질문을 가미해서 만든 토론 형식이다. 교차 조사형 토론 협회의 첫 글자를 따서 만든 약어인 CEDA를 그대로 교차 조사형 토론을 가리키는 용어로 사용하기도 한다.

교차 조사형 토론은 기존의 토론 형식과 달리 입론이 끝날 때마다 질문하는 시간을 넣어서 찬성 측과 반대 측이 상호 교차해서 상대방이 주장한 내용에 대해서 확인하고 검증하고 반박하도록 되어 있다. 특히 입론에서 발언한 내용에 한해서 질문하도록 규정함으로써 상대방이 주장하는 내용을 귀담아 듣지 않으면 안 되게끔 했다.

교차 조사형 토론에서 각 팀은 2명으로 구성되며 각 토론자는 입론, 교차 조사, 반론을 각각 한 번씩 함으로써 동등한 발언 기회와 발언 시간을 부여받는다. 교차 조사형 토론에서는 현 상황의 변화를 주장하는 찬성 측이 토론의 첫 발언인 입론뿐만 아니라 마지막 발언인 최후 반론도 하도록 규정하고 있다. 이로써 찬성 측이 초두 효과와 최신 효과에 따른 이점을 모두 취할 수 있다는 점에서 이러한 발언 순서의 편성이 찬성 측에 다소 유리하게 비쳐질 수 있지만, 이에 대한 반대 급부로 반대 측에게는 찬성 측의 두 번째 입론 후에 연이어 발언할 수 있는 기회가 주어진다. 이처럼 반대 측에게 발언의 기회가 집중되어 있는 것을 반대 측의 블록(negative's block)이라고 부른다. 물론 찬성 측의 교차 조사가 한 번 있어서 이 때문에 잠시 중단되기는 하지만, 이를 제외하면 찬성 측의 두 번째 입론 후에 반대 측의 두 번째 교차 조사–반대 측의 두 번째 입론–반대 측의 첫 번째 반박으로 이어지기 때문에 특히 반대 측의 두 번째 입론과 반대 측의 첫 번째 반박을 들으면서 이에 대한 대답을 준비해야 하는 찬성 측 첫 번째 반박자에게 큰 부담이 된다. 또한 반대 측은 반론에서 먼저 발언할 수 있는 기회를 가짐으로써 상황을 자신에게 유리하게 끌고 갈 수 있는 발판을 구축할 수 있다. 즉, 쟁점의 우선순위를 결정해서 가장 자신 있게 반박할 수 있는 쟁점을 취해서 반박하면서 찬성 측에게 추가로 답변을 해 줄 것을 요청함으로써 이어질 찬성 측 반박자에게 부담을 주는 전략을 펼 수 있다.

— 백미숙, "토론" —

◉ **자료 분석** 미국의 교차 조사형 토론 협회에서 만든 교차 조사형 토론(CEDA)은 기존의 토론 형식이 주장과 반박만으로 이루어져 상대방 주장을 들으려 하지 않는다는 단점을 보완하기 위해 만들어졌다. 찬성 측과 반대 측이 순서를 정하고 번갈아 가며 주장과 반박을 펼침에 따라 토론을 진행함으로써 더 성숙하고 건전한 토론의 길을 마련하였다.

뜯어보기 포인트

교차 조사형 토론의 의의와 방법을 알아보고, 토론에 참여하는 올바른 자세가 무엇인지 생각해 보자.

Q1 우리 삶에 있어서 토론이 필요한 이유를 |보기|에서 있는 대로 고른 것은?

┌─ 보기 ─┐
ㄱ. 갈등을 합리적으로 해결하기 위해서
ㄴ. 문제에 대한 최선의 대안을 찾기 위해서
ㄷ. 윤리 문제를 좀 더 객관적으로 인식하기 위해서
ㄹ. 가장 신속하고 정확하게 문제를 해결하기 위해서

① ㄱ, ㄴ   ② ㄱ, ㄹ
③ ㄷ, ㄹ   ④ ㄱ, ㄴ, ㄷ
⑤ ㄴ, ㄷ, ㄹ

🔑 Q1 ④

2 윤리적 성찰과 실천

1. 윤리적 성찰의 의미

(1) **성찰**   자기 자신을 살피며 돌아보는 일 → 사색, 명상, 대화, 토론, 독서, 일기 등 다양한 방법이 있음.

(2) **윤리적 성찰**

① 자신의 정체성과 가치관에 대해 윤리적 관점에서 반성하여, 앞으로 지향해야 할 행동을 알아 가는 사고 과정 자료 2

② 파스칼: "인간은 생각하는 갈대"라고 주장 → 인간은 갈대처럼 연약하지만, 사유하는 능력으로 인해 존엄한 존재가 되는 것임.

(3) **윤리적 성찰의 필요성**

① 이성적 사유를 통해 자신의 정체성을 형성해 가고 사회적 존재로서 타인과 더불어 사는 삶이 무엇인지 성찰하게 됨.

② 인간은 이미 만들어진 존재가 아니라 되어 가는 존재이므로, 잘못된 것은 없는지 살피고, 같은 잘못을 되풀이하지 않기 위해 성찰의 과정을 거침.

③ 성찰의 과정을 통해서 도덕적 지식은 실천으로 옮겨지고, 인격적으로 성숙하여 훌륭한 시민으로 성장해 나가게 됨.

2. 윤리적 실천의 중요성

(1) 윤리적 탐구 과정을 통한 앎은 자유 의지에 따라 실천으로 옮겨졌을 때 비로소 도덕적으로 완성됨.

(2) **윤리적 실천을 위한 태도**   유혹과 충동을 이겨 내는 강한 실천 의지, 긍정적 삶의 자세, 결단력 등 자료 3

(3) **윤리적 실천을 강조한 사상가들**

아리스토텔레스	도덕적 행동의 반복된 실천을 통해 중용❹에 이를 수 있다고 주장
맹자	의로운 행위의 실천을 통해서 불의(不義) 앞에서도 당당할 수 있는 기운인 호연지기❺를 기를 수 있다고 주장
이이❻	"지식과 견문이 넓지 못한 것을 걱정할 것이 아니라, 독실하게 실천하지 못하는 것을 걱정해야 한다." → 실천의 중요성 강조

➡ 동서양 대부분의 윤리 사상은 도덕적 완성을 실천으로 보았으며, 이러한 사람들은 인격자로 불렸음.

(4) **새로운 시작으로서의 윤리적 실천**

① 윤리적 실천은 지식과 판단이 실제 삶에서 실현된다는 면에서 완성이라고 볼 수 있지만, 실천 과정에서 부딪히는 갈등과 역경을 극복하고 시행착오를 거치며 새로운 지혜를 통찰한다는 점에서 도덕적으로 성숙해지는 계기가 된다고도 볼 수 있음.

② 실천은 끝이자 새로운 시작을 의미함.

❹ **중용**
지나침과 모자람이 없이 어떤 극단에도 치우치지 않는 상태로, 처한 상황에서 최선의 적절한 행위를 선택하는 것

❺ **호연지기(浩然之氣)**
하늘과 땅 사이에 가득 찬 넓고 올곧은 기운

❻ **이이(李珥, 1536~1584)**
조선 중기의 문신으로, 저서로 "율곡전서" 등이 있음.

자료 2 **소크라테스, "음미하지 않는 삶은 살 가치가 없다."**

"어떻게 살아야 가치 있는 삶인가?"라는 질문에 소크라테스는 자신의 삶에 대해서 성찰할 수 있어야 한다고 말한다. 연이어 그는 플라톤이 정리한 "소크라테스의 변명"에 다음과 같은 잠언을 남겼다. "성찰하지 않는 삶은 살 가치가 없다."

어제 한 일을 무감하게 반복한다면 성찰이 없는 삶이다. 성찰한다는 것은 질문을 던지는 행위이다. 나는 누구인가, 왜 이 일을 하는가, 나는 어떻게 살아야 하는가 등 스스로에게 이런 화두를 던지며 삶의 의미를 탐색하는 것이 성찰이다. 가치 있는 삶은 성찰하는 삶이다. 성찰하는 사람은 객관적인 잣대나 산출된 숫자로 자신과 타인의 인생을 비교하지 않는다. 그런 사람은 가치를 위해 돈을 벌지만, 가치를 위해 돈을 멀리할 줄도 안다.

◉ **자료 분석** 성찰은 자기 자신을 뒤돌아보는 것이며, 윤리적 성찰은 윤리적 관점에서 자신을 뒤돌아보는 것이다. 여기에서 윤리적 성찰이라는 것은 나는 누구인지, 어떤 가치관을 지니고 있는지, 이 세상을 왜 살아가야 하는지에 대한 질문과 반성을 의미한다. 이러한 윤리적 성찰의 과정을 통해 한 개인으로서 바람직한 정체성을 형성하고, 같은 잘못을 되풀이하지 않음으로써 보다 성숙한 인간으로 성장해 나갈 수 있다.

뜯어보기 포인트
윤리적 성찰의 중요성을 이해하고, 성찰하는 삶이 필요한 이유를 기억하자.

Q2 자기 자신을 살피고 돌아보는 것을 무엇이라고 하는가?

① 성찰
② 비판
③ 실천
④ 탐구
⑤ 의지

자료 3 **자유 의지에 따른 윤리적 실천**

1미터 가까운 높이의 돌처럼 경이로운 집을 짓는 아프리카의 흰개미에 대해 들어 본 적이 있을 것이다. 개미의 몸은 연약하기 때문에 개미들에게는 개미집이 그들보다 무장이 뛰어난 다른 적대적인 개미들로부터 자신들을 보호해 주는 집단적 갑옷의 역할을 하는 셈이다. 그런데 때로는 홍수나 코끼리가 이 개미집을 무너뜨리는 일이 생긴다. 그러면 일개미들이 곧바로 손상된 요새를 재건하기 위해 일을 시작한다. 이때 적대적인 커다란 개미들이 공격을 개시한다. 병정개미들이 나와 자신들의 종족을 지키기 위해 적들을 막아 낸다. 크기와 무장에서 상대가 되지 않기 때문에 이 병정개미들은 적에게 매달려 가능한 한 그들의 진군을 늦추려 한다. 이들은 적의 무서운 턱에 갈가리 찢기고 만다. 일개미들이 무너진 요새를 신속하게 메우기 위해 모든 노력을 다하는 동안 가엾은 병정개미들은 다른 개미들의 안전을 위해 밖에서 영웅적으로 자신을 희생한다. 이들에게 적어도 훈장이라도 수여해야 하지 않을까? 이들을 영웅이라고 불러야 하지 않을까? …… 동물들에게는 지금의 모습대로 존재하고 자연이 프로그래밍한 대로 행동하는 것 외에는 다른 선택의 가능성이 없다. 그것을 이유로 그들을 비난한다거나 칭찬한다는 것은 무의미하다.

◉ **자료 분석** 모든 생명체 중에 오직 인간만이 이성을 통해 도덕적 판단을 하고, 자신의 의지에 따라 도덕적 행동을 실천할 수 있다. 여기에서 중요한 것은 도덕적 행동의 선택과 실천은 외부의 강제가 아니라 자신의 '자유 의지'를 통해 가능하다는 것이다. 윤리적 실천을 위해서는 자유 의지와 함께 유혹과 충동을 이겨내는 실천 의지가 필수적이라고 할 수 있다.

뜯어보기 포인트
윤리적 앎이 실천으로 이어지기 위해서는 자유 의지와 실천 의지가 필요하다는 것을 기억하자.

Q3 다른 동물과 달리 인간만이 윤리적 실천을 할 수 있는 근거로 옳은 것은?

① 감정
② 본능
③ 습관
④ 욕구
⑤ 자유 의지

📘 Q2 ① / Q3 ⑤

01 다음은 도덕적 탐구의 과정이다. 빈칸 ㉠, ㉡에 들어갈 말을 각각 쓰시오.

> 윤리적 문제 인식 → (㉠) → 선택 및 정당화 → 최선의 대안 도출 → (㉡)

02 다음 내용에 해당하는 도덕 원리 검사 방법을 쓰시오.

(1) 제시된 도덕 원리를 자신에게 적용하는 것에 동의하는지를 따져 보는 방법

(2) 선택한 도덕 원리를 좀 더 일반적이고 포괄적인 도덕 원리에 따라 판단해 보는 것

(3) 상대방의 도덕 원리에 반대되는 사례를 제시함으로써 도덕 판단의 근거로 제시된 원리에 반박하는 방법

(4) 어떤 도덕 원리를 모든 사람이 보편적으로 실천했을 때 나타날 수 있는 결과를 예상하여 도덕 원리의 적절성을 검토하는 방법

03 다음 내용이 맞으면 ○표, 틀리면 ×표를 하시오.

(1) 도덕적 판단을 요구하는 상황에서 인지적으로 사태를 파악하고 사고하여 바람직한 판단을 내리는 과정을 도덕적 추론이라고 한다. ( )

(2) 도덕적 감수성과 공감 능력을 통해 상대방의 입장에서 생각해 보고, 그의 처지와 감정을 존중하는 사고를 합리적 사고라고 한다. ( )

(3) 토론의 과정에서 윤리 문제가 개인의 문제라기보다는 우리 모두의 문제라는 점을 인식할 수 있고, 그 과정에서 상호 주관성을 확보할 수 있다. ( )

04 빈칸 ㉠, ㉡에 들어갈 말을 각각 쓰시오.

> 도덕적 탐구에 필요한 사고에는 주장의 근거와 적절성을 따져 보고 객관적 증거에 비춰 사태를 파악하는 (㉠)와(과) 그 사람의 도덕적 감수성과 공감 능력을 통해 상대방의 입장에서 생각해 보고, 처지와 감정을 존중하는 (㉡)이(가) 필요하다.

05 윤리 문제를 해결하는 방법 중 하나로, 두 사람 이상이 참여하여 각자의 도덕적 탐구 결과를 바탕으로 주장과 이유를 밝히며 함께 공동의 문제를 해결해 나가는 것을 무엇이라고 하는지 쓰시오.

06 다음 빈칸에 들어갈 알맞은 말을 쓰시오.

(1) 윤리적 ( )은(는) 자신의 정체성과 가치관, 즉 나는 누구이고 어떤 의미와 가치를 가지고 왜 이 세상을 살아가는지에 대해 윤리적 관점에서 반성하는 것을 뜻한다.

(2) 윤리적 탐구 과정을 통한 앎은 자유 의지에 따라 ( )으로 옮겨졌을 때 비로소 도덕적으로 완성된다고 볼 수 있다.

07 빈칸 ㉠, ㉡에 들어갈 말을 각각 쓰시오.

> 아리스토텔레스는 도덕적 행동의 반복된 실천을 통해 (㉠)에 이를 수 있다고 보았으며, 맹자는 의로운 행위의 실천을 통해 불의(不義) 앞에서도 당당할 수 있는 기운인 (㉡)을(를) 기를 수 있다고 보았다.

01 도덕적 탐구의 과정의 탐구 단계에 대한 설명으로 옳지 <u>않은</u> 것은?

①	윤리 문제의 인식	윤리 문제의 핵심 파악, 문제 발생 이유 검토
②	자료 수집 및 분석	다양한 관련 자료 수집 및 분석
③	선택 및 정당화	쟁점 분석, 도덕 원리 검사 사례 조사
④	최선의 대안 제출	대안의 장단점 비교 및 검토, 토론, 해결책 선택
⑤	반성적 성찰	탐구 과정 반성 및 최종 정리

02 다음은 신문 기사의 일부이다. A에 들어갈 제목으로 가장 적절한 것은?

> ○○ 신문 ○○○○년 ○월 ○일
>
> ——— A ———
>
> 토론은 자기 주장을 관철하거나 상대방의 주장을 비판하기 위한 것이 아니라, 상대방을 설득 또는 이해하여 주어진 주제에 대한 최선의 해결책을 찾기 위한 것이다.

① 토론은 왜 필요한가?
② 토론의 기원은 무엇인가?
③ 토론의 유의점은 무엇인가?
④ 토론의 종류에는 무엇이 있는가?
⑤ 토론의 긍정적 효과는 무엇인가?

03 다음에서 강조하고 있는 삶의 자세로 가장 적절한 것은?

> 무엇이 인생에서 옳은 것인지 알 수 없다면, 적어도 인간적인 주장들 가운데서 최선의 것이되 가장 논박하기 힘든 것을 취하여, 마치 뗏목처럼 그 위에 실리어서 모험을 하며 삶을 항해해 나아가야 한다.
> – 플라톤, "파이돈" –

① 도덕적 탐구의 자세로 겸허하게 살아가야 한다.
② 대자연의 운행 원리에 순응하여 살아가야 한다.
③ 우주론적 차원에서 도덕적 존재로 자각해야 한다.
④ 토론 능력을 배양하여 옳고 그름을 판단해야 한다.
⑤ 비판적 사고와 합리적 사고를 균형 있게 갖추어야 한다.

04 다음 제시문의 입장에 대한 설명으로 옳지 <u>않은</u> 것은?

> 모든 토론을 침묵하게 하는 것은 인간의 절대 무오류성을 가정하는 것이 된다. 하지만 인간은 끊임없이 잘못 판단하고 잘못 행동하면서 살아간다. 우리 인류는 스스로의 과오로부터 벗어나지 못한다는 사실을 이론적으로는 항상 명심하고 있다. 하지만 불행하게도 실제로 자신이 판단을 내릴 때는 이를 거의 문제 삼지 않는다. 왜냐하면 자기가 과오를 범할 수 있으리라는 것은 누구나 다 잘 알고 있지만, 자기 자신이 과오를 범할 수 있는 가능성에 대해 어떤 예방책이 필요하다고 생각하거나 또는 자기가 지극히 확실하다고 느끼는 의견이 자신노 범할 수 있는 과오의 한 사례인지도 모른다는 가정을 스스로 받아들이는 사람은 거의 없기 때문이다.
> – 존 스튜어트 밀, "자유론" –

① 인간은 누구나 오류를 범할 가능성이 있다.
② 토론에 있어서 발언의 자유를 보장해야 한다.
③ 토론을 통해 진리를 검토하고 재확인할 수 있다.
④ 사회적 유용성 차원에서 표현의 자유는 제한되어야 한다.
⑤ 토론에서 다수가 동의해도 그것이 무조건적으로 진리인 것은 아니다.

05 토론의 과정에 대한 설명으로 옳지 <u>않은</u> 것은?

① 입론: 자신의 주장 및 근거를 발표한다.
② 확인 심문: 상대방의 입론에 대해 확인 질문을 한다.
③ 반론: 상대방 주장의 오류나 부당성을 제기한다.
④ 재반론: 반론의 부당성 제기 및 자신의 주장을 뒷받침할 근거를 제시하여 반박한다.
⑤ 최종 발언: 논제의 배경과 개념 정의 및 쟁점을 부각한다.

06 도덕적 탐구의 과정에서 고려해야 할 사항으로 옳지 <u>않은</u> 것은?

① 다양한 이론적 관점을 통해 윤리 문제를 명확히 한다.
② 최종적으로 반성적 성찰을 통해 탐구 과정을 반성하고 최종 정리한다.
③ 가치 선택과 그에 근거한 도덕 판단을 내리는 과정에서 토론은 불필요하다.
④ 어떤 선택이 가져오는 단기적 결과뿐만 아니라 장기적인 결과까지 고려한다.
⑤ 상대방의 입장을 고려하고, 자신의 선택이 보편화 가능성을 지닐 수 있는지 검토한다.

07 다음은 어느 학생의 상담글이다. 이 학생에게 해 줄 수 있는 조언으로 옳은 것은?

> 저는 고등학교에 진학하며 학교생활에 재미를 못 붙이고 수업 시간 대부분을 무료하게 보내거나 졸기만 했습니다. 나는 이 모든 것이 그동안 나의 잘못된 습관 때문이라는 것을 알게 되었고, 하나에 집중하지 못하고 산만한 생활 습관과 스마트폰 등의 유혹에 쉽게 빠지는 태도를 바꾸기 위해 노력하였습니다. 하지만 무엇이 잘못된 것이며, 어떻게 해야 이 상황을 극복할 줄 알고 있으면서도 쉽게 실천하기 어려웠습니다.

① 문제의 원인을 정확하게 알고 있어야 해.
② 운동 등 취미 생활을 통해 고민을 잊어버려.
③ 자신의 본능을 억압하지 말고 욕망에 순응해.
④ 해결책을 찾는 도덕적 탐구 과정이 잘못된 거야.
⑤ 앎을 실천으로 옮길 수 있는 실천 의지를 함양해야 돼.

08 윤리적 성찰과 실천에 관한 학생들의 대화 중 옳지 <u>않은</u> 의견을 제시한 학생은?

① 미애: 도덕적 실천을 위해서는 인격적 성숙을 향한 긍정적 자세가 필요해.
② 영수: 동서양의 많은 사상가들은 도덕적으로 완성된 사람들을 인격자라고 불렀어.
③ 혜지: 탁월한 능력을 가진 몇몇 사람들만이 도덕적 앎을 실천으로 옮길 수 있어.
④ 준수: 사색, 명상, 일기 등 자신을 윤리적으로 성찰할 수 있는 다양한 방법들이 있어.
⑤ 영훈: 인간은 완성된 존재가 아니라 만들어 가는 존재이기 때문에 매 순간 성찰이 필요해.

09 다음 명언들이 공통적으로 강조하는 내용으로 가장 적절한 것은?

> • 반성하지 않는 삶은 살 가치가 없다. – 소크라테스 –
> • 눈을 감아라. 그럼 너는 너 자신을 볼 수 있으리라.
>   – 버틀러 –
> • 남의 과실을 찾아내기는 쉽지만 자기의 과실을 찾아내기는 어렵다. 남의 과실을 들추기 좋아하고 자기의 과실을 감추려고 하는 자는 속임수를 감추려고 애쓰는 사기꾼과 다를 바 없는 것이다. 사람은 항상 남의 죄를 비난하려는 경향을 갖고 있다. 다만 남의 과실에만 눈을 밝힌다. 이런 사람은 자기 자신의 좋지 못한 정념만을 더욱 더 키워갈 뿐 참되고 착한 사람이 되는 길에서 점점 멀어져 가는 것이다.
>   – 석가모니 –

① 인간은 더불어 살아가야 하는 사회적 동물이다.
② 인간은 절대자를 통해 세속을 초월하는 존재이다.
③ 인간은 만들어진 존재가 아니라 되어 가는 존재이다.
④ 인간은 언어와 문자를 통해 문화를 계승하는 존재이다.
⑤ 인간은 도구의 사용을 통해 육체적 불리함을 극복하는 존재이다.

주관식

01 빈칸 ㉠, ㉡에 들어갈 말을 각각 쓰시오.

> 윤리 문제를 해결하기 위해서는 우선 해당 문제의 핵심을 파악하고, 문제가 발생하게 된 원인 등을 검토해야 한다. 그 후 문제와 관련된 자료를 수집하고 분석하여 가능한 (㉠)을(를) 마련한다. 도덕 원리 검사를 통해 (㉠)에 대한 정당성을 확보한 다음 최선의 (㉡)을(를) 선택할 수 있도록 한다.

주관식

02 다음 빈칸에 들어갈 알맞은 말을 쓰시오.

> ( )(이)가 중요한 이유는 다양한 윤리 문제를 해결하고, 도덕적으로 살아가는 데 필요한 윤리적 가치관을 세우며, 타인을 배려하는 역지사지의 마음을 키울 수 있기 때문이다.

주관식

03 밑줄 친 '중용'과 '호연지기'를 형성하기 위해 필요한 자세를 쓰시오.

> 아리스토텔레스는 지나침과 모자람이 없이 어떤 극단에도 치우치지 않고 처한 상황에서 최선의 적절한 행위를 선택하는 중용의 자세를 강조하였으며, 맹자는 하늘과 땅 사이에 가득 찬 넓고 올곧은 기운으로서 불의 앞에서도 당당할 수 있는 호연지기를 길러야 한다고 보았다.

주관식

04 윤리적 판단이 윤리적 실천으로 이어지기 위해 필요한 자세를 두 가지 이상 쓰시오.

서술형

05 도덕적 탐구 과정에서 왜 토론이 필요한지 서술하시오.

서술형

06 현대 사회의 다양한 문제에 대해 도덕적 탐구를 하기 위해 필요한 비판적 사고와 배려적 사고의 의미를 서술하시오.

(1) 비판적 사고의 의미: _____

(2) 배려적 사고의 의미: _____

서술형

07 윤리적 성찰의 의미와 윤리적 성찰의 필요성을 서술하시오.

(1) 윤리적 성찰의 의미: _____

(2) 윤리적 성찰의 필요성: _____

01 다음은 '생활과 윤리' 수업의 판서 내용이다. ⊙~ⓒ에 대한 설명으로 옳은 것만을 |보기|에서 있는 대로 고른 것은?

> 1. 윤리학의 유형
> • (⊙): 도덕적 언어에 대한 분석적 탐구를 중시함.
> • (ⓒ): 이론 윤리학의 내용을 구체적인 삶의 문제에 응용하여 해결책을 모색함.
> • (ⓒ): 주로 도덕적 행위에 대한 이론적 분석과 정당화를 다룸.

┌ 보기 ┐
ㄱ. ⊙은 규범 윤리학적 물음에 관심을 갖지 않는다.
ㄴ. ⓒ에는 의무론적 윤리설, 공리주의 윤리설, 덕 윤리론 등이 있다.
ㄷ. ⓒ에는 생명 윤리, 성 윤리, 생태 윤리, 정보 윤리, 직업윤리 등이 있다.
ㄹ. ⓒ은 ⓒ보다 도덕 문제에 대해 추상적으로 논의한다.
└──────┘

① ㄱ, ㄷ ② ㄱ, ㄹ ③ ㄷ, ㄹ
④ ㄱ, ㄴ, ㄹ ⑤ ㄴ, ㄷ, ㄹ

02 ⊙에 들어갈 윤리학의 핵심 주제로 가장 적절한 것은?

> 현대 과학 기술의 급속한 발달은 이전에는 존재하지 않았던 새로운 윤리적 쟁점과 다양한 딜레마 상황을 초래하였다. 또한 사람들은 시대와 사회의 변화에 따라 정치·경제·사회·문화 등 다양한 영역에서 나타나는 새로운 윤리 문제에 대한 해결책을 요청하였다. 이러한 분위기 속에서 (⊙)이(가) 등장하였다.

① '옳다'는 것과 '그르다'는 것의 의미는 무엇인가?
② 난임 부부를 대상으로 생식 보조술을 허용해야 하는가?
③ 도덕적인 덕을 함양하기 위한 방법에는 무엇이 있는가?
④ 모든 사회에 적용되는 보편적인 윤리 규범은 존재하는가?
⑤ 행위의 동기보다는 결과를 도덕적 판단 기준으로 삼아야 하는가?

03 (가)~(다)는 A 윤리학의 유형들이다. A 윤리학에 대한 설명으로 옳지 않은 것은?

> (가) 인류 전체의 생존 문제와 직결된 기후 변화를 예측하고 이를 완화하려는 모든 인간 행위에 대한 도덕적 판단을 주 대상으로 한다.
> (나) 인터넷을 매개로 하여 이루어지는 인간의 도덕적 관계에 관심을 두며 사이버 공간에서 활동하는 모든 행위자의 도덕적 책임과 의무를 규정해 주는 것을 목표로 한다.
> (다) 동물 실험 및 동물 학대와 관련하여 동물 보호와 동물권, 그리고 동물 복지에 관한 윤리적 정당성을 추구한다.

① 과학 기술이 발달함에 따라 등장하였다.
② 도덕적 언어의 의미 분석을 탐구의 본질로 삼는다.
③ 인접한 학문 분야와의 협력이 필수적으로 요청된다.
④ 이론 윤리학의 틀로 해결할 수 없는 다양한 문제가 발생하여 등장하였다.
⑤ 구체적인 삶 속에서 도덕적 문제를 해결해야 할 필요성이 제기됨에 따라 등장하였다.

04 (가), (나)는 윤리학의 유형들이다 (가), (나)의 윤리학이 관심을 갖는 질문을 |보기|에서 골라 바르게 연결한 것은?

(가)	도덕적 행위에 대한 이론적 분석과 정당화를 통해 규범적 판단과 그 근거를 제시해야 한다는 윤리 이론
(나)	도덕적 언어의 논리적 타당성과 의미의 분석을 윤리학적 탐구의 본질로 삼아야 한다는 윤리 이론

┌ 보기 ┐
ㄱ. 윤리학이 학문적 정체성을 확보할 수 있는가?
ㄴ. 사이버 공간에서 표현의 자유를 어디까지 허용해야 하는가?
ㄷ. 인생의 궁극적 목적이 무엇이며, 인간은 어떻게 살아야 하는가?
ㄹ. 과학 기술의 발달로 발생한 새로운 윤리적 문제를 어떻게 해결해야 하는가?
└──────┘

	(가)	(나)		(가)	(나)
①	ㄱ	ㄴ	②	ㄴ	ㄹ
③	ㄷ	ㄱ	④	ㄷ	ㄹ
⑤	ㄹ	ㄷ			

05 ㉠에 들어갈 윤리학이 관심을 갖는 질문을 |보기|에서 고른 것은?

> 현대 과학 기술의 급속히 발달하면서 우리는 이전에 존재하지 않았던 윤리적 쟁점과 딜레마에 직면하고 있다. 또한 사람들은 시대의 변화에 따라 정치·경제·사회·문화 등 다양한 영역에서 나타나는 새로운 윤리 문제에 대한 해결책을 요청하였다. 이러한 상황에서 (㉠)이(가) 대두된 것이다.

> ┤ 보기 ├
> ㄱ. '선하다'는 것과 '악하다'는 것의 의미는 무엇인가?
> ㄴ. 사이버 공간에서 표현의 자유를 어디까지 허용해야 하는가?
> ㄷ. 불치의 환자에 한하여 '존엄하게 죽을 권리'를 인정해야 하는가?
> ㄹ. 행위의 동기보다는 결과를 도덕적 판단 기준으로 삼아야 하는가?

① ㄱ, ㄴ ② ㄱ, ㄹ ③ ㄴ, ㄷ
④ ㄴ, ㄹ ⑤ ㄷ, ㄹ

06 실천 윤리의 영역 (가)~(라)와 |보기|의 핵심 주제 ㉠~㉣이 바르게 연결된 것은?

> (가) 사회 윤리 (나) 평화 윤리
> (다) 과학 기술 윤리 (라) 생명 의료 윤리

> ┤ 보기 ├
> ㉠ 과학 기술은 가치 중립적인가?
> ㉡ 공정한 분배의 기준은 무엇인가?
> ㉢ 뇌사를 사망으로 간주할 수 있는가?
> ㉣ 직업인에게 요구하는 덕목은 무엇인가?

① (가) - ㉡ ② (나) - ㉢ ③ (나) - ㉠
④ (다) - ㉣ ⑤ (라) - ㉡

07 갑, 을, 병의 입장에 대한 설명으로 옳은 것을 |보기|에서 고른 것은?

> 갑: 윤리학은 도덕적 언어의 의미 분석과 도덕적 추론의 타당성 입증을 본질로 삼아야 한다.
> 을: 윤리학은 성품이나 제도, 행위 등에 관한 윤리적 판단의 이론적 근거를 제공해야 한다.
> 병: 윤리학은 도덕 이론을 현실에 적용하여 실생활의 다양한 윤리적 문제들을 해결하는 데 힘써야 한다.

> ┤ 보기 ├
> ㄱ. 갑: 도덕 행위의 기준이 되는 규범을 제시하고자 한다.
> ㄴ. 을: 도덕 법칙을 이론적으로 분석하고 정당화한다.
> ㄷ. 병: 인접 학문과의 학제적 연계를 중시한다.
> ㄹ. 갑, 을: 다양한 시대나 사회의 도덕적 관습의 객관적 기술을 강조한다.

① ㄱ, ㄴ ② ㄱ, ㄷ ③ ㄴ, ㄷ
④ ㄴ, ㄹ ⑤ ㄷ, ㄹ

08 다음을 주제로 하는 윤리학에 대한 설명으로 옳은 것을 |보기|에서 고른 것은?

> • 안락사와 뇌사를 인정할 수 있는가?
> • 생식 보조술과 인공 임신 중절을 허용해야 하는가?

> ┤ 보기 ├
> ㄱ. 생명 과학 기술의 발달로 인해 등장하였다.
> ㄴ. 공리주의 윤리설, 의무론적 윤리설, 덕 윤리 등이 해당된다.
> ㄷ. 전통 윤리의 틀로 새로운 가치관과 원칙을 대신할 수 있다고 믿는다.
> ㄹ. 유전 공학과 의학의 전문 지식이 필요하므로 유전 공학, 의학 등의 상호 협력이 필요하다.

① ㄱ, ㄴ ② ㄱ, ㄹ ③ ㄴ, ㄷ
④ ㄴ, ㄹ ⑤ ㄷ, ㄹ

09 현대의 다양한 윤리적 문제를 해결하는 데 도움을 줄 수 있는 유교 사상에 대한 설명으로 옳지 **않은** 것은?

① 오륜에 나타나는 관계성을 중시한다.
② 사단을 통한 착한 본성에 대한 신뢰를 계승한다.
③ 충서로 대표되는 강한 도덕적 지향을 재조명한다.
④ 세속적인 생활을 초월하고 대자연과 하나가 된다.
⑤ 천인합일에서 볼 수 있는 인본주의를 실천해야 한다.

10 불교 사상과 관련하여 밑줄 친 '이것'이 의미하는 바는 무엇인가?

> 크게 버리는 사람만이 크게 얻을 수 있다는 말이 있다. 물건으로 인해 마음을 상하고 있는 사람들에게는 한 번쯤 생각해 볼 말씀이다. 아무것도 갖지 않을 때 비로소 온 세상을 갖게 된다는 것은 이것의 또 다른 의미이다.

① 도덕　　　② 인격　　　③ 업보
④ 무소유　　⑤ 소박함

11 현대 사회의 문제들을 해결하는 데 지혜를 제공해 주는 불교적 가르침으로 적절하지 **않은** 것은?

① 착한 일을 해야 된다는 생각을 갖도록 한다.
② 평등적 세계관은 모든 생명에 대한 경외심을 일깨워 준다.
③ 나누고 베풀어야 한다는 무소유의 정신을 가르쳐 준다.
④ 도덕적 수양과 실천을 통해서 도덕적인 완성을 추구한다.
⑤ 인간과 자연이 서로 의지하여 살아갈 수 있는 지혜를 제공해 준다.

12 도가에서 말하는 이상적 인간상이라고 볼 수 **없는** 것은?

① 대인(大人)　② 진인(眞人)　③ 지인(至人)
④ 천인(天人)　⑤ 신인(神人)

13 다음 내용에 해당하는 도가의 대표적인 사상은?

> 억지로 무엇을 하지 않고 순수하게 자연의 순리에 따르는 삶을 산다는 의미이다.

① 무위자연(無爲自然)　② 상선약수(上善若水)
③ 인과응보(因果應報)　④ 천인합일(天人合一)
⑤ 호접지몽(胡蝶之夢)

14 그림은 갑의 행위를 어떤 윤리 이론의 가치 판단 과정에 적용하여 설명한 것이다. 이 이론의 주장을 |보기|에서 고른 것은?

상황	갑은 경품 행사에서 20만 원이 당첨되어 기뻐했는데, 태풍으로 인한 물난리로 터전을 잃고 임시 거처에서 힘들게 생활하는 시민들을 보게 되었다.

생각	갑은 경제적으로 어려운 사람을 돕는 것이 사회 전체적인 행복을 증진시키는 것이라고 여기고 "특별히 노력하지 않고 쉽게 얻은 돈은 사회에 환원하는 것이 좋다."라는 규칙을 가지고 있었다.

행동	갑은 20만 원을 선뜻 수재 의연금으로 기부하였다.

결과	기부된 돈은 어려운 수재민들에게 생계비로 지원되었고, 수재민들은 고마워하였다.

판단	갑은 도덕 규칙에 따라 행위한 결과, 수재민들에게 기쁨을 주었으므로 그는 도덕적으로 선한 행동을 한 것이다.

|보기|
ㄱ. 행위가 유용한 규칙에 맞는지 여부가 행위의 도덕성을 결정한다.
ㄴ. 도덕적 의사 결정을 위해서 가능한 모든 행위들의 유용성을 계산해야 한다.
ㄷ. 공리를 극대화하는 경험 규칙은 규칙 상호 간 갈등이 없는 한 준수해야 한다.
ㄹ. 행위의 도덕성은 개별 행위가 최대의 행복을 산출하는지 여부에 의해 결정된다.

① ㄱ, ㄴ　　② ㄱ, ㄷ　　③ ㄴ, ㄷ
④ ㄴ, ㄹ　　⑤ ㄷ, ㄹ

15 다음 윤리 사상의 입장에 대한 설명으로 옳지 **않은** 것은?

> 덕 교육이 우리에게 가르치는 것은 인간으로서의 나의 선(善)이 내가 속한 공동체 속에 결합되어 있는 다른 모든 사람의 선과 동일하다는 사실이다. 인간은 공동체 안에서 그 공동체의 역사적 · 사회적 맥락 안에서 이해되어야 하며, 모든 삶의 구체적인 측면이 도덕적 판단에 반영되어야 한다.

① 인간의 자연적 감정과 동기를 중시한다.
② 행위자보다는 행위 중심의 윤리를 강조한다.
③ 공동체에서 강조하는 규범과 덕목을 중시한다.
④ 인간이 자발적으로 도덕적 행동을 하도록 고무한다.
⑤ 인간의 유덕한 성품과 이를 갖추기 위한 선한 행위의 실천을 강조한다.

16 다음과 같은 현실 진단에 기반하여 개인이나 공동체에 요구되는 태도로 가장 적절한 것은?

> 오늘날에는 정치 공동체의 규모가 커지고 있다. 무엇보다도 세속적 권위와 종교적 권위가 분리된 까닭에, 다시 말해 인간의 양심을 다루는 권력과 일상의 삶을 다스리는 권력이 다르기 때문에, 개인의 사적인 영역에 법이 지나치게 관여할 수 없다. 그러나 사회의 주도적인 흐름에서 벗어나려는 시도에 대한 도덕적 억압의 기제는 훨씬 강력해졌다.

① 토론 과정에 상대방에 대한 존중의 자세가 필요하다.
② 자신의 주장을 하기에 앞서, 타인의 예상 반론에 대한 대비가 필요하다.
③ 사회가 요구하는 가치를 주장과 근거로 구분하여 경청하는 태도가 요구된다.
④ 윤리 문제는 개인의 문제라기보다는 우리 모두의 문제라는 점을 인식해야 한다.
⑤ 사회가 요구하는 가치를 비판적으로 성찰할 수 있는 도덕적 탐구 능력이 요구된다.

17 (가) 사상의 입장에서 (나)의 ㉠에 들어갈 내용을 |보기|에서 고른 것은?

(가)	우리의 행위가 도덕적 가치를 지니기 위해서는 행위의 동기와 무관하게 단지 의무와 일치하게 행위하는 것만으로는 충분하지 않다. 도덕적 가치란 오직 우리가 의무로부터 행위할 경우에만, 즉 우리가 그렇게 행위하는 것이 우리의 의무라는 사실을 인식하고 행위할 경우에만 드러나는 것이다.
(나)	도덕적으로 선한 사람이란 _____㉠_____

> **보기**
>
> ㄱ. 도덕 법칙을 무조건적으로 따르는 사람이다.
> ㄴ. 동정심에서 남을 돕는 행위를 하는 사람이다.
> ㄷ. 감정과 욕구를 억누르고 도덕적 명령을 수행하는 사람이다.
> ㄹ. 어머니가 자녀를 대하듯 타인을 자연스럽게 배려하는 사람이다.

① ㄱ, ㄴ ② ㄱ, ㄷ ③ ㄴ, ㄷ
④ ㄴ, ㄹ ⑤ ㄷ, ㄹ

18 다음과 같은 문제를 해결하려는 도덕적 탐구 과정에 대한 설명으로 옳지 **않은** 것은?

> 나는 ○○고등학교의 학생회 부회장이다. 학생회에서 임원을 구성하기 위해 면접을 통해 적임자를 선정하려는 계획을 가지고 있다. 나는 친한 친구에게 특정 부장 자리를 제안하면서, 지원하면 뽑아 주겠다고 약속을 해 둔 상태이다. 그런데 여러 위원들과 함께 적임자를 선정해야 하는 면접 과정에서 고민에 빠지게 되었다. 친구와의 약속을 지켜 친구가 임원이 될 수 있도록 힘을 써야 할 것인지, 아니면 더 적합한 후보가 선발되도록 가만히 있어야 할 것인지 너무 곤혹스럽다.

① 도덕적 탐구 과정을 통해 최선의 대안을 도출할 수 있다.
② 가치의 충돌에 있어서는 가치의 우선순위를 정하는 것이 중요하다.
③ 일단 결정된 사안에 대해서는 일관된 관점을 유지하는 태도가 요구된다.
④ 윤리적 문제를 인식할 때에는 문제의 핵심 쟁점을 파악할 수 있어야 한다.
⑤ 자료 수집 및 분석을 위해서 다른 유사한 문제의 해결 방법을 탐구하는 것도 필요하다.

: 2017 수능

01 ㉠에 들어갈 진술로 가장 적절한 것은?

> 윤리학의 근본 과제는 도덕적으로 올바른 행위를 판단하기 위한 기본 원리와 토대를 제 공하고 일반화하는 데 있다. 그런데 오늘날 과학 기술의 급격한 발달은 기존의 이론 중 심 윤리학만으로는 해결하기 어려운 도덕적 문제 상황들을 초래하였고, 그 결과 실제 생활과 관련하여 논쟁이 되는 윤리적 과제들이 대두되었다. 이에 따라 이러한 윤리적 과제들을 해결하기 위해 이 윤리학이 등장하게 되었다. 이 윤리학은 ㉠

① 도덕 명제에 대한 검증 가능성과 분석적 접근을 강조한다.
② 도덕적 탐구가 학문적으로 정립 가능한 분야임을 부정한다.
③ 도덕규범의 현실적인 적용과 구체적인 대안의 실천을 강조한다.
④ 도덕 문제 해결을 위한 규범 윤리 이론의 응용 가능성을 부정한다.
⑤ 도덕적 관행을 가치와 무관한 문화적 사실로 볼 것을 강조한다.

출제 단원
01 현대 생활과 실천 윤리

출제 개념
실천 윤리의 등장 배경

풀이
실천 윤리는 이론 윤리학을 바탕으로 구체적인 현실에서의 도덕적 문제를 해결하고자 등장하였다.

오답 피하기
실천 윤리는 도덕 문제 해결을 위한 규범 윤리 이론을 응용한다. 따라서 정답은 ③번이다.

: 2016 수능

02 ㉠에 들어갈 말로 가장 적절한 것은?

> '거짓말은 나쁜가?'와 같은 도덕 문제에 답하려면 관련된 문제들에 답해야 한다. 어떤 학자들은 '선악을 구분하는 도덕 원리가 무엇인가?'라는 물음에 대해 유용성, 정언 명령 등의 답을 제시하였다. 다른 학자들은 '나쁘다의 의미는 무엇인가?'라는 물음에 대해 금지, 혐오 등의 답을 제시하였다. 하지만 위와 같은 대답들은 현실에서 제기되는 도덕 문제에 대한 구체적인 행위 지침을 제시하지 못한다. 따라서 ㉠ 와(과) 같은 물음에 답하는 윤리학의 분야가 필요하다.

① '절대로 거짓말을 하지 말라.'가 보편타당한 도덕규범인가?
② '거짓말은 나쁘니까 사소한 거짓말도 나쁘다.'라는 추론이 타당한가?
③ 거짓말에 대한 도덕적 신념이 지역적, 시대적으로 어떻게 다른가?
④ 선의의 거짓말과 관련된 도덕적 딜레마의 논리적 구조는 무엇인가?
⑤ 취재원 보호를 위한 기자의 거짓말이 언론 윤리에 위배되는가?

출제 단원
01 현대 생활과 실천 윤리

출제 개념
실천 윤리의 필요성

풀이
실천 윤리에서 다루는 도덕 문제는 현실에서 발생하는 구체적인 도덕적 문제이다. 실천 윤리에서는 이러한 구체적인 도덕 문제 해결에 관심을 갖는다. 따라서 정답은 ⑤번이다.

오답 피하기
① 이론 윤리학에서 관심을 가질 수 있는 주제이다. ②, ④ 메타 윤리학에서 관심을 가질 수 있는 주제이다. ③ 기술 윤리학에서 관심을 가질 수 있는 문제이다.

03 (가), (나) 사상의 입장에 대한 설명으로 가장 적절한 것은?

(가)	본래의 마음[心]을 완전히 발휘할 수 있다면 그 본성[性]이 무엇인지 알 수 있다. 본성이 무엇인지 알 수 있다면 하늘이 무엇인지[天命]도 알 수 있다.
(나)	사람은 땅을 법칙으로 삼고 땅은 하늘을 법칙으로 삼는다. 하늘은 도(道)를 법칙으로 삼고 도는 자연(自然)을 법칙으로 삼는다.

① (가)는 하늘이 인간 이외의 만물에 대해서만 관심을 가진다고 본다.
② (나)는 하늘이 부여한 도덕적인 가치가 만물 속에 내재한다고 본다.
③ (가)는 (나)와 달리 하늘이 만물에 법칙을 주는 최고 존재라고 본다.
④ (나)는 (가)와 달리 하늘이 만물 위에 존재하는 절대 원리라고 본다.
⑤ (가), (나)는 하늘이 만물의 운명을 주재하는 인격적 존재라고 본다.

출제 단원
02 현대 윤리 문제에 대한 접근

출제 개념
유교 윤리와 도가 윤리

풀이
(가)는 유교 사상, (나)는 도가 사상이다. 유교에서는 하늘이 만물에 법칙을 부여하는 최고 존재라고 보는 데 반해, 도가에서는 도를 만물의 근원이며 절대적 원리라고 본다. 따라서 정답은 ③번이다.

오답 피하기
① 유교 사상에서는 하늘이 인간사에 관심을 가진다고 본다. ② 도가 사상에서는 하늘이 도덕적 가치를 부여했다고 보지 않는다. ④ 도가 사상에서는 도를 절대 원리로 본다. ⑤ 유교 사상에만 해당하는 내용이다.

04 (가)를 주장한 사상가의 입장에서 (나)의 주장을 반박할 경우 그 논거로 적절하지 **않은** 것은?

(가)	의견 발표를 억압하는 것은 그 의견을 지지하거나 반대하는 사람 모두에게 손해를 끼친다. 한 사람 이외의 모든 인류가 동일한 의견이고, 한 사람만이 반대 의견을 갖는다 해도, 인류에게는 그 한 사람에게 침묵을 강요할 권리가 없다.
(나)	소수의 다양한 의견은 진리에 대한 의심을 불러일으켜 진리의 가치를 훼손시킬 수 있다. 따라서 진리를 지키기 위해서는 소수의 발언 기회가 제한되어야 한다.

① 자유로운 토론을 통해 모두가 합의해야 진리가 된다.
② 소수의 의견이 진리이고 다수의 의견이 오류일 수 있다.
③ 자유 토론의 과정에서 진리의 가치를 재확인할 수 있다.
④ 자유로운 논박을 통해 진리에 대한 참된 이해가 가능하다.
⑤ 소수 의견이 오류라고 해도 부분적으로는 진리일 수 있다.

출제 단원
03 윤리 문제에 대한 탐구와 성찰

출제 개념
토론의 중요성

풀이
(가)는 언론과 사상의 자유를 강조하는 사상가 밀의 입장이고, (나)는 소수의 다양한 의견이 진리의 가치를 훼손시킬 수 있으므로 소수의 발언 기회를 제한해야 한다는 입장이다. (가)의 입장을 지닌 밀은 (나)의 입장을 지닌 사람에게 소수의 의견일지라도 진리에 관한 발언의 기회를 보장해야 하며, 자유로운 토론 과정에서 진리의 가치를 재확인할 수 있다고 반박할 것이다.

오답 피하기
(가)의 입장에서는 자유로운 토론 과정을 통해 소수의 의견도 들어야 한다고 주장하기 때문에 ②, ③, ④, ⑤ 모두 옳다고 볼 것이다. 따라서 정답은 ①번이다.

Ⅱ 생명과 윤리

학습 계획표

- 자신의 일정에 맞게 계획을 세워 보고, 실제 학습한 날짜를 적어 봅시다.
- 학습을 마무리한 후 스스로 얼마나 학습 목표를 달성했는지 점검해 봅시다.

단원 01 삶과 죽음의 윤리	쪽수	계획일	완료일	목표 달성도
Day 07 핵심 정리, 자료 뜯어보기	40~43쪽	월 일	월 일	☆☆☆☆☆
Day 08 개념 익히기, 내신 유형 다지기, 주관식·서술형 잡기	44~47쪽	월 일	월 일	☆☆☆☆☆

단원 02 생명 윤리	쪽수	계획일	완료일	목표 달성도
Day 09 핵심 정리, 자료 뜯어보기	48~51쪽	월 일	월 일	☆☆☆☆☆
Day 10 개념 익히기, 내신 유형 다지기, 주관식·서술형 잡기	52~55쪽	월 일	월 일	☆☆☆☆☆

단원 03 사랑과 성 윤리	쪽수	계획일	완료일	목표 달성도
Day 11 핵심 정리, 자료 뜯어보기	56~59쪽	월 일	월 일	☆☆☆☆☆
Day 12 개념 익히기, 내신 유형 다지기, 주관식·서술형 잡기	60~63쪽	월 일	월 일	☆☆☆☆☆

영역 마무리하기, 수능 유형 익히기	64~69쪽	월 일	월 일	☆☆☆☆☆

단원 01 삶과 죽음의 윤리

단원 흐름 읽기

| 출생의 윤리적 의미
1. 도덕적 주체로서 삶의 시작
2. 사회적 존재로서 삶의 시작 | 인공 임신 중절에
대한 입장 | 반대: 친생명론

찬성: 친선택론 | 죽음과 관련된
윤리적 쟁점 | 자살의 문제점과 대책
안락사에 대한 찬반 입장
뇌사의 사망 간주에 대한 찬반 입장 |

1 출생의 의미와 삶의 가치

1. 출생의 윤리적 의미

(1) **출생의 의미**　가족의 일원이 되고 사회의 구성원이 되는 인간 활동의 시작

　① 과거에는 남녀의 자연스러운 사랑의 결실이었으나, 현대 사회에서는 생식 보조술❶ 등 인위적 요소가 개입되기 시작함.

　② 출생 과정에 대한 사회적 논란: 생식 세포 매매, 대리모 문제 등

(2) **출생의 윤리적 의미**

　① 신체적 성숙과 정신적 성장을 거쳐 도덕적 주체로서의 인간이 되는 출발점임.

　② 가정, 지역 사회, 국가 등 공동체에 속하게 되어 자신의 역할을 수행하게 되는 출발점임.

2. 삶의 윤리적 의미와 가치

(1) **삶의 윤리적 의미**

　① 삶의 주체: 삶의 주인은 나 자신이므로 주체적인 삶의 자세가 필요함. 자료1

　② 삶의 일회성: 한 번뿐인 삶의 소중함 인식

　③ 사회적 관계 속에서의 삶: 사회적 존재로서의 삶 인식

(2) **삶의 목적**

　① 사람들마다 추구하는 가치가 다르고, 시대마다 다르게 규정함.(예 아리스토텔레스: 행복 강조)

　② 삶의 목적의 변화

　　• 과거: 물질적 풍요로움과 생활의 편리함 추구, 객관적 지표(주택, 재산, 급여 등) 중시

　　• 현재: 삶의 질 추구, 주관적 지표❷(여가, 문화, 자아실현 등) 중시

3. 인공 임신 중절의 윤리적 쟁점

(1) **인공 임신 중절**　스스로 생존할 능력이 없는 배 속의 아기를 모체로부터 인위적으로 분리하여 임신을 종결시키는 행위

(2) **윤리적 쟁점**　태아의 지위를 인간과 동등하게 인정할 수 있는지의 여부

(3) **인공 임신 중절에 대한 입장** 자료2

친생명론(생명 옹호론)	태아의 생명권 중시 → 태아는 온전한 인간으로 태아를 죽이는 것은 잘못이며, 인공 임신 중절은 생명을 경시하는 풍조를 초래함.
친선택론(선택 옹호론)	여성의 선택권 중시 → 태아는 완전한 인간이 아니고 여성의 몸의 일부이므로 여성은 자신의 몸에 대한 권리가 있음.

(4) **우리나라 법률의 입장**　형법상 원칙적으로 금지하나 예외적으로 인정❸되는 경우가 있음.

---

❶ **생식 보조술**
임신이 어려운 부부가 자녀를 임신할 수 있게 돕는 의료 시술

❷ **주관적 지표**
삶의 질을 중시하는 지표로 지적·심미적 만족, 사랑·존경에의 욕구 등이 포함됨.

❸ **인공 임신 중절 금지의 예외가 인정되는 경우**
1. 본인이나 배우자가 우생학적·유전학적 정신 장애나 신체 질환이 있는 경우
2. 본인이나 배우자가 전염성 질환이 있는 경우
3. 강간 또는 준강간에 의하여 임신된 경우
4. 법률상 혼인할 수 없는 혈족 또는 인척간에 임신된 경우
5. 임신의 지속이 모체의 건강을 심각하게 해칠 우려가 있는 경우

자료 1 삶의 의미를 어디에 두어야 할까?

제가 계속 앞으로 나갈 수 있었던 것은 오로지 제가 하는 일에 애정이 있었기 때문입니다. 여러분도 사랑할 것을 찾아야 합니다. 그것은 여러분의 일일 수도 있고 여러분의 애인일 수도 있습니다. 여러분의 일은 인생의 큰 부분을 차지하게 됩니다. 여러분이 대단한 일이라고 믿는 것을 해야만 진정으로 만족할 수 있습니다. 대단한 일을 하는 유일한 방법은 여러분이 하는 일을 사랑하는 것입니다. 아직 그걸 발견하지 못하셨다면 계속 찾으십시오. 안주해서는 안 됩니다.

여러분한테 주어진 시간은 제한돼 있습니다. 그러니 다른 사람의 삶을 사느라 시간을 낭비하지 마십시오. 용기 있게 여러분의 마음과 직관을 따르십시오. 나머지 것들은 모두 부차적입니다.

– 스티브 잡스의 스탠포드 대학 졸업 연설 중에서 –

◉ **자료 분석** 스티브 잡스는 연설문을 통해 이제 막 대학교를 졸업하고 사회에 진출하는 학생들을 향해 유한한 인생 속에서 자신이 진정 원하고 사랑하는 일을 찾아 그것에 최선을 다하고 열정을 바쳐 임하라고 조언하고 있다.

뜰어보기 포인트

스티브 잡스가 연설을 통해 강조한 삶의 목적이 무엇인지 기억하자.

Q1 스티브 잡스가 연설을 통해 강조하고자 하는 삶의 모습으로 옳지 <u>않은</u> 것은?

① 주체적인 삶을 살아라.
② 자신의 일에 최선을 다하라.
③ 열정을 바칠 만한 일을 찾아라.
④ 자신감을 갖고 자신의 선택을 믿어라.
⑤ 훌륭한 타인을 모델로 삼아 닮아 가고자 노력하라.

자료 2 인공 임신 중절에 대한 다양한 입장들

극단적 보수주의	• 가톨릭 교회에서 주장하는 입장으로 일체의 인공 임신 중절을 반대함. • 모체가 위독하거나 태아가 장애아일 경우, 성폭행에 의해 임신이 된 경우 등 어떠한 경우에도 죄 없는 태아를 해치는 것은 금지해야 함.
온건한 보수주의	• 원칙적으로 인공 임신 숭설을 반내하지만, 엄격한 제한을 두어 허용함. • 모체나 태아의 육체적·정신적 건강에 심각한 이상이 있는 경우, 태아가 용납할 수 없는 성관계의 소산인 경우 태아가 자궁 밖에서도 생존할 수 있을 만큼 자라기 전에 실시해야 함.
극단적 자유주의	• 인공 임신 중절에 아무런 제약을 둘 필요 없이 가능함. • 마치 맹장 수술을 하는 것처럼 가능하다는 입장
온건한 자유주의	모체 외에서도 생존할 수 있을 정도로 태아가 자라기 전이라면 모친의 희망에 따라 언제든지 인공 임신 중절이 가능함.

– 박찬구 외, "논쟁으로 보는 윤리 사상의 주제와 주제들" 수정 인용 –

◉ **자료 분석** 현재 우리 법률에서는 인공 임신 중절을 원칙적으로 금지하고 예외적으로 허용하고 있다. 이에 반해 학계에서는 극단적 보수주의부터 극단적 자유주의까지 다양한 견해가 있다.

뜰어보기 포인트

인공 임신 중절에 대한 다양한 입장을 이해하자.

Q2 인공 임신 중절에 대한 우리 법률에서의 입장은 무엇인가?

① 중도주의
② 극단적 보수주의
③ 온건한 보수주의
④ 극단적 자유주의
⑤ 온건한 자유주의

정답 Q1 ⑤ / Q2 ③

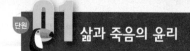

2 죽음과 관련된 윤리적 쟁점

1. 죽음의 의미와 다양한 관점

(1) **죽음의 의미** 삶의 단절, 불가피성, 사랑하는 사람과의 이별, 생의 마감

(2) **죽음을 바라보는 다양한 관점** 자료 3

도가	죽음은 사계절의 변화처럼 자연스러운 것
유교	사후 세계보다는 살아 있을 때 도덕적인 삶이 중요함.
불교	인간의 생사는 인과응보에 의해 거듭나는 자연스러운 과정임.
에피쿠로스❹	인간은 죽음을 경험할 수 없으므로 두려워할 필요가 없음.
하이데거❺	인간은 자신의 죽음을 인식할 수 있는 존재임.

(3) **웰다잉(well-dying)** 살아온 날을 아름답게 정리하면서 남은 삶을 평안하게 마무리하는 것

2. 자살의 윤리적 문제

(1) **자살에 관한 동서양의 관점**

동양	유교	불감훼상(不敢毀傷) 효지시야(孝之始也) → 부모로부터 받은 신체를 훼손하지 않는 것이 효의 시작이므로 자살은 불효에 해당함.
	불교	산 것을 죽이지 말라는 계율[不殺生]로 미루어 볼 때 다른 생명뿐만 아니라 자신의 생명도 해쳐서는 안 된다는 의미를 담고 있음.
	도가	자살은 무위자연의 원리에 어긋나는 것으로, 해서는 안 됨.
서양	자연법 윤리	자살은 자신을 보존하고자 하는 성향을 포기하는 것으로 옳지 않음.
	칸트	자살은 고통에서 벗어나기 위해 스스로의 목숨을 고통 완화의 수단으로 삼는 것이기 때문에, 이는 인간의 의무를 위반하는 것임. 자료 4
	쇼펜하우어	자살은 문제를 해결하는 것이 아니라 회피하는 것이므로 옳지 않음.
	기독교	신이 주신 선물인 인간의 생명을 함부로 해쳐서는 안 됨.

(2) **자살의 문제점** 단 한 번뿐인 삶의 소중함을 인식하지 못하는 행위, 자아실현의 가능성을 포기하는 행위, 지인들에게 큰 슬픔과 고통을 안겨 주고, 동조 자살❻의 문제를 발생시킬 수 있음.

3. 안락사❼의 윤리적 쟁점

(1) **안락사에 대한 입장**

찬성	가족과 환자의 고통 완화, 환자의 삶의 질 제고, 가족의 심리적·물질적 부담 경감 등
반대	자연의 질서에 반함(자연법 윤리), 인간 생명의 존엄성 무시(종교적 관점), 생명을 수단시함.(의무론)

(2) **안락사의 유형** 자발적 안락사와 비자발적 안락사, 적극적 안락사❽와 소극적 안락사❾

4. 뇌사❿의 윤리적 쟁점

뇌사의 사망 간주 찬성	장기 이식 가능성, 회복 불가능성
뇌사의 사망 간주 반대	타인의 생명을 위해 뇌사자의 생명을 수단시함, 남은 생의 길고 짧음에 따라 생의 가치가 다른 것은 아님.

❹ **에피쿠로스(Epikuros, B.C.341~B.C.270)**
고대 헬레니즘 시대 에피쿠로스 학파의 창시자로, 몸에 고통이 없고 마음에 근심이 없는 정신적 평정 상태인 아타락시아를 추구하였음.

❺ **하이데거(Heidegger, M., 1889~1976)**
독일 실존주의 철학자로서, 인간은 결국 죽을 수밖에 없는 존재이며 유한한 시간 속에 있다는 것에 직면하여 본래의 자기를 깨닫는다고 보았음.

❻ **동조 자살(copycat suicide)**
모방 자살, 베르테르 효과라고도 하며, 유명인이 자살할 경우 그 사람과 자신을 동일시해서 자살을 시도하는 현상을 말함.

❼ **안락사**
불치의 환자에 대하여 본인이나 가족의 요구에 따라 고통이 적은 방법으로 생명을 단축하는 의료 행위

❽ **적극적 안락사**
약물 주입, 독극물 주입 등 의사의 적극적인 행위로 생명을 끊는 것

❾ **소극적 안락사**
치료를 중단하거나 인공 연명 처치를 중단하여 생명을 끊는 것

❿ **뇌사**
뇌의 활동이 회복 불가능하게 정지된 상태

자료 3 동양의 생사관

• 사람도 섬기지 못하는데 어떻게 귀신을 섬기겠는가. 삶도 잘 모르는데 어찌 죽음을 알겠는가. 아침에 도(道)를 들으면 저녁에 죽어도 좋다.

— 공자, "논어" —

• 생(生)이 있고 노(老)가 있고 병(病)이 있고 사(死)가 있다. 너의 전생을 알고자 한다면 현재의 삶을 보아라. 그리고 내세를 알고자 한다면 현재 네가 하는 행동을 보아라.

— "중아함경" —

• 삶은 죽음과 같은 것이고 죽음은 삶의 시작이니 누가 그 실마리를 알겠는가. 사람의 삶은 기(氣)가 모이는 것이니 모이면 삶이 되고 흩어지면 죽음이 된다. 삶과 죽음이 같은 것인데 내 또한 무엇을 근심하리오.

— 장자, "장자" —

◉ **자료 분석** 위 내용은 유교, 불교, 도가 사상에서 바라보는 생사관을 나타낸다. 유교에서는 사후 세계에 대해 언급하지 않고 살아 있을 때 도덕적인 삶을 살아야 함을 강조하며, 불교에서는 업(業)에 의해 생사가 순환하고 있음을 강조한다. 또한 도가에서는 삶과 죽음은 슬퍼하거나 두려워할 일이 아니라 자연스러운 인생사의 섭리로 이해한다.

뜯어보기 포인트

유불도에서 바라보는 생사관을 비교하여 이해하자.

Q3 장자가 죽음을 두려워하거나 슬퍼하지 말라고 한 이유는 무엇인가?

자료 4 자살에 대한 칸트의 입장

　인간은 의무가 문제되는 한, 그가 살고 있는 한 인격성을 포기할 수가 없다. 그리고 인간이 일체의 책무성을 면할, 즉 그 행위를 위해 전혀 아무런 권한도 필요치 않은 것처럼 그렇게 자유롭게 행위할 권한을 갖는다는 것은 하나의 모순이다. 그 자신의 인격에서 윤리성의 주체를 파기하는 것은 윤리성이 그 목적 자체인데도 불구하고 윤리성 자체를 그 실존의 면에서 말살하는 것과 같다. 그러니까 그 자신을 그의 임의의 목적을 위한 한낱 수단으로 처리하는 것은 인격적인 측면에서 인간성의 존엄을 실추시키는 것이다.

— 칸트, "윤리 형이상학 정초" —

◉ **자료 분석** 칸트는 자살을 범죄 행위로 보았다. 그는 "너 자신에게 있어나 다른 사람에게 있어서나 인격을 언제나 동시에 목적으로 대하고 결코 수단으로 대하지 말라."라고 하였다. 그에 따르면, 자살은 고통에서 벗어나기 위해 스스로의 생명을 수단으로 삼기 때문에 옳지 않은 행위이다.

뜯어보기 포인트

칸트의 자살에 대한 입장을 이해하고, 그가 자살을 반대하는 이유를 기억하자.

Q4 칸트가 자살을 반대한 이유로 옳은 것은?

① 가족이 슬퍼하기 때문에
② 자연의 섭리를 해치기 때문에
③ 자신의 생명을 수단으로 삼기 때문에
④ 부모로부터 받은 신체를 훼손하는 것이기 때문에
⑤ 신이 주신 선물인 생명을 함부로 해한 것이기 때문에

🔒 Q3 삶에서 죽음으로의 변화는 자연스러운 변화이고 결국 삶과 죽음은 같은 것이기 때문이다. / Q4 ③

01 밑줄 친 '이것'은 무엇인지 쓰시오.

> 인간은 이것을 통해 개인 또는 가족 구성원으로서 자리매김하고, 점차 더 넓은 공동체로 나아가 사회 속에서 일정한 역할을 수행하면서 개인으로서의 삶뿐만 아니라 사회적 존재로서의 삶을 살아가게 된다.

02 다음 빈칸에 들어갈 알맞은 말을 쓰시오.

(1) 아리스토텔레스는 인간의 삶의 목적을 (   )(이)라고 하였다.

(2) 인공 임신 중절을 허용하자는 입장에서는 여성의 (   )와(과) 선택권을 중시한다.

(3) 우리 법률에서는 인공 임신 중절을 원칙적으로 (   )하고, 예외적으로 (   )하고 있다.

(4) (   )은(는) 살아온 날을 아름답게 정리하면서 남은 삶을 평안하게 마무리하는 것을 말한다.

(5) 자연법 윤리에서는 인간이 스스로를 보존하고자 하는 성향이 있는데, (   )은(는) 이를 포기하는 것이므로 옳지 않다고 본다.

03 자살을 바라보는 동양의 관점을 바르게 연결하시오.

(1) 도가 •

(2) 유교 •

(3) 불교 •

• ㉠ 삶을 마감하는 자연스러운 과정임.

• ㉡ 사후 세계보다는 살아 있을 때 도덕적인 삶이 중요함.

• ㉢ 인간의 생사는 인과응보에 의해 거듭나는 자연스러운 과정임.

04 다음 내용이 맞으면 ○표, 틀리면 ×표를 하시오.

(1) 우리나라는 경제 협력 개발 기구(OECD)에 속한 나라 중에서 자살률이 높은 나라에 속한다. (   )

(2) 자연법 윤리의 입장에서는 안락사를 허용함으로써 가족들과 환자의 고통을 줄이고 사회적 비용을 줄여야 한다고 주장한다. (   )

(3) 안락사의 유형에는 환자의 의사에 따라 수행하는 자발적 안락사, 환자의 의사 없이 행해지는 비자발적 안락사가 있으며, 적극적·소극적 안락사로 나누기도 한다. (   )

(4) 죽음의 전통적인 기준은 심장과 폐 기능의 완전한 정지인 심폐사이다. (   )

05 빈칸 ㉠, ㉡에 들어갈 말을 각각 쓰시오.

> (㉠)에서는 불감훼상(不敢毁傷) 효지시야(孝之始也)라 하여 부모로부터 받은 신체를 훼손하지 않는 것을 (㉡)의 시작으로 보았다. 따라서 자신의 생명을 스스로 해치는 자살은 매우 큰 불효에 해당하는 것이다.

06 불치의 환자에 대하여 본인이나 가족의 요구에 따라 고통이 적은 방법으로 생명을 단축하는 의료 행위를 무엇이라고 하는지 쓰시오.

07 안락사의 유형 중에서 약물 주입, 독극물 주입 등 의사의 적극적인 행위로 생명을 끊는 것을 무엇이라고 하는지 쓰시오.

08 뇌의 활동이 회복 불가능하게 정지된 상태를 무엇이라고 하는지 쓰시오.

01 인간의 출생에 대한 설명으로 옳지 <u>않은</u> 것은?

① 모든 인간관계의 시작이다.
② 도덕적 주체가 될 수 있는 출발점이다.
③ 다양한 공동체에 속하게 되는 출발점이다.
④ 남녀의 자연스러운 결합에 의해서만 가능하다.
⑤ 인간의 자연적 욕구가 발현되어 나타난 것이다.

02 밑줄 친 ㉠, ㉡에 해당하는 내용을 바르게 연결한 것은?

> 행복의 모습은 사람마다 추구하는 가치가 다르고, 시대마다 처한 환경이나 여건이 다르므로 일률적으로 규정할 수는 없다. 경제적으로 어려웠던 시절에는 ㉠객관적 지표를 중시하였지만, 물질적으로 풍요로워지면서 우리의 삶의 모습도 변화하기 시작하였다. 최근에는 ㉡주관적 지표를 중시하는 것으로 변화하게 되었다.

	㉠	㉡
①	주택	자동차
②	자아실현	재산
③	연봉	심리적 만족도
④	경제적 부	직업
⑤	자존감	여가

03 인공 임신 중절에 대한 갑, 을의 입장에 대한 설명으로 옳은 것은?

> 갑: 수정란은 태아로 성장하여 성숙한 인간이 될 가능성을 가지고 있다.
> 을: 여성은 자신의 신체에 대한 권리를 지니며 자신의 신체에서 일어난 일에 대해 선택할 권리를 갖는다.

① 갑: 태아는 완전한 인간이라고 볼 수 없다.
② 갑: 수정과 동시에 태아는 인간의 지위를 지닌다.
③ 을: 태아의 생명권을 지키는 것이 중요하다.
④ 을: 무고한 인간인 태아를 죽이는 것은 옳지 않다.
⑤ 갑, 을: 태아는 여성의 몸의 일부일 뿐이다.

04 다음과 같은 생식 보조술을 반대하는 사람이 내세울 수 있는 근거로 가장 적절한 것은?

> • 인공 수정 시술   • 시험관 아기 시술

① 자연법 윤리에 부합하지 않는다.
② 노동력의 증가를 가져올 수 있다.
③ 난임 부부의 고통을 덜어 줄 수 있다.
④ 생식 세포의 매매를 불가능하게 한다.
⑤ 생명에 대한 인위적인 조작은 복지를 증진시킨다.

05 밑줄 친 부분에 대한 설명으로 옳지 <u>않은</u> 것은?

> 인간은 출생을 통해 한 가족의 일원이 되고 사회의 구성원이 되기 때문에, 출생은 모든 인간 활동의 시작이라 할 수 있다. 이는 단순히 가족의 수가 늘어나는 것 이상의 <u>윤리적 의미</u>를 지닌다.

① 사회적 관계를 이루는 삶의 시작이다.
② 모체로부터 태아가 분리되어 독립하는 것이다.
③ 종족을 후대에 보존하고자 하는 인간의 자연적 성향의 실현이다.
④ 다양한 인간관계 속에서 자신의 역할을 수행하는 출발점이 된다.
⑤ 사회적 존재로서 다양한 공동체에 속하게 되는 첫 출발점이 된다.

06 밑줄 친 'A'를 찬성하는 입장에 대한 논거로 적절한 것은?

> <u>A</u>는 스스로 생존할 능력을 갖추지 못한 태아를 모체로부터 인공적으로 분리하여 임신을 종결시키는 행위이다.

① 태아는 임신 순간부터 인간으로서의 지위를 갖는다.
② 아무 잘못이 없는 태아를 죽이는 행위는 옳지 않다.
③ A를 인정하는 것은 살인 행위를 정당화하는 것이다.
④ 태아는 인간으로서의 잠재 가능성을 지니고 있으므로 소중하다.
⑤ 태아는 여성의 몸의 일부이므로 여성의 자율성을 인정해야 한다.

07 밑줄 친 '이것'에 대한 설명으로 옳은 것은?

> 이것은 자신의 생명을 스스로 끊는 행위로, 우리나라는 이것의 발생 빈도가 높은 편이다.

① 유교에서는 불살생(不殺生)의 계율을 어기는 것으로 본다.
② 도가에서는 무위자연의 원리에 반하지 않으므로 인정한다.
③ 불교에서는 신이 주신 선물을 함부로 하는 것이라 하여 반대한다.
④ 칸트 윤리에서는 고통이 극심한 불치병일 경우에 한하여 허용한다.
⑤ 유교에서는 부모로부터 받은 신체를 훼손하는 것으로 보아 불효로 여긴다.

08 밑줄 친 '안락사'를 찬성하는 사람들의 입장에서 내세울 수 있는 주장으로 옳은 것은?

> 올해 79살의 잭 키보키언 박사는 말기 환자 130여 명의 자살을 도와 '죽음의 의사'로 불렸다. 그의 안락사 논란은 8년 전으로 거슬러 간다. 그는 몸을 움직일 수 없는 루게릭병 말기 환자의 부탁을 받고 자살을 도왔다. 자신이 고안한 자살 기구를 이용했기 때문에 안락사냐 살인이냐는 논란을 불러일으켰다. 그는 1999년부터 8년 동안 복역하고 출감했지만, 안락사를 계속 돕겠다고 밝혀 다시금 논쟁을 불러일으키고 있다.

① 자연의 질서에 어긋난다.
② 무엇보다 환자의 자율성이 중요하다.
③ 인간의 생명은 결코 인간이 거둘 수 없다.
④ 치료 가능한 환자에게 침상을 양보할 필요는 없다.
⑤ 가족이 겪는 경제적·심리적 고통은 환자의 고통보다 중요하지 않다.

09 갑, 을의 입장에 대한 근거로 옳은 것은?

> 갑: 태아는 여성 몸의 일부로 볼 수 있기 때문에 인공 임신 중절을 결정하는 것은 여성의 선택이라고 할 수 있어.
> 을: 아니야. 인공 임신 중절은 독자적인 생존 능력이 없는 태아를 모태에서 분리하여 태아의 생명을 해치는 행위이기 때문에 옳지 않아.

① 갑: 무고한 인간을 해치는 행위는 그릇된 것이다.
② 갑: 생명 의지를 지닌 모든 존재는 도덕적 지위를 갖는다.
③ 을: 모든 인간의 생명은 소중하기 때문에 태아의 생명도 소중하다.
④ 을: 태아는 인류라는 종(種)에 속하므로 인간의 지위를 갖지 않는다.
⑤ 갑, 을: 여성이 가지고 있는 자신의 몸에 대한 소유권은 처분권을 포함한다.

10 다음 주장의 근거로 옳지 <u>않은</u> 것은?

> 심장 박동이 정지하지 않았다는 이유로 뇌사를 사망으로 인정하지 않는 것은 옳지 않다. 이제는 현실적 여건을 고려하여 뇌사를 죽음의 판정 기준으로 삼아야 한다.

① 뇌사자는 자발적으로 호흡할 수 없다.
② 뇌사자는 어떠한 치료에도 회복 가능성이 없다.
③ 뇌사자의 장기 이식을 통해 많은 생명을 살릴 수 있다.
④ 뇌사자는 연명 의료 장치에 의존해도 통상 수일 내에 사망에 이른다.
⑤ 남아 있는 생의 길고 짧음에 따라 뇌사자의 삶을 평가해서는 안 된다.

주관식

01 인간의 삶과 관련하여 빈칸 ㉠, ㉡에 들어갈 말을 각각 쓰시오.

> 인간은 누구나 자신의 생명을 보전하고 자신의 (㉠)을(를) 후대에 보존하고자 하는 욕구를 가지고 있으며, 이러한 욕구의 실현은 바로 자녀의 (㉡)(으)로 이어진다. 따라서 (㉡)은(는) 인간의 자연적 욕구가 발현되어 나타난 결실이다.

주관식

02 인간의 출생과 관련하여 빈칸 ㉠, ㉡에 들어갈 말을 각각 쓰시오.

> 과거에는 인간의 출생이 여성과 남성 간의 사랑의 결합에서 비롯되는 자연스러운 과정으로 여겨졌다. 하지만 현대에 이르러 의학의 발전으로 인간의 출생 과정에 (㉠) 등의 인위적 요소가 개입되기 시작하였다. 이와 관련한 문제 중 특히 생식 세포 매매와 (㉡)은(는) 여전히 윤리적 논란거리이기 때문에, 이러한 문제들은 사회적 합의를 통해 신중하게 접근해야 한다.

주관식

03 인간의 죽음과 관련하여 빈칸 ㉠, ㉡에 들어갈 서양 사상가를 각각 쓰시오.

> • (㉠)은(는) 인간이 살아 있든 죽어 있든 죽음을 경험할 수 없으므로 두려워할 필요가 없다고 주장하였다.
> • (㉡)은(는) 인간이 언제나 죽음과 함께하고 있으므로 죽음을 외면하지 말고 죽음은 항상 자신의 것이라는 사실을 인지하면서 살아가야 한다고 주장하였다.

주관식

04 자살과 관련하여 빈칸 ㉠, ㉡에 들어갈 말을 각각 쓰시오.

> (㉠)에서는 오계 중 첫 번째 계율인 불살생(不殺生)은 살아 있는 것을 죽이지 말라는 것으로, 다른 생명뿐만 아니라 자신의 생명도 해쳐서는 안 된다는 의미를 담고 있다고 본다. (㉡)에 따르면, 인간은 자신을 보존하고자 하는 성향이 있는데, 자살은 이를 포기하는 것이므로 옳지 않다.

서술형

05 인간의 출생이 지닌 윤리적 의미를 사회적 측면에서 서술하시오.

서술형

06 다음의 관점에서 뇌사를 사망으로 간주해야 한다는 입장의 찬성 근거를 두 가지 제시하시오.

> 최대 다수의 최대 행복을 도덕과 입법의 원리로 삼아야 한다.

서술형

07 우리나라 법률에 나타나 있는 인공 임신 중절의 허용 여부에 대한 규정을 서술하시오.

서술형

08 적극적 안락사와 소극적 안락사를 비교하여 서술하시오.

단원 흐름 읽기

생명 과학과 생명 윤리의 목적
- 인간의 존엄성 제고
- 삶의 질 향상

→ 생명 복제에 대한 찬반 논란

→ 유전자 치료 찬반 논란

동물 실험의 반대 근거
- 동물의 극심한 고통
- 동물 실험 상황은 인간의 상황과 다름.
- 인간의 질병 중 동물과 공유하는 비율이 낮음.

동물 권리의 변화
- 중세 동물은 인간에게 지배당함.
- 근대 동물은 인간을 위한 수단
- 현대 동물의 권리 주장(싱어, 레건)

---

1 생명 복제와 유전자 치료 문제

1. 생명 과학과 생명 윤리

(1) 생명 과학

① 목적: 인간의 수명을 연장하고 건강을 증진시킴으로써 인류의 행복에 기여하고자 함.

② 영역: 인간 복제, 장기 이식, 유전자 조작 등 자료1 자료2

③ 긍정적 측면: 우수한 동식물의 품종 개발 및 유지, 유전병이나 난치병 등의 질병 퇴치

④ 부정적 측면: 인간의 존엄성 훼손, 생명의 수단화 등

(2) 생명 윤리

① 의료나 생명 과학에 관한 윤리적·사회적·철학적·법적 문제와 그에 관련하는 문제를 연구함.

② 생명 과학 기술의 윤리적 정당성과 그 한계를 다루고 연구의 방향을 제시해 줌.

(3) 생명 과학과 생명 윤리의 공통적인 목적 인간의 존엄성 제고 및 삶의 질 향상

2. 생명 복제

(1) 생명 복제에 대한 입장

① 찬성 입장 논거: 우수한 품종 개발 유지, 희귀 동물 보존과 멸종 동물 복원, 치료용 생체 물질 생산 가능

② 반대 입장 논거: 자연의 질서에 위배, 특정 바이러스에 약함, 생명을 수단시함.

(2) 인간 복제 배아 복제❶와 개체 복제❷

(3) 인간 복제에 대한 윤리적 논란

① 찬성: 불임 부부의 고통 경감

② 반대: 복제된 인간의 지위에 따른 정체성 혼란, 인간의 존엄성 훼손

3. 유전자 치료❸ 문제

(1) 유전자 치료 우리 몸속에 정상 유전자를 주입하여 단백질을 생산하게 하거나 이상 유전자를 대치하는 새로운 치료 방법❹

(2) 유전자 치료 찬반 논란

① 긍정적 측면: 유전자 변이 또는 결손으로 생기는 유전병 치료 가능, 암 환자의 치료법으로 활용

② 부정적 측면: 유전적 변화가 다음 세대에까지 전달 → 윤리적·사회적 문제 발생

❶ 배아 복제
질병 치료를 목적으로 배아 줄기세포를 얻기 위해 복제를 통해 배아 단계까지만 발생을 진행하는 것

❷ 개체 복제
배아를 자궁에 착상시켜 하나의 완전한 개체로 태어나게 하는 것

❸ 유전자 치료
1990년 미국에서 선천성 면역 결핍증 환자를 대상으로 처음 시행되었고, 현재 전 세계적으로 170여 종 이상의 유전자 치료가 시도되고 있음.

❹ 유전자 치료의 유형
- 체세포 유전자 치료: 효과가 개체 1세대에 한정됨.
- 생식 세포 유전자 치료: 개체뿐만 아니라 자손까지 영향을 미침.

자료 1 토종 곡식과 우리 농경 문화

토종 곡식이 사라지고 있다. 대대손손 농사일을 이어오며 부모가 기르던 곡식 씨앗을 받아 기르던 농민이 줄어들면서 그 씨앗도 함께 사라졌다. 씨앗의 소멸은 또 다른 소멸을 부른다. 씨앗이 없으면 다양한 작물을 기를 때 사용하던 농기구, 농사 방법 등이 사라지고 그 곡식을 이용하여 조리한 요리마저 없어진다. 우리네 고유한 농경 문화가 사라지는 것이다. 토종 씨앗 대신 종자 회사의 개량 씨앗이 온 땅을 차지하며 농부는 농부권을 잃는다. 우리는 토종 곡식 대신 수입 농산물을 먹으며 건강을 잃는다. 우리 몸과 우리 땅을 남의 것으로 채운 결과이다. 이 책은 아직 살아 있는 토종 씨앗에 관한 기록이다. 밀, 호밀, 보리, 율무, 수수, 팥, 콩, 조, 기장, 참깨 등 이름만큼 모양새도 각기 다른 곡식들. 이들은 '잡곡'으로 불리며 '잡스러운' 취급을 당했지만 쌀의 빈자리를 채워 준 고마운 존재이다.

— 김석기 외, "씨앗에 깃든 우리의 미래 토종 곡식" —

◉ **자료 분석** 필자는 씨앗을 수입하는 종자 회사에 맞서 우리 농토에 최적화된 토종 씨앗을 근간으로 하는 토종 농사를 통해 토종 곡식을 먹음으로써 우리 고유의 농경 문화를 유지하고 종자 주권을 유지해야 한다고 주장한다.

뜯어보기 포인트

토종 씨앗을 살려야 한다는 입장의 근거를 생각해 보자.

Q1 토종 곡식이 유전자 변형 식품(GMO)에 비해 지닌 장점은 무엇인가?

자료 2 유전자 변형 식품(GMO)

우리나라는 현재 세계 2위의 식용 GMO 수입 국가로 알려져 있다. 유전자 변형 기술의 장단점은 무엇일까? 우선 유전자 변형 기술을 이용해 우월한 유전 인자를 가진 농산물을 대량으로 생산하여 인류가 당면한 식량 부족 문제와 기아 문제를 해결할 수 있다. 또한 경제적 이윤을 창출하여 공리주의적 측면에서 사회적 행복을 증진할 수 있다는 장점이 있다. 반면 반대 입장에서는 GMO 식품이 인체의 면역 체계에 부정적 영향을 끼치며, 알레르기를 유발하거나 항생제 내성을 증가시킬 수 있다고 우려한다. 또한 유전자 조작은 특정 유전자를 가진 개체만 남게 되기 때문에, 생태계의 질서와 다양성을 해칠 수 있다. 사회 정의 측면에서도 문제가 있다. 엄청난 재원이 필요한 유전자 조작 기술은 소수의 다국적 기업들이 독점하고, 생산·유통을 좌우하므로 전통적인 친환경 농업이 파탄에 이르기 때문이다.

— 경기교육신문, 2015. 11. 23. 수정 인용 —

◉ **자료 분석** GMO 식품의 생산 및 판매에 대해 찬반 입장이 공존하고 있다. 찬성 입장에서는 식량 문제 해결, 이윤 추구를 통한 사회적 복리 증진 등을 근거로 제시한다. 반면, 반대 입장에서는 면역 체계 이상, 알레르기 유발, 항생제 내성 증가, 생태계 교란, 사회 정의 저해 등을 근거로 제시한다. 이와 같이 GMO 식품 유해성 여부는 여전히 논란거리가 되고 있다.

뜯어보기 포인트

유전자 변형 식품의 윤리적 문제에 대한 찬반 입장의 논거를 기억하자.

Q2 GMO를 반대하는 입장의 논거로 볼 수 없는 것은?

① 생태계 교란
② 알레르기 유발
③ 항생제 내성 감소
④ 면역 체계의 이상
⑤ 다국적 기업 독점

탑 Q1 우리의 종자 주권을 지녀 국외로 나가는 로열티를 줄일 수 있고, GMO의 유해성 논란에서 벗어날 수 있으며, 우리의 농경 문화를 유지할 수 있다. / Q2 ③

2 동물 실험과 동물 권리의 문제

1. 동물 실험 ❺

(1) **의미** 의학 및 과학적 목적을 위해 동물을 사용하여 생명 현상을 연구하는 것

(2) **시대에 따른 동물 실험**

① 과거: 인간만이 도구와 언어를 사용하는 고유한 능력이 있으므로 동물은 인간을 위한 수단에 불과함.

② 현재: 동물도 지능이 있고 그들만의 문화가 있으므로 함부로 하지 말아야 한다는 주장이 등장하고 있지만, 동물 실험은 여전히 진행되고 있음.

(3) **동물 실험 반대 입장 논거**

① 실험 과정에서 동물들이 극심한 고통을 겪고 있음. 자료 3

② 동물 실험 상황은 인간이 처한 실제 상황과 다름.

③ 인간이 가진 질병 중 동물과 공유하는 것은 2% 미만이므로 동물 실험의 결과는 인간을 이해하는 데 별로 도움이 안 됨.

④ 동물 실험을 대체할 수 있는 다른 방법이 있다면 실험을 하지 않는 것이 옳음.

(4) **동물 실험에 대한 '3R 원칙'**

① 살아 있는 동물 개체를 활용하지 않는 실험 방법으로의 대체(Replacement)

② 같은 양의 데이터를 얻는 데 사용하는 동물 수의 감소(Reduction)

③ 마취 등을 통해 동물이 느끼는 고통의 완화(Refinement)

2. 동물의 권리

(1) **시대적 인식의 변화**

중세	동물은 인간에게 지배받는 존재 → 아리스토텔레스("동물은 인간을 위해 존재한다. 따라서 인간이 동물을 사용하는 것은 문제가 되지 않는다.")
근대	인간 중심적 입장에서 동물은 인간을 위한 수단으로 인식하고, 동물의 권리를 인정하지 않음. → 칸트 ❻, 데카르트 ❼
현대	• 동물을 함부로 대하는 것은 옳지 않다는 인식의 등장 → 동물의 권리 주장 • 싱어: "인종 차별이나 성차별이 옳지 않은 것과 마찬가지로 인간과 동물을 차별하는 것은 종 차별주의이다. 동물도 쾌고 감수 능력 ❽이 있으므로 함부로 대하지 말아야 한다." 자료 4 • 레건: "일부 동물에게도 삶의 주체로서 갖는 가치가 있으므로, 실험에 이용되지 않을 권리가 있다."

(2) **현대 과학적 성과로 인한 인식의 변화**

비교 생물학	신경이 발달한 동물도 고통을 느낄 수 있다는 사실을 밝혀냄.
동물 행동학	인간과 동물 사이에 근본적인 차이가 없다고 주장함.
진화론	인간은 동물의 일종으로 진화의 산물이므로 인간만이 탁월한 존재가 아니라고 주장함.
생명 윤리학	인간과 동물의 이성이나 언어 능력의 차이가 동물을 함부로 대우해야 한다는 것을 정당화하지 않음.

(3) **동물 권리론의 의의** 인간 중심주의에서 탈피하여 동물을 함부로 대하는 인간의 행동에 대한 윤리적 성찰의 필요성 강조

---

❺ **동물 실험의 예**
• 동물 생체 관찰
• 동물의 신체에서 의약품 원료 채취
• 신약이나 치료법의 효능과 안전성 검증을 위해 동물을 대상으로 실험하는 것

❻ **칸트의 동물의 권리에 대한 입장**
"동물을 잔혹하게 대우하는 것에 반대하는 이유는 동물 자체를 위해서라기보다 그것이 인간의 품위를 손상하는 행위이기 때문이다."

❼ **데카르트의 동물의 권리에 대한 입장**
"인간과 동물의 몸은 자동 기계인데, 인간과 달리 동물에게는 정신이나 영혼이 없어서 쾌락이나 고통을 느낄 수 없기 때문에 동물은 권리를 지니고 있지 않다."

❽ **쾌고 감수 능력**
고통과 쾌락을 느낄 수 있는 능력으로, 인간과 동물이 지니고 있음.

자료 3   국내 동물들의 학대 실태

매년 전 세계적으로 1억 마리 이상의 너구리, 담비, 여우 등 야생 동물들이 모피를 만들기 위해 희생되고 있다. 모피의 10%는 야생에서 덫이나 올무 등 잔인한 방법으로 야생 동물을 포획해 만들고, 나머지 약 90%는 공장식 축산으로 운영되는 모피 농장에서 생산된다. 사람들은 모피를 얻기 위해 작은 철창 케이지에 너구리, 담비, 여우 등 야생 동물들을 감금하고 그들의 자연적 습성을 완전히 박탈한 채 고문하고 있다. 우리나라는 세계 최대 모피 수입·소비국 중 한 곳이며, 대부분 중국산 모피가 국내 모피 시장의 대부분을 차지하고 있다. 중국산 모피는 산채로 동물의 껍질을 벗겨 모피를 만드는 등 세계적으로 가장 최악의 동물 학대 산물이라는 사실을 아는 사람은 많지 않다.

– 파이낸셜뉴스, 2017. 10. 2. –

◎ **자료 분석**   제시문은 모피를 얻기 위한 인간의 잔인한 동물 학대에 대한 내용이다. 이 외에도 식용 동물을 얻기 위한 공장식 사육, 강제 교배 등은 동물 보호 단체의 비난을 사고 있다.

뜯어보기 포인트

인간의 동물 학대 실태를 인식하고 인간 중심적인 사고에서 벗어나 동물을 보호해야 한다는 것을 기억하자.

Q3 동물 보호론자들이 반대하는 사육 방식으로, 좁은 공간에 동물을 밀어 넣어 사육하는 방식을 무엇이라고 하는가?

자료 4   싱어의 동물 해방론

이후에 태어나는 나머지 동물들이 권리를 가질 날이, 비록 그것이 자신들에 의해서가 아니라 자신들을 학대했던 사람들의 손에 의해 올지도 모른다. 프랑스인은 흑인이 피부색이 검다는 이유만으로 압제자에게 그들을 넘겨야 할 아무런 이유도 없다는 것을 발견하였다. 감각을 느낄 수 있는 존재이지만 다리의 수나 피부의 털, 뼈 골격의 차이가 다른 운명에 처해야 한다는 이유가 될 수 없다는 것을 인식할 날이 올 것이다. 그 밖에 극복할 수 없는 경계가 무엇인가? 그것이 이성이라는 기능인가? 아니면 혹은 대화 기능인가? 그러나 의사소통을 잘하는 동물은 물론이고 성장한 말이나 개도 태어난 지 하루 또는 일주일밖에 안 된 유아, 심지어 한 달된 유아보다 비교할 수 없을 만큼 더 합리적이다. 경우가 다르다고 한다면, 무엇을 이용할 것인가? 문제는 어떤 존재가 이성을 갖고 있는가, 아니면 말할 수 있는가가 아니다. 그것은 존재가 고통을 느낄 수 있는가이다.

– 피터 싱어, "동물 해방" –

◎ **자료 분석**   싱어는 동물도 인간과 같이 고통을 느끼기 때문에 동물 학대나 공장식 사육, 동물 실험을 반대하면서 동물의 권리를 인정하고 배려해야 한다고 주장하였다. 더 나아가 그는 인종 차별이나 성차별이 옳지 않은 것과 마찬가지로 인간과 동물을 차별하는 것은 종 차별주의라고 비판한다.

뜯어보기 포인트

싱어가 동물을 인간과 동등하게 대해야 한다고 주장한 근거를 생각해 보자.

Q4 싱어가 동물 해방론을 펼치면서 주장한 개념은?
① 사고 능력
② 쾌고 감수 능력
③ 삶의 주체로서의 능력
④ 동물의 언어 사용 능력
⑤ 동물의 도구 사용 능력

🖫 Q3 공장식 사육 / Q4 ②

01 다음 빈칸에 들어갈 알맞은 말을 쓰시오.

(1) 생명 과학과 (   )은(는) 인간의 존엄성을 제고하고 삶의 질을 향상해야 한다는 공통의 목적을 가지고 있다.

(2) 인간 복제의 경우 배아를 (   )(으)로 볼 수 있는지의 여부, 복제된 인간의 지위 문제로 인해 발생하는 문제가 있다.

(3) (   )은(는) 우리 몸속에 정상 유전자를 주입하여 단백질을 생산하게 하거나 이상 유전자를 대치하는 새로운 치료 방법을 말한다.

(4) 유전자 치료는 치료 대상에 따라 체세포 유전자 치료와 (   ) 유전자 치료로 나뉜다.

(5) (   )은(는) 의학 및 과학적 목적을 위해 동물을 사용하여 생명 현상을 연구하는 것을 말한다.

(6) 동물 실험을 (   )하는 입장에서는, 인간은 도구를 사용하고 언어를 사용하는 등 동물과 달리 인간만의 고유한 특성과 높은 지능을 가지고 있다고 여긴다.

02 서로 관련 있는 것끼리 연결하시오.

(1) 배아 복제 •

(2) 개체 복제 •

• ㉠ 배아를 자궁에 착상시켜 완전한 개체로 태어나게 하는 것

• ㉡ 배아 줄기세포를 얻기 위해 복제를 통해 배아 단계까지만 발생을 진행하는 것

03 다음 빈칸에 들어갈 다양한 연구 분야를 쓰시오.

생명 과학은 인간의 수명을 연장하고 건강을 증진함으로써 인류의 행복에 기여하는 것을 목적으로 하면서 (   ) 등 새로운 연구가 진행되어 왔다.

04 다음과 같은 입장을 무엇이라고 하는지 쓰시오.

근대에 지배적이었던 입장으로, 인간 존재를 동물보다 상위에 두어 동물을 인간을 위한 수단으로 여기고 동물의 권리를 인정하지 않았다.

05 다음 입장에 해당하는 사상가를 |보기|에서 골라 쓰시오.

┤보기├

• 칸트   • 레건   • 데카르트   • 아리스토텔레스

(1) 동물은 인간을 위해 존재한다. 따라서 인간이 동물을 사용하는 것은 문제가 되지 않는다.

(2) 인간과 동물의 몸은 자동 기계인데, 인간과 달리 동물에게는 정신이나 영혼이 없어서 쾌락이나 고통을 느낄 수 없기 때문에 동물은 권리를 지니고 있지 않다.

(3) 일부 동물에게도 삶의 주체로서 갖는 가치가 있으므로, 실험에 이용되지 않을 권리가 있다.

06 싱어는 인종 차별이나 성차별이 옳지 않은 것과 마찬가지로 인간과 동물을 차별하는 것은 옳지 않다고 여기며, 무엇을 주장하였는지 쓰시오.

정답과 해설 · 208쪽

01 생명 과학에 대한 설명으로 옳은 것은?

① 인간의 존엄성을 제고하고자 한다.
② 생명 과학 연구의 방향을 제시해 주는 역할을 한다.
③ 생명 과학 기술의 윤리적 정당성과 그 한계을 다룬다.
④ 생명 과학 연구 과정에서 발생하는 문제점에 주목한다.
⑤ 의료나 생명 과학에 관한 윤리적 · 사회적 · 철학적 문제를 다룬다.

02 다음 주장의 밑줄 친 부분에 해당하는 내용을 |보기|에서 고른 것은?

> 생명 복제는 여러 가지 문제점을 지니고 있기 때문에 즉각 중단되어야 한다.

┌ **보기** ┐
ㄱ. 생명을 수단시한다.
ㄴ. 희귀 동물을 보존할 수 있다.
ㄷ. 품종 개발에 활용할 수 있다.
ㄹ. 인위적인 조작으로 자연의 질서에 위배된다.

① ㄱ, ㄴ　　② ㄱ, ㄹ　　③ ㄴ, ㄷ
④ ㄴ, ㄹ　　⑤ ㄷ, ㄹ

03 다음 사상가와 그 입장으로 옳지 **않은** 것은?

① 싱어: 동물이 느끼는 고통을 감소시켜야 한다.
② 아리스토텔레스: 동물은 인간을 위해 존재한다.
③ 레건: 일부 동물은 삶의 주체로서의 가치가 있다.
④ 데카르트: 인간과 동물을 차별하는 것은 종 차별주의이다.
⑤ 칸트: 동물을 잔혹하게 대우하는 것은 인간의 품위를 손상하므로 해서는 안 된다.

04 밑줄 친 ㉠, ㉡에 대한 설명으로 옳은 것은?

> 인간 복제에는 배아 복제와 개체 복제가 있으며, 흔히 인간 복제는 ㉠을 말한다. 인간 복제를 찬성하는 입장도 있지만 ㉡반대하는 입장도 만만치 않다.

① ㉠: 배아 복제이다.
② ㉠: 생명을 수단시하지 않는다.
③ ㉡: 난치병을 치료할 수 있다.
④ ㉡: 인간의 존엄성을 훼손할 수 있다.
⑤ ㉡: 자연스러운 출산 과정의 일부이다.

05 다음 사상을 바탕으로 유전자 치료에 대한 입장을 제시한 것으로 옳은 것은?

> 뿌리로 돌아가는 것을 고요함이라 하는데, 고요함이 곧 만물의 본성이다. 만물은 늘 이렇게 본성으로 돌아간다. 만물이 늘 본성으로 돌아감을 아는 것을 환한 정신이라 한다. 만물이 늘 본성으로 돌아간다는 것을 모르면 분별심에 따라 행동하여 삶이 뒤죽박죽 혼란해지리라.

① 자연스러운 삶에 역행하는 것이다.
② 유전적인 난치병을 치료할 수 있다.
③ 질병을 퇴치함으로써 인간의 수명 연장이 가능해진다.
④ 유전자 변화가 다음 세대에 전달될 수 있어 긍정적이다.
⑤ 지속적인 연구를 통해 암 치료를 성공으로 이끌 수 있다.

06 다음 내용을 반대하는 입장에서 제시할 수 있는 논거로 옳은 것은?

> 생명 공학 기술을 이용하여 특정 동식물 등의 유용한 유전자를 다른 동식물에 삽입하여 재조합하는 것을 말한다.

① 항생제 내성을 감소시킬 수 있다.
② 생태계의 질서를 파괴할 수 있다.
③ 식량 부족 문제를 해결할 수 있다.
④ 인간에게 무해하다는 것을 증명할 수 있다.
⑤ 이러한 기술은 다수의 공정 무역을 통해 사회적 행복을 증진시킬 수 있다.

07 다음 주장의 입장으로 옳은 것을 |보기|에서 고른 것은?

> 1994년 ○○ 기업에서 개발한 토마토는 상업적 목적의 유전자 변형 식품(GMO)으로 최초로 판매 허용되었다. 그 후에 여러 기업에서 GMO 옥수수, GMO 콩 등 다양한 GMO를 개발하였다. 하지만 중요한 것은 이것이 아직 인체에 무해하다는 확실한 결과가 없다는 것이다. 따라서 그것을 제조하거나 가공하는 것을 결코 허용해서는 안 될 것이다.

┌ **보기** ┐
ㄱ. 생물의 종 다양성을 해쳐서는 안 된다.
ㄴ. 인간의 삶을 위한 동식물의 도구화를 허용해야 한다.
ㄷ. 우수한 품종 개발을 통해 인류의 식량난을 해결할 수 있다.
ㄹ. 우성 유전자만이 지구상에 존재할 권리를 가지는 것은 아니다.

① ㄱ, ㄴ 　② ㄱ, ㄹ 　③ ㄴ, ㄷ
④ ㄴ, ㄹ 　⑤ ㄷ, ㄹ

08 동물 복제에 대한 다음 주장의 근거로 적절하지 <u>않은</u> 것은?

> 공항에서 마약을 탐지하는 관세청 소속의 개는 유전자 복제 기술을 사용하여 만들어진 복제견이다. 복제견들은 마약류를 탐지하고 국가의 주요 건물 파괴나 요인 암살을 목적으로 설치된 폭발물을 탐지하여 테러를 예방하는 작전을 수행하고 있다. 따라서 나는 이러한 동물 복제에 대해 찬성한다.

① 국가 안전을 위해 활용할 수 있다.
② 인명 살상을 예방하는 데 활용할 수 있다.
③ 동물 권리와 동물 복지를 추구할 수 있다.
④ 사회 범죄를 방지하는 역할을 할 수 있다.
⑤ 인간을 위해 동물을 수단시하는 것은 불가피하다.

09 (나)의 관점에서 (가) 주장의 근거로 가장 적절한 것은?

> (가) 돌고래는 바다에서 마음껏 헤엄치며 무리들과 함께 살아야 한다. 그런데 동물원에 팔려와 먹이를 미끼 삼아 조련사의 발밑에 엎드려 힘들게 교육받고 사람들에게 오락거리가 되고 있다.
> (나) 인종 차별이나 성차별이 옳지 않은 것과 마찬가지로 인간과 동물을 차별하는 것은 종 차별주의이다.

① 생명을 지닌 모든 존재는 소중하다.
② 이성을 지닌 인간만이 우주의 주인이다.
③ 인간은 우주라는 대자연의 일부일 뿐이다.
④ 고통을 느끼는 존재를 함부로 대해서는 안 된다.
⑤ 생태계는 인간과 동일한 도덕적 지위를 갖는다.

주관식

01 밑줄 친 부분에 들어갈 내용을 두 가지 쓰시오.

> 생명 과학과 생명 윤리는 모두 _____을(를) 목적으로 한다는 점에서 공통점이 있다.

주관식

02 밑줄 친 '이것'에 해당하는 것을 쓰시오.

> 싱어가 동물의 권리를 인정하는 입장에서 중요하게 고려하는 것은 이것이다. 그는 동물과 인간이 동시에 이것을 지니고 있다고 여긴다. 따라서 동물도 인간과 같이 고통을 느끼기 때문에 동물의 권리를 인정하고 그들을 배려해야 한다고 주장한다.

서술형

03 생명 과학의 발전이 초래할 수 있는 문제점을 세 가지 서술하시오.

서술형

04 생명 윤리가 등장한 이유에 대해 서술하시오.

서술형

05 다음과 같은 '3R 원칙'이 등장한 사회적 배경을 서술하시오.

> • 마취 등을 통해 동물이 느끼는 고통을 완화해야 한다.
> • 같은 양의 데이터를 얻는 데 사용하는 동물 수를 감소해야 한다.
> • 살아 있는 동물 개체를 활용하지 않는 실험 방법으로 대체해야 한다.

서술형

06 밑줄 친 부분에 해당하는 내용을 두 가지 서술하시오.

> 인간 복제의 경우 불임 부부의 고통을 덜어 준다는 장점이 있지만, 윤리적 논란은 여전히 계속되고 있다.

서술형

07 유전자 변형 기술의 반대 입장의 근거를 두 가지 서술하시오.

서술형

08 다음 글이 주장하는 바를 쓰고, 그러한 주장에 대한 논거를 제시하시오.

> 예전에는 동물을 인간과 다르게 대우해도 된다고 생각했다. 그러나 과학의 발달로 동물들에게도 지능이 있고 그들만의 문화가 있다는 사실이 밝혀지면서 사람들의 생각에 변화가 생겼다. 이제 동물과 인간은 다르지 않다는 사실을 인식하고 동물 실험을 하지 말아야 한다.

(1) 주장: _____

(2) 논거: _____

단원 흐름 읽기

사랑의 가치		보수주의	결혼의 윤리적 의미와 부부간의 윤리	바람직한 가족 윤리
• 생식적 가치 • 쾌락적 가치 • 인격적 가치	사랑과 성을 바라보는 관점	중도주의 자유주의	• 서로의 차이를 인정·존중하려는 의지의 표현 • 과거 부부유별(夫婦有別) • 현재 능력과 역할에 따른 역할 분담	• 부모 자녀 간 부자유친(父子有親), 부자자효(父子慈孝) • 형제자매 간 형우제공(兄友弟恭)

1 사랑과 성의 관계

1. 사랑과 성의 의미

(1) **사랑의 의미** 프롬[1]은 사랑이 보호, 책임, 존경, 이해의 가치를 포함해야 한다고 주장

(2) **성의 구분**

생물학적 성(sex)	신체적 특징에 따라 여성과 남성의 성별은 구분 짓는 성
사회적 성(gender)	성 정체성에 따른 후천적 환경의 영향으로 형성된 성
인격적 성 (sexuality)	성에 대한 인간의 태도·감성·가치관·문화 등을 포괄하는 성

(3) **사랑의 가치**

① 생식적 가치: 종족을 보존하고자 하는 욕구를 충족해 주는 가치

② 쾌락적 가치: 인간의 감각적 욕구를 충족함으로써 쾌락을 가져다 주는 가치

③ 인격적 가치: 상대방에 대한 존중과 예의, 배려를 바탕으로 하는 가치

2. 사랑과 성을 바라보는 다양한 관점

보수주의	성은 부부간의 신뢰와 사랑을 전제로 할 때만 도덕적이고, 혼전·혼외 관계는 부도덕함.
중도주의	사랑이 전제된다면 성적 관계는 가능함. 사랑이 전제된 성은 정신적·육체적 교감이 가능함.
자유주의	성을 결혼이나 사랑과 결부하지 않고 서로 자발적 동의가 있으면 성적 관계는 가능함.

3. 성과 관련된 문제들

(1) **성 상품화** 성 자체를 하나의 상품처럼 취급하는 행위, 간접적으로 성을 판매 촉진에 이용하는 경우도 포함함. 자료 1

(2) **성 상품화에 대한 입장**

① 찬성: 성에 대한 자기 결정권[2]과 표현의 자유 인정, 소비자의 선호를 반영한 것

② 반대: 인격적 가치를 지니는 성의 본래적 가치와 의미 변질, 외모 지상주의 조장

4. 여성주의 윤리와 배려 윤리 자료 2

여성주의 윤리[3]	상대적으로 낮았던 여성의 지위 상승을 목표로 사회의식을 개혁하고 제도를 개선함으로써 양성평등을 지향하는 윤리
배려 윤리	• 보편성, 합리성에 치중한 남성 중심적인 정의 윤리를 보완하기 위해 생겨난 윤리 • 나딩스[4]와 길리건[5]을 중심으로 돌봄, 공감, 관계성 등 여성 중심의 덕목을 중시함.

❶ 프롬이 말한 '진정한 사랑'
• 사랑하는 사람의 생명과 성장에 관심을 가지고 보호하려고 하는 것
• 사랑하는 사람의 욕구와 성향을 고려하면서 자신의 행위를 책임지려고 노력하는 것
• 사랑하는 사람을 있는 그대로 받아들이며 존경하는 것
• 사랑하는 사람을 제대로 이해하는 것

❷ 성에 대한 자기 결정권
타인이나 사회적 관행 등 외부의 강요 없이 스스로의 의지에 의해 성적 행동을 결정하는 권리 → 타인의 성에 대한 자기 결정권을 침해해서는 안됨.

❸ 여성주의 윤리
여성이 남성과 동등한 지위 및 권리를 가지고 직업과 생활 양식을 스스로 결정할 수 있는 양성평등을 지향하는 윤리

❹ 나딩스(Nodding, S, N., 1929~)
미국의 윤리학자이자 교육학자. 배려 윤리에 기초한 교육 철학 및 교육 이론을 제시하였음.

❺ 길리건(Gilligan, C., 1936~)
미국의 심리학자로, 여성학의 선구자로 배려 윤리를 제창함.

자료 1 인터넷 광고 속 선정성 '심각'

인터넷 포털, 사회 관계망 서비스(SNS) 등 온라인 공간에서 보이는 선정적 광고가 심각한 수준이어서 규제 강화가 시급하다는 지적이 나왔다. 한국 인터넷 광고 재단에 따르면 중·고등학교에 다니는 청소년 200명을 대상으로 설문 조사를 실시한 결과, 이 중 94.5%가 인터넷을 이용하면서 선정성 광고를 접한 것으로 나타났다. 이번 조사는 인터넷 주요 포털, SNS, 인터넷 신문 155곳 등의 선정성 광고 노출 여부를 모니터링했으며, 성인 500명에게는 인터넷상의 선정성 광고에 대한 인식을 조사했다.

선정적인 인터넷 광고 302건 중에는 신체를 노출하거나 자극적인 이미지를 다룬 것이 51.9%로 가장 많았다. 성인 응답자의 83.4%는 "인터넷 선정성 광고가 사회적으로 부정적인 영향을 미친다."라고 판단했다. 성인 10명 중 9명(91.2%)은 이런 선정적 광고가 심각한 수준이라고 지적했다.

– 연합뉴스, 2016. 9. 7. –

◉ **자료 분석** 청소년들이 쉽게 접근할 수 있는 온라인 공간에서 선정적 광고들이 난무하고 있다는 내용의 기사이다. 대다수의 시민들은 선정적 광고가 사회적으로 부정적 영향을 미친다고 보았으며, 이미 심각한 수준에 이르렀다는 지적이다.

뜯어보기 포인트
온라인 공간의 선정적 광고가 미치는 영향에 대해 생각해 보자.

Q1 사회적으로 부정적 영향을 미칠 것으로 예상되는 온라인 광고의 특징은?

① 효율성
② 신속성
③ 선정성
④ 개방성
⑤ 양방향성

자료 2 길리건의 배려 윤리

여성이 가진 도덕적 관심의 본질은 남성과 다르다. 여성은 다른 사람들의 요청에 깊은 관심을 가지며 배려의 의무를 기꺼이 짊어지려는 특성이 있다. 그렇기 때문에 여성은 자신과 견해를 달리하는 사람의 견해에 귀를 기울이고 자신의 관점뿐만 아니라 다른 관점들까지 포함하여 판단한다. 여성의 판단이 일견 산만하고 혼돈스러운 것처럼 보이는 이유는 여성의 도덕적 장점, 즉 여성들이 인간관계와 배려의 의무에 커다란 관심을 보인다는 사실과 뗄 수 없는 관계에 있다. ……

여성들은 인간관계 속에서 자신을 규정지을 뿐만 아니라 배려의 능력을 기준으로 자신을 평가한다.

– 길리건, "다른 목소리로" –

◉ **자료 분석** 길리건은 여성과 남성의 도덕적 지향성이 다르다고 주장하였다. 남성은 주로 권리, 의무, 정의의 원리를, 여성은 돌봄, 공감, 관계성을 중시한다고 주장하면서 남성의 기준으로 여성의 도덕성을 판단해서는 안 된다고 말한다.

뜯어보기 포인트
길리건의 배려 윤리가 등장한 배경을 이해하고, 길리건이 주장한 여성이 지닌 도덕적 지향성을 기억하자.

Q2 배려 윤리에서 강조하는 여성의 도덕적 지향성으로 볼 수 없는 것은?

① 공감
② 배려
③ 정의
④ 수용
⑤ 관계성

📋 Q1 ③ / Q2 ③

2 결혼과 가족의 윤리

1. 결혼의 윤리적 의미와 부부간의 윤리

(1) 결혼의 윤리적 의미

① 평생 생사고락을 함께하겠다는 두 사람의 소중한 약속

② 서로의 차이를 인정하고 존중하겠다는 의지의 표현

③ 서로 존중하고 배려하면서 역경을 관용의 정신으로 이겨 내겠다는 다짐

(2) 부부간의 윤리

① 전통 윤리: 오륜❻ 중 부부유별

• 남편과 아내의 역할에는 구별이 있다는 의미로, 남녀 간의 차별이 아니라 역할의 다름을 강조함.

• 농업 사회에서 노동력이 중요하여 남편은 주로 바깥에서 농사일을, 아내는 육아 및 집안일을 전담함.

② 오늘날: 남녀에 따른 직업 구분 미약, 여성의 지위 증대, 맞벌이 부부의 일반화로 남녀의 성 역할을 능력과 역할에 따른 역할 분담으로 이해해야 함.

2. 가족 해체 현상과 노인 문제

(1) 가족 해체 현상

① 전통 사회의 가족 특징: 토지를 중심으로 한 확대 가족 중심, 가부장적 위계질서 중시

② 현대 사회의 가족 특징: 핵가족 형태의 보편화, 개인주의 팽배, 가족 관계 약화, 이혼 증가, 청소년의 심리적 상실감과 정서적 결핍 증대, 노인 문제 발생 등

③ 가족 해체: 이혼이나 가출 등으로 보편적인 가족 형태를 유지하지 못하고 가족의 본래 기능을 수행하지 못하는 현상 자료 3

(2) 노인 문제

① 원인: 경제적 빈곤, 질병으로 인한 건강 악화, 심리적 외로움 등

② 노인 부양의 책임: 과거에는 자녀들의 책임으로 인식하는 경향이 있었지만, 오늘날에는 국가, 사회의 책임, 노인 자신의 책임으로 인식하는 경향이 늘어나는 추세임.

3. 바람직한 가족 윤리

(1) 부모 자녀 간의 윤리

① 부자유친(父子有親): 부모와 자식 간에는 친밀함이 있어야 함. → 부모는 자녀를 정성과 사랑으로 부양, 올바른 인격을 형성할 수 있도록 교육, 독립된 인격체로서 존중함.

② 부자자효(父慈子孝): 부모와 자녀는 자애와 효도❼로써 대해야 함. → 자녀는 진심에서 우러나오는 효심으로 정성을 다해야 함. 효의 정신이 사회로 확대된 것이 경(敬)❽임. 자료 4

(2) 형제자매 간의 윤리

① 형과 아우는 동일한 기운을 받고 태어났다는 의미로 동기간이라고도 하였음.

② 경쟁과 대립, 친애와 협동의 두 측면을 포함하고 있음.

③ 형우제공(兄友弟恭): 형은 부모와 같은 심정으로 동생을 사랑하고, 동생은 부모를 사랑하는 심정으로 형을 공경해야 함.

❻ **오륜(五倫)**
• 부자유친(父子有親)
• 군신유의(君臣有義)
• 부부유별(夫婦有別)
• 붕우유신(朋友有信)
• 장유유서(長幼有序)

❼ **전통적인 효의 실천 방식**
• 불감훼상(不敢毁傷): 부모에게서 받은 몸을 깨끗하고 온전하게 하는 것
• 봉양(奉養): 부모나 조부모 등의 웃어른을 받들어 모시고 섬김.
• 양지(養志): 부모님을 즐겁게 해 드림.
• 공대(恭待): 공손하게 예의를 갖추어 대함.
• 불욕(不辱): 부모를 욕되게 하지 않는 것
• 입신양명(立身揚名): 후세에 이름을 떨쳐 부모를 영광되게 해 드리는 것

❽ **경(敬)**
효의 정신이 사회로 확장하여 이웃, 지역 사회의 어르신들을 공경(恭敬)하는 것

자료 3 가족 해체 현상의 해결 방안 – 효도법 제정

법으로 효도를 강제할 수 있을까? 싱가포르와 중국은 이미 효도법을 법률로 제정하여 시행하고 있다고 한다. 예로부터 우리는 경로효친(敬老孝親) 사상을 바탕으로 부모를 잘 모시고 노인을 공경하는 것이 기본 도리라는 생각으로, 버스나 지하철에서 어르신에게 자리를 양보하는 것을 미덕으로 삼았다. 하지만 산업화를 거치면서 도시화된 현대 사회에서는 점점 가족이 해체되어 가고 있다. 가족은 직장을 따라 흩어지게 되었고, 같은 집에 살아도 함께 식사를 하는 시간이 점점 줄어들었으며, 나이 든 노인들은 소외받기도 한다.

이에 부모 재산을 상속받고도 부양 의무를 저버리는 무책임한 자식들에게 제재를 가하겠다는 취지에서 효도법을 제정하려는 움직임이 있다. 하지만 일부에서는 법으로 효를 강제하는 것이 과연 옳은 것인지, 현실적으로 실효성이 있을지 의구심을 갖기도 한다. 그러나 부모 재산을 물려받고도 부양의 의무를 다하지 않는 자식은 후안무치(厚顏無恥)라고 할 수 있다. 이는 도의적으로 용납될 수 없으며, 사회 정의의 측면에서도 문제가 있다. 갈수록 약화되고 있는 부모 공경과 부양의 의무를 효도법 제정이라는 정책을 통해 고쳐 나가야 할 것이다.

◉ **자료 분석** 필자는 우리 사회에서 노인을 공경하는 의식이 약화됨에 따라 가족 해체 현상이 심화되었고, 이를 해결하기 위해 효도법을 제정하여 자녀의 부모에 대한 효의 실천을 강조해야 한다고 주장한다.

뜯어보기 포인트

효의 실천을 개인의 도덕적 양심이 아니라 법 제정을 통해 해결하고자 하는 이유를 생각해 보자.

Q3 효도법 제정의 등장 배경이 <u>아닌</u> 것은?

① 개인주의의 만연
② 노인의 소외감 증가
③ 부모 공경의 보편화
④ 부모 부양 의무 소홀
⑤ 가족 해체 현상 심화

자료 4 진정한 효

그저 봉양만을 할 수 있어도 마음속으로 깊이 부모를 공경하면서 봉양하는 것은 참으로 어렵다. 그리고 부모를 공경할 수는 있어도 충분히 안심시켜 드리기는 어렵다. 또 부모를 안심시켜 드릴 수는 있어도 부모가 죽은 뒤까지 마음을 다하기는 어렵다. 부모가 이미 죽은 뒤에도 몸가짐을 삼가고 부모의 이름을 조금도 욕되게 하는 일 없이 일생을 마칠 수 있어야만 효도의 끝을 잘했다고 말할 수 있는 것이다. 본래 인(仁)이란 우선 부모를 사랑하는 것이고, 예(禮)란 우선 효를 실행하는 것이고, 의(義)란 우선 효를 올바르게 분별할 줄 아는 것이고, 신(信)이란 우선 부모에게 성의를 다하는 것이며, 강(强)이란 효에 힘쓰는 것이다.

– 공자, "예기" –

◉ **자료 분석** 공자가 강조한 효는 인(仁)을 완성하기 위한 가장 기본적인 실천 방안이었다. 효는 부모가 살아생전부터 돌아가신 이후까지 이어지는 것으로 자녀의 부모에 대한 공경의 마음이 반영된 것이다.

뜯어보기 포인트

공자는 효를 실천할 때 물질적 봉양뿐만 아니라 공경하는 마음의 중요성을 강조했음을 기억하자.

Q4 공자가 강조한 효의 실천 방법으로 볼 수 <u>없는</u> 것은?

① 물질적 봉양
② 시비선악의 분별
③ 정성스러운 제사
④ 부모에 대한 공경
⑤ 조심스럽게 삼가는 정신

🔖 Q3 ③ / Q4 ②

01 다음 빈칸에 들어갈 알맞은 말을 쓰시오.

(1) 프롬은 사랑이 보호, (   ), 존경, 이해의 가치를 포함해야 한다고 보았다.

(2) 개인의 성에 대한 (   )이(가) 침해되어 인격적 모욕감과 성적 수치심을 느꼈을 때는 불쾌감이나 거부의 의사 표시를 확실하게 하여 상대방이 인식하도록 해야 한다.

(3) (   )은(는) 사랑하는 사람과 부부 관계를 맺는 공식적인 결합이며, 새로운 가족을 구성하고 가계(家系)를 형성하는 출발점이다.

(4) 현대 사회에는 재혼이나 입양 등이 있기 때문에 (   ) 관계가 반드시 혈연관계만으로 형성되는 것은 아니다.

02 서로 관련 있는 것끼리 연결하시오.

(1) 인격적 성 •

(2) 사회적 성 •

(3) 생물학적 성 •

• ㉠ 여성과 남성의 성별을 구분 짓는 성

• ㉡ 인간의 태도·감성·가치관·문화 등을 포괄하는 성

• ㉢ 성 정체성과 관련하여 다양한 사회 제도 등의 후천적인 환경의 영향으로 형성된 성

03 표의 ㉠, ㉡에 들어갈 현대 윤리를 쓰시오.

㉠	상대적으로 낮았던 여성의 지위를 상승시키는 것을 목표로 궁극적으로 양성평등을 추구하는 윤리
㉡	기존의 보편성, 합리성에 치중한 남성 중심적인 정의 윤리를 보완하기 위해 돌봄, 공감, 관계성 등 여성 중심의 덕목을 중시하는 윤리

04 다음 내용에 해당하는 용어를 쓰시오.

성매매처럼 성을 직접적으로 사고파는 행위뿐만 아니라, 성적 이미지를 제품과 연결 지어 간접적으로 성을 판매 촉진에 이용하는 경우 등을 포함하여 성 자체를 시장에서 거래되는 하나의 상품처럼 취급하는 행위를 말한다.

05 오륜의 덕목 중 부부가 지녀야 할 윤리와 관련 있는 덕목을 쓰시오.

06 다음 내용에 해당하는 가족 윤리를 |보기|에서 고르시오.

┌ 보기 ┐
ㄱ. 부자유친(父子有親)   ㄴ. 부자자효(父慈子孝)
ㄷ. 형우제공(兄友弟恭)   ㄹ. 부부유별(夫婦有別)
└─────────────────┘

(1) 부모와 자녀는 자애와 효도로써 대해야 한다.

(   )

(2) 부모와 자식 간에는 친밀함이 있어야 한다.

(   )

(3) 형은 부모와 같은 심정으로 동생을 사랑하고, 동생은 부모를 사랑하는 마음으로 형을 공경해야 한다.

(   )

01 다음 내용의 ㉠에 대한 설명으로 옳지 <u>않은</u> 것은?

> • ㉠은 인간의 근원적 감정으로 인간과 인간 사이의 인격적 교제를 가능하게 하는 것이다.
> • 에리히 프롬은 ㉠이 보호, 책임, 존경, 이해의 가치를 포함해야 한다고 보았다.
> • ㉠은 지배하고 소유하는 것이 아니라 상대방을 있는 그대로 받아들이며 존경하는 것이다.

① 성적 욕망이 항상 ㉠과 일치하는 것은 아니다.
② 도덕적 성은 상대에 대한 ㉠과 책임을 전제로 한다.
③ ㉠과 성은 상대방에 대한 배려와 존중을 근간으로 한다.
④ ㉠은 사회 안에서 형성되어 습득된 남성다움이나 여성다움을 말한다.
⑤ ㉠을 바탕으로 하는 성은 상대와 자신의 인격적 교감이 이루어진다는 점에서 동물과 구별된다.

02 다음 빈칸에 들어갈 말로 가장 적절한 것은?

> 인간의 성(性)은 크게 세 가지 성격을 지니고 있다. 그 중 상대방에 대한 배려나 예의를 바탕으로 한다는 측면에서 성은 (　　　) 가치를 지닌다고 볼 수 있다.

① 쾌락적　　② 인격적　　③ 본능적
④ 감각적　　⑤ 생식적

03 성과 사랑에 대한 (가)~(다)의 입장에 대한 설명으로 옳은 것은?

> (가) 보수주의　　(나) 중도주의　　(다) 자유주의

① (가)에서는 혼전 성적 관계를 허용한다.
② (나)에서는 혼인을 통한 성적 관계만이 정당하다고 본다.
③ (다)에서는 개인 간의 합의를 중시한다.
④ (가), (나)에서는 혼외 성적 관계는 허용하지 않는다.
⑤ (가), (다)에서는 성과 사랑을 결부시킨다.

04 다음 글의 ㉠~㉢의 관점에 대한 설명으로 옳은 것을 |보기|에서 고른 것은?

> 성(性)과 사랑의 관계에 대해 다양한 관점이 존재한다. ㉠에서는 성이 부부간의 사랑을 전제로 할 때에만 도덕적이라고 본다. ㉡에서는 사랑이 전제되어 있는 성적 관계는 허용될 수 있다고 여긴다. 반면 ㉢에서는 성숙한 성인들의 자발적 동의만 있으면 가능하다고 본다.

| 보기 |
> ㄱ. ㉠에서는 혼전이나 혼외 성적 관계는 허용하지 않는다.
> ㄴ. ㉡에서는 인간의 쾌락을 중시하고 개인 간의 계약을 중시한다.
> ㄷ. ㉢에서는 성과 사랑을 결부시키지 않는다.
> ㄹ. ㉡과 ㉢은 결혼을 통해 이루어지는 성적 관계만이 정당하다고 본다.

① ㄱ, ㄴ　　② ㄱ, ㄷ　　③ ㄴ, ㄷ
④ ㄴ, ㄹ　　⑤ ㄷ, ㄹ

05 다음 대화의 을의 입장에 대한 논거로 옳지 <u>않은</u> 것은?

> 갑: 다른 상품을 팔기 위한 수단으로 성(性)을 이용하는 행위를 비난하는 것은 옳지 않아.
> 을: 나는 생각이 달라. 그렇게 하는 것은 성의 신성한 가치를 훼손하는 일로 비난받아 마땅해.

① 소비자는 성적 매력을 선호한다.
② 외모 지상주의를 조장할 우려가 있다.
③ 성이 가지는 본래적 가치를 훼손할 수 있다.
④ 성을 단순히 물질적 가치로만 여겨서는 안 된다.
⑤ 성을 이용한 이윤 극대화만를 추구하는 것은 바람직하지 않다.

06 다음의 답변을 공통적으로 유도할 수 있는 질문으로 가장 적절한 것은?

> • 인간의 존엄성을 훼손할 수 있다.
> • 상업적인 목적의 다양한 매체가 많아 책임 의식을 약화시킬 수 있다.
> • 원치 않은 임신이나 무분별한 인공 임신 중절로 이어질 수 있다.

① 환경 오염의 결과는 무엇인가?
② 성과 관련된 윤리적 문제는 무엇인가?
③ 현대 가족 윤리의 문제점은 무엇인가?
④ 과학 기술이 초래한 문제점은 무엇인가?
⑤ 여성주의 운동이 지닌 한계는 무엇인가?

07 다음은 노트 필기 내용이다. ㉠~㉤ 중 옳지 <u>않은</u> 것은?

> 1. 성 상품화의 의미: 성 자체를 상품처럼 사고팔거나 다른 상품을 팔기 위한 수단으로 성을 이용하는 행위 ······ ㉠
> 2. 성 상품화의 유형: 성적 이미지를 제품과 연결시켜 간접적으로 성을 도구화하는 것은 제외하고 직접적으로 성을 매매하는 행위만 포함함. ······ ㉡
> 3. 성 상품화에 대한 찬반 입장
>   (1) 찬성 입장
>   • 성의 자기 결정권과 표현의 자유를 인정해야 함. ······ ㉢
>   • 이윤 극대화를 추구하는 자본주의 논리에 부합할 수 있음. ······ ㉣
>   (2) 반대 입장
>   • 인간의 성이 지닌 본래의 가치와 의미를 변질시킬 수 있음.
>   • 외모 지상주의를 조장하여 과도한 성형이나 다이어트에 집착하게 만들 수 있음. ······ ㉤

① ㉠   ② ㉡   ③ ㉢   ④ ㉣   ⑤ ㉤

08 밑줄 친 ㉠이 ㉡보다 상대적으로 더 강조하는 내용으로 옳은 것은?

> ㉠기존의 남성 중심적인 윤리를 보완하기 위해서 등장한 ㉡이 윤리는 여성과 남성의 도덕적 지향성이 동일하지 않다고 본다. 길리건과 나딩스에 따르면, 남성 중심적인 윤리는 주로 보편성, 합리성에 치중하지만, 이 윤리는 개별적인 관계를 중시한다.

① 이성   ② 배려   ③ 공감
④ 수용   ⑤ 관계성

09 (가)~(다)의 내용으로 상징되는 인간관계에 대한 설명으로 옳은 것은?

> (가) 동기간(同氣間)
> (나) 부자유친(父子有親)
> (다) 부부유별(夫婦有別)

① (가): 군신유의의 교훈을 새겨야 한다.
② (나): 오륜 중 붕우유신과 관련이 있다.
③ (다): 자애와 효도로써 대해야 한다.
④ (가), (나): 상경하애의 정신을 실천해야 한다.
⑤ (가), (다): 형우제공의 정신을 지녀야 한다.

10 다음과 같은 현상이 발생하는 이유로 적절하지 <u>않은</u> 것은?

> 산업화가 진행되고 직업이 분화되고 핵가족 형태가 보편화되면서 전통적인 가족 관계는 더욱 약화되었다. 그 과정에서 청소년들이 가출하는 사례도 늘어났다. 이와 같이 가족 구성원의 유대감이 약화되어 가족이 본래의 기능을 수행하지 못하는 현상이 발생하고 있다.

① 부부간의 이혼이 증가하였다.
② 핵가족 형태가 보편화되었다.
③ 개인주의가 점점 더 팽배해졌다.
④ 청소년들의 심리적 상실감으로 가출하는 경우가 많다.
⑤ 여성의 사회적 지위 저하로 경제적 독립이 어려워졌다.

주관식

01 성과 사랑의 관계를 바라보는 세 가지 입장을 쓰시오.

주관식

02 정의 윤리와 배려 윤리에서 지향하는 가치를 |보기|에서 모두 골라 쓰시오.

┌─ 보기 ┐
• 돌봄 • 공감 • 보편성 • 관계성 • 합리성
└───────────────────────────────┘

(1) 정의 윤리:
(2) 배려 윤리:

서술형

03 다음 주장에 찬성하는 입장에 대한 논거를 두 가지 제시하시오.

> 나는 성 상품화를 반대하지 않습니다. 이윤 극대화를 추구하는 자본주의 논리상 그것은 어찌 보면 자연스러운 결과가 아닐까요? 오히려 강제로 성 상품화를 억압하게 되면 오히려 또 다른 문제가 발생할 수 있습니다.

주관식

04 밑줄 친 ㉠, ㉡의 의미를 각각 쓰시오.

> 자녀는 부모를 어떻게 대해야 할까? 물질적인 보답만이 효는 아니다. 진심에서 우러나오는 효심으로 정성을 다해 모시는 것이 진정한 효라고 할 수 있다. 우리나라에서는 전통적으로 효의 시작은 ㉠불감훼상(不敢毀傷), 효의 마지막은 ㉡입신양명(立身揚名)이라고 하였다.

서술형

05 형제자매 관계의 일반적인 특징과, 현대 사회에서 나타난 형제자매 관계의 변화에 대해 서술하시오.

(1) 형제자매 관계의 특징:

(2) 형제자매 관계의 변화:

서술형

06 다음 글을 토대로 현대 사회에서 노인들이 겪고 있는 고통을 세 가지 서술하시오.

> 여름 휴가철이 지나고 나면 몇몇 독거노인들의 안타까운 자살 소식이 들려온다. 품안에 있던 자식들은 어느덧 모두 자라 가정을 이루고 휴가를 즐기기 위해 떠나고 노인은 혼자서 좁디좁은 단칸방에서 변변한 반찬도 없이 찬밥을 물에 말아 먹는다. 하루 종일 말할 사람도 없고 할 일도 없이 퀭한 눈으로 허공을 바라보다가 여기 저기 아픈 몸을 뒤척이며 약봉지만을 찾고 있다. 그러다 TV 안에 등장하는 화기애애한 다른 가족들의 행복한 모습만을 바라보다가 스스로의 처량함을 견디지 못하고 스스로 삶을 마감하는 노인들이 늘어 가고 있다.

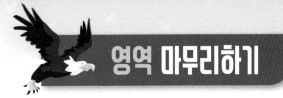
01 밑줄 친 '윤리적 의미'로 옳은 것을 |보기|에서 고른 것은?

> 아기를 상상해 보자. 엄마의 손가락을 꽉 움켜쥔 손, 오물거리는 작은 입, 하얗고 뽀얀 귀여운 발, 품속에 안겨 있는 아기를 사랑스럽게 바라보는 엄마와 아빠의 미소. 온 가족은 새로 태어난 아기를 축복하며 따뜻한 마음으로 반갑게 맞이한다. 인간의 출생은 단지 모체로부터 분리되어 독립된 생명체가 되는 생물학적 의미뿐만 아니라 다양한 <u>윤리적 의미</u>를 지니고 있다.

| 보기 |
> ㄱ. 남성과 여성의 결합에 의해 생겨난다.
> ㄴ. 신체적 성숙을 통해 비로소 인간이 된다.
> ㄷ. 공동체 내의 한 구성원으로서 자리매김한다.
> ㄹ. 인간이 도덕적 주체로서 살기 위한 출발점이 된다.

① ㄱ, ㄴ   ② ㄱ, ㄹ   ③ ㄴ, ㄷ
④ ㄴ, ㄹ   ⑤ ㄷ, ㄹ

02 밑줄 친 법령의 반대 근거를 |보기|에서 고른 것은?

> ○○국에서는 국민 투표를 통해 <u>인공 임신 중절 허용 법령</u>의 존폐를 결정할 예정이다. 이 법안을 찬성하는 사람들은 인공 임신 중절을 불법으로 금지할 경우, 불법 시술로 인해 오히려 임산부의 건강을 해칠 수 있다는 점을 들고 있다. 반면 일부 보건·산부인과 전문의들, 보수 성향의 야당과 사회단체, 가톨릭 등 종교계에서는 이 법안에 대해 강력하게 반대하고 있다.

| 보기 |
> ㄱ. 모든 인간의 생명은 존엄하다.
> ㄴ. 태아는 성인으로 발달할 가능성이 있다.
> ㄷ. 여성은 자신의 몸에 대한 소유권을 지닌다.
> ㄹ. 태아는 분만 이후 모체에서 분리된 이후부터 완전한 인간이다.

① ㄱ, ㄴ   ② ㄱ, ㄷ   ③ ㄴ, ㄷ
④ ㄴ, ㄹ   ⑤ ㄷ, ㄹ

03 인공 임신 중절에 대한 (가), (나)의 입장에 대한 설명으로 옳은 것은?

(가)	• 인공 임신 중절은 생명을 경시하는 풍조를 낳을 수 있다. • 아무 잘못이 없는 인간인 태아를 죽이는 것은 잘못이다.
(나)	• 태아는 완전한 인간이라고 할 수 없다. • 태아는 여성의 몸의 일부이므로 여성은 자신의 몸에 대한 권리를 가진다.

① (가)는 여성의 자율성과 선택권을 중시한다.
② (가)는 태아가 온전한 인간과 달리 제한된 지위만을 지닌다고 본다.
③ (나)는 생명 옹호주의 또는 친생명론이라고도 한다.
④ (나)는 태아가 인간이 될 잠재적 가능성이 있다고 본다.
⑤ (가), (나)는 태아의 지위에 대해 다른 입장을 지니고 있다.

04 밑줄 친 '이것'에 대한 유교 사상의 주장으로 옳은 것은?

> • 뒤르켐은 <u>이것</u>을 여러 유형으로 구분하였다.
> • OECD 국가 중 우리나라는 <u>이것</u>의 비율이 매우 높다.
> • 대부분의 사회나 종교에서는 <u>이것</u>을 비윤리적인 행위로 여긴다.

① 부모로부터 받은 신체를 훼손하는 것은 불효이다.
② 불성(佛性)을 지닌 존재를 함부로 해쳐서는 안 된다.
③ 의도적으로 목숨을 끊는 행위는 무위자연에 어긋난다.
④ 신으로부터 부여받은 선물을 스스로 포기하는 것은 옳지 않다.
⑤ 인간을 한낱 수단으로 여겨 고통스러운 상황에서 벗어나려고 하면 안 된다.

05 죽음에 대한 (가)~(다)의 입장으로 가장 적절한 것은?

> (가) 죽음은 인간의 사고(四苦) 중 하나이다. 숨길이 끊기고 열이 식어져 모든 감각 기관이 무너지는 것이다. 죽고 사는 길이 달라서 사랑하는 처자와 이별한다. 죽음의 고통에는 귀천이 있을 수 없다.
> (나) 하루의 낮과 밤이 자연(自然)의 일인 것처럼, 인간의 생(生)과 사(死)도 자연의 일이다. 사람들이 관여할 수 없는 그런 일이 있는 것은 만물이 지니고 있는 속성인 것이다.
> (다) 당신이 살아 있을 때에는 죽음을 경험할 수 없고, 당신이 죽음에 이르렀을 때 당신은 이미 이 땅에 존재하지 않으므로 죽음은 당신에게 전혀 해악을 끼칠 수 없다.

① (가): 삶은 즐거움이요, 죽음은 괴로움이다.
② (나): 죽음은 영혼이 육체로부터 해방되는 축복이다.
③ (다): 죽음에 대한 두려움을 가져야 한다.
④ (가), (나): 죽음을 두려워하지 말고 받아들여야 한다.
⑤ (나), (다): 죽음보다는 살아 있을 때 도덕적인 삶이 더 중요하다.

06 다음 사상의 입장에서 자살을 바라보는 관점으로 옳은 것은?

> 이것이 생(生)하면 저것이 생하고 이것이 멸(滅)하면 저것이 멸한다.

① 무위자연의 원리에 어긋난다.
② 불살생이라는 오계의 계율을 지키지 않고 있다.
③ 인간의 생명을 고통 완화의 도구로 활용하고 있다.
④ 자연적 성향인 자기 보존의 의무를 다하지 않고 있다.
⑤ 부모로부터 받은 신체를 훼손하는 것으로 불효에 해당한다.

07 갑, 을의 주장에 대한 논거로 옳은 것만을 |보기|에서 있는 대로 고른 것은?

> 교사: 불치병으로 극심한 고통을 겪고 있는 환자가 스스로 안락사를 요청했다면 어떻게 해야 할까요?
> 갑: 환자의 의사를 존중해서 안락사를 인정해야 합니다. 왜냐하면 환자 본인과 가족들의 심리적·경제적 부담을 줄여줄 수 있으니까요.
> 을: 어떠한 상황에서도 인간의 생명은 존엄합니다. 따라서 안락사를 허용해서는 안 됩니다.

| 보기 |
ㄱ. 갑: 신이 부여한 생명을 함부로 훼손해서는 안 된다.
ㄴ. 갑: '최대 다수의 최대 행복'의 원리를 도덕의 원리로 삼아야 한다.
ㄷ. 을: 자연의 질서에 반하는 것이기 때문에 옳지 않다.
ㄹ. 을: 인격을 언제나 동시에 수단이 아닌 목적으로서 대우해야 한다.

① ㄱ, ㄴ　　　② ㄱ, ㄷ　　　③ ㄴ, ㄹ
④ ㄱ, ㄷ, ㄹ　　⑤ ㄴ, ㄷ, ㄹ

08 밑줄 친 '다른 결정'을 비판할 수 있는 적절한 논거를 |보기|에서 고른 것은?

> 1992년 미국에서 무뇌증이라는 선천성 기형을 지닌 아이가 태어났다. 그녀의 부모는 아이의 장기를 기증하려 했지만 의사는 아이가 뇌간을 갖고 있기 때문에 뇌사가 아니며, 따라서 장기를 적출할 수 없다고 말했다. 한편 법원은 "누구도 다른 사람을 살리기 위해 아이의 생명을 희생시킬 권리가 없다."라고 판결했다. 아이는 9일 후 사망했지만 만약 의사나 법원이 다른 결정을 내렸다면 장기 이식을 통해 다른 여러 생명을 살릴 수 있었을 것이다.

| 보기 |
ㄱ. 뇌사 판정이 남용될 우려가 있다.
ㄴ. 인간의 존엄성을 훼손할 우려가 있다.
ㄷ. 의료 자원을 효율적으로 사용할 수 있다.
ㄹ. 환자 가족의 심리적·경제적 고통을 줄일 수 있다.

① ㄱ, ㄴ　　　② ㄱ, ㄷ　　　③ ㄴ, ㄷ
④ ㄴ, ㄹ　　　⑤ ㄷ, ㄹ

09 다음 글을 비판하는 사람의 주장으로 옳은 것을 |보기|에서 고른 것은?

> 인간 복제는 인간의 체세포를 떼어 내어 이를 착상시키는 것으로 한 인간과 유전적으로 동일한 다른 인간을 만드는 것이다. 체세포 복제는 난자와 정자가 결합하는 수정 과정 없이도 생명체를 탄생시킬 수 있다. 난자만 있다면 손톱이나 귀, 머리카락 등 몸에서 떨어진 세포 하나로도 자신과 유전 형질이 똑같은 복제 인간을 만들 수 있다. 이러한 인간 복제가 인류 역사가 이룬 가장 탁월한 성과 중 하나라고 생각한다. 따라서 이러한 인간 복제를 통해 인류의 발전과 번영을 추구해야 한다.

| 보기 |

ㄱ. 난치병 치료를 불가능하게 한다.
ㄴ. 배아의 도덕적 지위를 강화시킨다.
ㄷ. 생명 경시 풍토를 조성할 수 있다.
ㄹ. 인간의 정체성에 대한 혼란을 초래할 수 있다.

① ㄱ, ㄴ　　② ㄱ, ㄷ　　③ ㄴ, ㄷ
④ ㄴ, ㄹ　　⑤ ㄷ, ㄹ

10 유전자 변형 농산물(GMO)에 대한 갑, 을의 입장으로 옳은 것은?

> 갑: 유전자 변형 농산물(GMO)을 적극적으로 수입하면 여러 가지 측면에서 우리에게 도움이 됩니다.
> 을: 아닙니다. 그것은 아직 안전성이 확보되지 않아서 인체에 해가 될 수 있으므로 수입과 관련하여 우리는 조심스럽게 접근해야 합니다.

① 갑: 유전자 변형 농산물의 유해성이 증명되었다.
② 갑: 유전자 변형 농산물의 수입을 억제해야 한다.
③ 을: 유전자 변형은 생산성의 증가를 가져오므로 유용하다.
④ 을: 인체에 해를 끼치는 식품의 수입은 제한되어야 한다.
⑤ 을: 유전자 변형을 통해 질 좋은 우수한 농산물을 만들 수 있다.

11 (가)~(다)를 주장한 사상가에 대한 설명으로 옳은 것은?

> (가) 동물은 인간을 위해 존재한다.
> (나) 인간과 동물의 몸은 자동 기계이다.
> (다) 일부 동물에게는 삶의 주체로서의 가치가 있다.

① (가)는 동물 복지를 주장할 것이다.
② (나)는 동물에게 정신이 있다고 여긴다.
③ (가), (나)는 동물보다 인간을 우월한 존재로 본다.
④ (가)는 (다)보다 동물 복지를 더 강조한다.
⑤ (가)~(다)는 모두 동물이 권리를 지니고 있다고 여긴다.

12 다음은 어떤 선언문의 일부 내용이다. 이 선언이 등장하게 된 배경으로 옳은 것은?

> • 생명은 하나다. 모든 생명체는 하나의 조상에서 다양한 종으로 분화되어 왔다.
> • 모든 생명체는 천부적 권리를 가지고 있으며, 신경 계통이 있는 모든 동물은 특별한 권리를 가지고 있다.
> • 천부적 권리에 대한 경멸 혹은 무지는 심각한 자연 파괴와 동물에 대한 죄악을 초래한다.

① 동물의 권리를 인정하지 않는 인식이 확산되었다.
② 동물에게 지능이나 문화가 없다는 연구 결과가 발표되었다.
③ 인간과 동물 사이에 근본적인 차이가 없다는 인식이 나타났다.
④ 신경이 발달한 동물은 고통을 느낄 수 없다는 연구 결과가 발표되었다.
⑤ 인간이 최종 진화의 산물이므로 인간만이 탁월한 존재라는 인식이 만연하였다.

13 (가)의 입장에서 (나)에 대해 제기할 수 있는 비판으로 가장 적절한 것은?

> (가) 성(性)은 사랑과 절제의 덕이 겸비될 때, 그 고유의 가치가 온전하게 발휘될 수 있다.
>
> (나) 성은 일종의 스포츠와 같다. 탁구를 좋아해서 탁구를 치다가 싫증이 나면 테니스를 하기도 하고 골프를 치기도 하는 것처럼 상대에 대한 선호도에 따라 바꾸어 가며 성적 활동을 할 수 있는 것이다. 그리고 이런 활동을 통해 활력 있는 삶을 살 수 있고 즐거움을 누리기도 한다.

① 성의 목적을 자녀의 출산에 한정하고 있다.
② 사랑이 없는 다양한 성적 활동을 인정하지 않고 있다.
③ 성적 활동이 지닌 쾌락적 가치를 과소평가하고 있다.
④ 성적 활동이 지닌 수단적 가치를 인정하지 않고 있다.
⑤ 성은 상대에 대한 존중과 책임을 전제한다는 점을 간과하고 있다.

14 밑줄 친 '이 대회'를 지지하는 사람들의 관점으로 적절한 것만을 |보기|에서 있는 대로 고른 것은?

> 우리는 기존의 미스코리아 대회에 반대합니다. 오히려 페미니스트 저널인 □□에서 주관하였고 '이프 유 아 프리사이즈!(If you are free size)'를 캐치프레이즈로, 주체적이고 개성 있는 21세기식 미의식 창조를 내걸고 개최한 이 대회를 지지합니다. 왜냐하면 이 대회는 기존의 미스코리아 대회에 맞서 행사 취지에 적극 동의하는 사람이면 누구나 참여할 수 있습니다.

┌ 보기 ┐
ㄱ. 성적 매력을 부각시켜 몸을 상품화하지 말아야 한다.
ㄴ. 성의 본래적 가치와 그 의미를 변질시켜서는 안 된다.
ㄷ. 소통을 통해 미인의 성적 기준을 객관화하여 명확하게 제시해야 한다.
ㄹ. 타인이 자신에 대해 내리는 성적 평가에 따라 스스로를 판단해야 한다.

① ㄱ, ㄴ   ② ㄴ, ㄹ   ③ ㄷ, ㄹ
④ ㄱ, ㄴ, ㄷ   ⑤ ㄱ, ㄷ, ㄹ

15 (가), (나) 윤리관에 대한 갑, 을의 대화 중 ㉠, ㉡에 들어갈 적절한 내용을 |보기|에서 골라 바르게 짝지은 것은?

> (가) 여성이 남성과 동등한 지위 및 권리를 가지고 직업과 생활 양식을 스스로 결정할 수 있는 양성평등을 지향하는 윤리이다.
>
> (나) 정의 윤리를 비판하면서 등장한 윤리로, 공동체적 관계에 기초하여 아끼고 배려하는 마음을 통하여 따뜻한 인간관계의 도리를 실천해야 한다.
>
> 갑: (가)와 (나)의 공통점은 _____㉠_____ 는 거야.
> 을: (가)와 (나)는 모두 _____㉡_____ 는 점에서 한계가 있어.

┌ 보기 ┐
ㄱ. 유용성의 원리를 행위의 규칙에 적용한다.
ㄴ. 특정 상황에서 옳다고 여기는 것이 다를 수 있다.
ㄷ. 구체적인 맥락이나 인간관계의 중요성을 강조한다.
ㄹ. 선의지에서 비롯되는 행위만이 도덕적 가치가 있다고 본다.

	㉠	㉡			㉠	㉡
①	ㄱ	ㄷ		②	ㄴ	ㄱ
③	ㄴ	ㄷ		④	ㄴ	ㄹ
⑤	ㄷ	ㄴ				

16 (가)의 관점에서 (나)의 ㉠의 윤리적 태도에 대한 설명으로 옳은 것은?

> (가) 음양은 하늘에 대해서는 땅이 있고, 해에 대해서는 달, 남(男)에 대해서는 여(女), 강함[强]에 대해서는 부드러움[柔]이 있는 것과 같다. 음양은 구조적인 측면에서 대립적이지만 기능적인 측면에서 보완적이다.
>
> (나) (㉠)은(는) 결혼을 통해 가정을 이루는 관계로 천지가 결합하여 운행하는 것과 같이 남녀가 결합함으로써 성립한다.

① 고정된 성 역할을 충실히 수행해야 한다.
② 서로 의존하지 않는 독립된 존재로 여겨야 한다.
③ 신체적 능력에 따른 차이를 인정하지 않아야 한다.
④ 성적 차이에서 비롯되는 수직적 질서를 지켜야 한다.
⑤ 남성 속에도 여성의 성질이, 여성 속에도 남성이 성질이 있다고 보아야 한다.

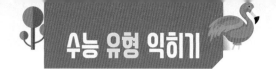
: 2017 수능

01 동양 사상 (가), (나)의 입장으로 적절하지 <u>않은</u> 것은?

> (가) 삶을 모르는데 어찌 죽음을 알겠는가? 새가 죽을 때는 울음소리가 애처롭고, 사람이 죽을 때는 하는 말이 착한 법이라네. 지사(志士)는 삶을 영위하되 인(仁)을 해침이 없고, 자신을 희생함으로써 인을 이룬다네.
>
> (나) 삶과 죽음은 인간의 운명[命]이니, 진인(眞人)은 삶을 기뻐하지도 죽음을 미워하지도 않네. 본래 생명도 형체도 기(氣)도 없었고, 혼돈 속에서 기가 생겨 그것이 변하여 형체가 되고 생명이 되고 죽음이 된 것이라네.

① (가): 도덕적인 가치를 위해서는 자신의 생명을 희생할 수도 있다.
② (가): 사람이 죽음에 임해서는 자기 삶을 성찰하게 되는 법이다.
③ (나): 진인이라 해도 그의 삶과 죽음은 기의 변화에 의한 것이다.
④ (나): 죽음은 인간의 자연스러운 운명이므로 슬퍼할 이유가 없다.
⑤ (가), (나): 해탈하여 세속의 삶과 죽음의 고통에서 벗어나야 한다.

출제 단원
01 삶과 죽음의 윤리

출제 개념
삶과 죽음에 대한 사상가들의 다양한 관점

풀이
(가)는 유교 사상의 입장으로 인간의 죽음이나 사후 세계보다는 현실에서의 도덕적 실천에 관심을 두고 있다. (나)는 도가 사상의 입장으로 죽음을 자연스러운 과정으로 이를 두려워하거나 슬퍼할 필요가 없다고 본다.
⑤ 세속에서 벗어나 해탈을 추구하는 것은 불교 사상에서 강조한다. 따라서 정답은 ⑤번이다.

오답 피하기
①, ②는 유교 사상, ③, ④는 도가 사상에서 삶과 죽음을 바라보는 관점이다.

: 2017 수능

02 (가)의 주장을 (나) 그림으로 나타낼 때 ㉠에 대한 반론의 근거로 가장 적절한 것은?

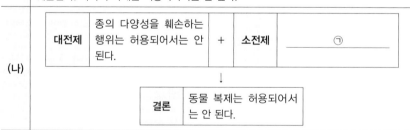

(가)	인위적으로 동일한 유전 형질을 가진 동물을 만들어 내는 동물 복제는 종의 다양성을 훼손한다. 따라서 복제는 허용되어서는 안 된다.

(나)	대전제	종의 다양성을 훼손하는 행위는 허용되어서는 안 된다.	+	소전제	㉠
		↓			
	결론	동물 복제는 허용되어서는 안 된다.			

① 동물 복제는 동일한 유전 형질을 가진 동물을 생산한다.
② 동물 복제는 멸종 위기의 동물을 보전하는 방법을 제공한다.
③ 동물 복제는 인위적 유전자 조작으로 종의 다양성을 훼손한다.
④ 동물 복제는 인간의 존엄성을 침해하는 인간 복제로 진행된다.
⑤ 동물 복제는 인간의 권익을 위한 특정 종만으로 생태계를 재편한다.

출제 단원
02 생명 윤리

출제 개념
동물 복제의 찬반 입장에 따른 논거

풀이
(가)는 동물 복제가 인위적으로 동일한 유전 형질을 가진 동물을 만들어 내고 종의 다양성을 훼손하므로 동물 복제를 반대하는 입장이다. ㉠은 '동물 복제는 종의 다양성을 훼손한다.'이다. 이에 대한 반론으로 동물 복제의 장점을 제시해야 한다. 따라서 '동물 복제는 멸종 위기의 동물을 보전하는 방법을 제공한다.'라는 ②번이 정답이다.

03 그림의 강연자가 지지할 입장으로 적절하지 <u>않은</u> 것은?

> 지금까지 남성은 순종이 여성의 본성이라고 여성에게 가르쳐 왔지만 누구도 남녀의 본성을 알 수는 없습니다. 남성과 여성 간 지성의 차이는 사회 환경 요인에 의해 설명될 수 있습니다. 남성에 의한 여성의 법적 예속은 본질적으로 옳지 않을 뿐 아니라 인류의 발전을 저해하는 것입니다. 여성으로 태어난 것이 사회적 지위를 결정하고 다양한 직업으로의 진출을 방해하는 이유가 되어서는 안 됩니다. 재능 활용 기회를 가로막는 것은 개인적으로는 불공평하고 사회적으로는 손실이기 때문입니다. 다른 사람의 권리를 침해하지 않는 한, 여성이든 남성이든 개인의 선택은 전적으로 그 자신에게 맡겨야 합니다.

① 여성을 예속시키는 수단으로 교육을 이용해서는 안 된다.
② 사회적 역할은 남녀의 본성에 따라 적합하게 부여되어야 한다.
③ 여성의 분별력이 근본적으로 열등하다고 단정해서는 안 된다.
④ 양성평등은 전 인류에게 유용하므로 완전하게 보장해야 한다.
⑤ 남성이 독점해 온 모든 직업을 여성에게 전면 개방해야 한다

출제 단원

03. 사랑과 성 윤리

출제 개념

양성평등

풀이

그림의 강연자는 밀이다. 밀은 남성에 의한 여성의 법적 예속을 비판하고 여성의 사회 진출을 막는 것은 사회적 손실로 보고 남녀평등 사회를 지향해야 한다고 주장한다. 그는 남녀의 본성에 따라 사회적 역할이 고정되어 있다고 판단해서는 안 된다고 본다. 따라서 정답은 ②번이다.

오답 피하기

① 밀은 여성을 예속시키는 교육과 제도를 비판하였고, ③ 여성이 남성보다 열등하다고 단정해서는 안 된다고 보았다. ④, ⑤ 밀은 여성에게 차별을 둔 교육과 제도뿐만 아니라 직업에 있어서도 양성평등을 보장해야 한다고 주장하였다.

---

04 다음 동양 사상의 입장으로 가장 적절한 것은?

> • 그대 무리 중 정직한 사람은 자기 아버지가 양을 몰래 훔친 것을 증언했지만 우리 무리 중 정직한 사람은 아버지는 자식을 위해 자식은 아버지를 위해 그 사실을 숨겼네. 정직은 그 속에 있다네.
> • 자식은 부모가 부르시면 빨리 내답하여 늦시 않도록 한다. 부모가 연세 드시면 늦게 귀가하지 않는다. 부모가 병환 중이시면 자식은 얼굴을 환하게 하지 않고 웃되 잇몸을 보이는 데 이르지 않으며 노하되 꾸짖는 데 이르지 않는다.

① 부자유친(父子有親)의 본질은 집단과 상황에 따라 달라져야 한다.
② 부자(父子)간 정직은 친애[愛]보다 올바름[義]을 우선해야 한다.
③ 자식은 부모의 의중을 살펴서 언행을 삼가며 공대(恭待)해야 한다.
④ 부모를 위하여 자식은 결코 어떠한 감정도 드러내서는 안 된다.
⑤ 효의 정신은 부모와 자식 간의 관계에 국한하여 적용해야 한다.

출제 단원

03. 사랑과 성 윤리

출제 개념

부모 자식 간의 윤리

풀이

제시된 내용은 유교 사상에서의 효에 관한 설명이다. 유교에서는 시시비비를 명확하게 가리는 것보다 부모에 대한 친애의 감정을 중시하여 정직을 설명하고 있으며, 자식은 부모의 의중을 살펴서 언행을 삼가며 공대(恭待)해야 함을 강조한다. 따라서 정답은 ③번이다.

오답 피하기

① 부자유친의 본질은 변하지 않는다. ② 제시문에서는 부자(父子)간 정직을 올바름[義]보다 친애[愛]를 우선시하여 설명한다. ⑤ 효의 정신은 사회로 확장되어 경(敬)으로 나타난다.

III

사회와 윤리

학습 계획표

- 자신의 일정에 맞게 계획을 세워 보고, 실제 학습한 날짜를 적어 봅시다.
- 학습을 마무리한 후 스스로 얼마나 학습 목표를 달성했는지 점검해 봅시다.

단원 01 직업과 청렴의 윤리	쪽수	계획일	완료일	목표 달성도
Day 13 핵심 정리, 자료 뜯어보기	72~75쪽	월 일	월 일	☆☆☆☆☆
Day 14 개념 익히기, 내신 유형 다지기, 주관식·서술형 잡기	76~79쪽	월 일	월 일	☆☆☆☆☆

단원 02 사회 정의와 윤리	쪽수	계획일	완료일	목표 달성도
Day 15 핵심 정리, 자료 뜯어보기	80~83쪽	월 일	월 일	☆☆☆☆☆
Day 16 개념 익히기, 내신 유형 다지기, 주관식·서술형 잡기	84~87쪽	월 일	월 일	☆☆☆☆☆

단원 03 국가와 시민의 윤리	쪽수	계획일	완료일	목표 달성도
Day 17 핵심 정리, 자료 뜯어보기	88~91쪽	월 일	월 일	☆☆☆☆☆
Day 18 개념 익히기, 내신 유형 다지기, 주관식·서술형 잡기	92~95쪽	월 일	월 일	☆☆☆☆☆

영역 마무리하기, 수능 유형 익히기	쪽수	계획일	완료일	목표 달성도
영역 마무리하기, 수능 유형 익히기	96~101쪽	월 일	월 일	☆☆☆☆☆

단원 01 직업과 청렴의 윤리

단원 흐름 읽기

직업의 의의
1. 생계유지
2. 사회적 역할 분담
3. 자아실현

• **직업윤리** 직업 생활에서 지켜야 할 행동 기준과 규범
• **일반 직업윤리** 모든 직업에서 공통적으로 요구되는 일반적 행동 규범
• **특수 직업윤리** 특정 직업에서 직무를 수행할 때 요구되는 행동 규범

- 기업가 윤리
- 근로자 윤리
- 전문직 윤리
- 공직자 윤리

1 직업 생활과 행복한 삶

1. 일과 직업❶

(1) **일** 생산적인 목적을 위하여 몸이나 정신을 쓰는 모든 활동
(2) **직업** 생계를 유지하기 위하여 자신의 적성과 능력에 따라 일정한 기간 동안 계속하여 종사하는 일

2. 직업의 의의

(1) **수단적 직업관** 생계를 유지하기 위한 활동 **예** 맹자는 "백성이 일정한 소득이 없으면 바른 마음을 유지할 수 없다[無恒産無恒心]❷."라고 하며 기본적인 생계유지의 중요성을 강조함.

(2) **참여적 직업관** 사회적 역할을 분담하는 활동 → 직업은 사회의 존립과 성장·발전을 위해 요구되는 역할을 수행하는 활동으로서 사회적 공헌의 수단임. 자료1
  ① 공자의 정명(正名) 정신: "임금은 임금답고, 신하는 신하다워야 하며, 아비는 아비답고, 자식은 자식다워야 한다."
  ② 플라톤❸: 국가의 통치자·수호자·생산자 계급이 각자의 사회적 직분에 맞는 덕을 발휘할 때 정의로운 사회가 될 수 있음을 주장

(3) **자아실현적 직업관** 자아실현을 가능하게 하는 능동적인 활동 → 인간은 직업을 통해 개성 발휘, 자아실현, 바람직한 자아 정체성을 확립해 나갈 수 있음.
  ① 싱어: 무의미한 노동에서 벗어나기 위해 가치 있는 목적을 설정하고 능동적으로 일을 함으로써 삶을 의미 있게 만들어야 한다고 주장
  ② 마르크스❹: 자본주의 사회에서의 노동자는 자본의 지배와 분업에 따라 비인간화되고 인간 소외를 경험하기 때문에 진정한 자아실현을 이루는 노동이 필요하다고 주장

3. 직업적 성공의 도덕적 의미와 행복

(1) **직업과 행복의 관계** 직업은 행복한 삶의 바탕이 됨.
  ① 직업을 통해 사회에 기여함으로써 자존감을 높이고, 보람과 성취감을 얻어 자아를 계발하는 원동력이 됨.
  ② 다양한 인간관계는 사회적 소속감 및 정서적 안정감을 제공함.

(2) **직업 생활에 보편적으로 필요한 바람직한 태도** 직업적 양심, 소명 의식❺, 전문성❻, 연대 의식, 인간애 등 자료2

---

❶ **직업의 특징**
• 지속적 공헌을 통한 경제적 보상
• 사회적 유용성
• 자율적 의사
• 정신적·육체적 노동

❷ **무항산 무항심**
• 항산: 살아갈 수 있는 일정한 재산이나 생업
• 항심: 늘 지니고 있는 떳떳한 마음

❸ **플라톤**(Platon, B.C.428~B.C.347)
고대 그리스의 철학자. 소크라테스의 제자로, 아카데미를 개설하여 생애를 교육에 바쳤음.

❹ **마르크스**(Marx, K. H., 1818~1883)
독일의 경제학자·정치학자·철학자. 과학적 사회주의를 창시하였으며, 저서에 "자본론" 등이 있음.

❺ **소명 의식**
현실적·이념적·윤리적 명령이나 이상을 반드시 수행해야 한다는 의식

❻ **전문성**
자기가 하고 있는 일에 전념하거나 한 가지 기술을 전공하여 그 일에 정통하려고 하는 철저한 직업 정신인 장인 정신을 의미함.

자료 1 프로테스탄티즘과 소명 의식

프로테스탄티즘이란 16세기 종교 개혁으로 발생한 개신교(改新敎)를 총칭하는 말이다. 프로테스탄티즘으로부터 합리성의 특징을 설명할 때 주목해야 할 개념은 '소명'과 '예정설'이다. 자신의 직업을 신의 소명이라 믿고, 이를 실현하기 위해 예정설을 통해 구원을 확신하는 사람들이 겉으로 드러낼 수 있는 경험적 증거를 노동이라고 보았다. 개인의 운명은 신의 섭리에 의해 예정되어 있으며, 신이 부여한 자신의 직업에 성실하게 임하여 얻은 부(富)는 신이 주신 구원의 징표라고 생각하였다.

금욕, 이윤 추구, 절약, 저축, 자본 축적 등과 같은 프로테스탄티즘의 윤리와 자본주의 정신은 근대 사회 발전의 원동력으로 작용하였으며, 근대 사회의 합리적 태도를 배양하는 데 큰 역할을 하였다.

– 김택환, "넥스트 코리아" –

◉ **자료 분석** 서양의 프로테스탄티즘에 따르면 각자의 직업은 신의 소명으로, 자신의 직업에 최선을 다함으로써 신의 영광을 드러낼 수 있다. 이러한 프로테스탄티즘 윤리로부터 자본주의와 근대 서양의 합리적 태도가 비롯되었다.

뜯어보기 포인트

프로테스탄티즘에 따른 직업 소명 의식이 자본주의 발전에 어떤 영향을 미쳤는지 보자.

Q1 프로테스탄티즘에 나타난 직업의 의미는 무엇인가?

① 속죄
② 생계유지
③ 가계 세습
④ 신의 소명
⑤ 부의 축적 수단

자료 2 한 사진작가를 통해 본 직업윤리

사진작가 케빈 카터가 퓰리처상을 받은 '독수리와 소녀'라는 작품입니다. 카터는 1993년 아프리카 지역을 이동하던 중 뼈만 앙상하게 남은 아이가 굶주림으로 흐느끼며 엎드려 있는 모습을 발견하게 됩니다. 그 뒤에는 독수리 한 마리가 아이가 죽기만을 기다리는 듯 깃을 접은 채서 있었습니다. 카터는 사진을 찍은 후 독수리를 내쫓고 아이를 배급소에 데려다 주었습니다.

하지만 이 사진이 신문에 게재된 후 전 세계에서 엄청난 반향이 일어났습니다. 그동안 카터는 보도 사진작가로서 죽음을 감수하며 위험한 전쟁터를 누비었습니다. 전쟁의 참상과 그로 인해 고통받는 사람들의 실상을 사진으로 찍어 세상에 알리는 일을 사명으로 여겼기 때문입니다. 작가는 이 사진을 통해 '아프리카의 전쟁터에서 아이들이 독수리의 먹잇감이 되어 가고 있다.'라는 메시지를 세상에 전하려 했습니다. 하지만 그의 의도와 달리 사진을 본 많은 사람들은 저 위험한 순간에 빨리 아이를 구하지 않고 어떻게 사진을 찍을 수 있느냐며 비난했습니다.

◉ **자료 분석** 사진작가 케빈 카터는 사진작가로서 자신에게 맡겨진 사명, 즉 사진을 통해 아프리카의 참혹한 현실을 세상에 알려야 한다는 임무를 다하기 위해 노력하였다. 그러나 많은 사람들은 인간을 가장 가치 있고 소중한 것으로 여기는 인간애와 정의감 등을 최우선의 가치로 여겨, 당장 아이를 구하지 않은 카터의 행위를 비난하였다.

뜯어보기 포인트

직업 생활에 보편적으로 필요한 바람직한 태도를 생각해 보고, 그 구체적인 내용을 정리하자.

Q2 직업 생활에 보편적으로 필요한 태도로 옳지 <u>않은</u> 것은?

① 전문성
② 인간애
③ 소명 의식
④ 연대 의식
⑤ 이해 타산적 태도

답 Q1 ④ / Q2 ⑤

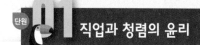

2 직업윤리와 청렴

1. 직업윤리의 필요성

(1) **직업윤리** 직업 생활에서 지켜야 할 행동 기준과 규범 → 다양한 인간관계가 이루어지는 직업 공동체에서 지켜야 할 윤리가 필요하기 때문 [자료 3]

(2) **일반 직업윤리와 특수 직업윤리**
　① 일반 직업윤리: 모든 직업에서 공통적으로 요구되는 일반적인 행동 규범
　　@ 정직, 근면, 공평, 성실 등
　② 특수 직업윤리: 특정 직업에서 직무를 수행할 때 요구되는 행동 규범
　　@ 의사의 생명 존중 의식 및 비밀 준수 등

2. 기업가와 근로자의 윤리

(1) **기업가 윤리** 기업가는 사회의 공익 증대, 소비자·근로자와 관련한 책임과 윤리가 필요하며, 윤리 경영, 사회 공헌, 사회적 약자 보호, 환경 보호 등을 추구하는 사회적 책임을 져야 할 의무가 있음.
　① 소극적 의무: 법과 해악 금지의 원리의 준수
　② 적극적 의무: 사회에 대한 적극적인 책임을 지는 것

(2) **근로자 윤리** 근로자는 자신에게 맡겨진 직무를 성실하고 책임감 있게 수행해야 하며, 자신이 하는 일에 대한 긍지와 사명감을 가져야 함.

(3) **기업가와 근로자의 관계** 상생(相生)의 관계
　① 기업가: 투명하게 기업을 운영하고 인간애를 바탕으로 근로자의 근무 및 복지 환경(@ 노동 3권❼)의 개선을 위해 노력해야 함.
　② 근로자: 기업가와의 동반자 의식을 바탕으로 성실하고 책임감 있는 자세로 직무에 임해야 함.

3. 전문직과 공직자의 윤리

(1) **전문직 윤리** 전문직 종사자에게는 사회적 지위와 자율성❽만큼 특별히 높은 수준의 윤리 의식과 책무성이 요구됨.

(2) **공직자 윤리** 공직자는 공익을 기준으로 정책을 결정하고 집행하는 공공성, 업무에 대한 전문성, 국민에 대한 봉사 정신 등이 필요함.

4. 청렴의 태도

(1) **부패** 공직자의 삶을 망가뜨릴 뿐만 아니라 정부에 대한 불신을 초래하고 사회 통합을 저해하며 국가 경쟁력을 저하시킴.

(2) **청렴** 성품과 행실이 높고 맑으며 탐욕이 없는 상태로, 반부패❾, 투명성❿, 책임성⓫을 특징으로 함. 청렴의 윤리는 부패를 방지하여 공정한 사회를 만드는 원동력이 됨. [자료 4]

(3) **청렴 의식** 청빈한 태도를 유지하며 봉공⓬의 태도를 실천하는 청백리⓭ 정신에 나타남.

---

❼ 노동 3권
• 단결권: 근로자의 권리를 보호하고 근로 조건의 유지 및 개선을 위해 근로자가 단결할 수 있는 권리
• 단체 교섭권: 노동조합 등이 임금, 노동 시간, 보건·후생 등 고용의 기본 조건에 대해 사용자와 주체적으로 협의할 수 있는 권리
• 단체 행동권: 노사 간 단체 교섭을 통한 합의가 이루어지지 않을 경우 분쟁을 해결하기 위해 단체 행동을 할 수 있는 권리

❽ 전문직의 자율성 남용
일반인들이 접근하기 어려운 정보를 이용하여 부당한 이익을 취할 수 있음. 특히 의사는 의료 사고나 과잉 진료가 발생할 수 있으며, 변호사는 한 사람의 재산과 명예에 치명적인 해를 끼칠 수도 있음.

❾ 반부패
법령 및 규칙이 규정하는 사회적 의무를 준수하는 것

❿ 투명성
정부 및 사회 조직의 의사 결정 과정과 결과를 공개하는 것

⓫ 책임성
직업윤리에 따라 권한 남용 없이 임무 완수를 위해 노력하는 것

⓬ 봉공(奉公)
나라와 사회를 위하여 힘써 일함.

⓭ 청백리(淸白吏)
재물에 대한 욕심이 없이 곧고 깨끗한 관리

자료 3 시지푸스의 신화

고대 그리스 신화에 따르면, 시지푸스는 신들의 비밀을 인간에게 누설하여 커다란 바위를 언덕 꼭대기까지 밀어 올려야 하는 저주를 받게 된다. 시지푸스가 바위를 밀어 올려 언덕 꼭대기에 도달하면 이내 기운이 떨어져 바위를 놓치게 되고, 그 바위는 다시 밑바닥으로 굴러 내려간다. 그러면 시지푸스는 다시 바위를 언덕 꼭대기까지 밀어 올려야 하는 일을 하고, 영원히 이러한 일을 반복해야만 한다. 시지푸스의 신화는 인간 존재의 무의미성을 은유적으로 표현한다. …… 시지푸스의 신화가 우리에게 삶에 의미를 부여할 수 있는 윤리적 토대에 대한 두 가지 서로 다른 견해가 있다. 하나는 우리가 객관적으로 가치 있는 목적을 위해 일함으로써 의미 있는 삶을 꾸려 나갈 수 있다는 것이고, 다른 하나는 객관적인 어떤 것에서 의미를 찾을 것이 아니라 내면적인 어떤 것, 즉 우리의 동기에서 의미를 찾아야 한다는 것이다.

– 피터 싱어, "어떻게 살아야 하는가" –

◎ **자료 분석** 피터 싱어는 무의미한 노동에서 벗어나기 위해서 '초월적인 대의', 즉 자아의 경계를 넘어서는 목적을 위해 일을 해야 한다고 보았다. 예를 들어, 사회 부정의나 착취에 대항하여 싸우는 경우가 이에 해당한다. 그는 이러한 목적에 헌신하는 행위는 적어도 그렇게 행동하는 사람들에게는 의미가 있으며, 스스로 만족하는 삶을 살아가는 길이라고 보았다.

뜯어보기 포인트
직업과 노동의 궁극적인 의의와 이를 실현하기 위해 어떤 노력이 필요한지 생각해 보자.

Q3 직업의 의의로 적절하지 않은 것은?
① 생계를 유지하기 위한 활동
② 사회적 역할을 분담하는 활동
③ 자아실현을 가능하게 하는 활동
④ 육체적·정신적 고통을 수반하는 강요된 활동
⑤ 개성을 발휘하고 자아 정체성을 확립해 가는 활동

자료 4 청렴의 중요성

청렴하지 않고서 수령 노릇을 제대로 한 사람은 지금까지 한 명도 없었다. 수령이 청렴하지 않으면 백성들이 그를 도적이라 욕하며 원성이 드높을 것이니, 부끄러운 일이다. 청렴은 큰 장사[賈]이다. 그래서 포부가 큰 사람은 반드시 청렴하고자 한다. 청렴하지 못한 것은 지혜가 모자라기 때문이다. 뇌물을 주고받는 일을 몰래 하지 않겠는가마는 밤에 한 일도 아침이면 드러난다. 선물이 아무리 하찮은 것이라도 신세지는 정[恩情]이 맺어지면 이미 사사로움[私]이 행해진 것이다.

– 정약용, "목민심서" –

◎ **자료 분석** 제시문은 조선 시대 실학자인 정약용의 "목민심서"에 나오는 한 구절로, 수령의 덕목으로 청렴을 강조한다. 그에 따르면, 올바른 관리가 되기 위해 갖추어야 할 필수적인 조건은 사사로운 청탁을 거절할 수 있는 청렴의 자세이다. 백성을 다스리는 목민관으로서 청렴은 애민과 봉공을 위해 필요한 덕목이라고 할 수 있다.

뜯어보기 포인트
정약용이 강조한 청렴의 자세는 오늘날 공직자뿐만 아니라 모든 직업 생활에서 필요한 윤리임을 기억하자.

Q4 다음은 정약용이 한 말이다. 빈칸에 들어갈 알맞은 말을 쓰시오.

"관리는 반드시 자애로워야 하고, 자애로워지려는 자는 반드시 (   )해야 한다."

📘 Q3 ④ / Q4 청렴

01 다음 내용이 맞으면 ○표, 틀리면 ×표를 하시오.

(1) 직업은 자아실현을 가능하게 하는 능동적인 활동이다.
( )

(2) 직업이 행복으로 이어지기 위해서는 일 그 자체가 어떤 것의 수단이 되어야 한다. ( )

(3) 행복한 직업 생활을 하기 위해서는 돈과 명예, 권력 등 외재적 가치를 우선적으로 추구해야 한다.
( )

(4) 인간은 직업을 통해 사회에 기여함으로써 자존감을 높이게 된다. ( )

(5) 전문직 종사자에게는 사회적 지위와 자율성만큼 특별히 높은 수준의 윤리 의식과 책무성이 요구된다.
( )

02 일반 직업윤리에 해당하는 예를 |보기|에서 모두 고르시오.

┌─ 보기 ├─
ㄱ. 정직   ㄴ. 근면
ㄷ. 공평   ㄹ. 익명성
ㅁ. 공정한 보도 태도
└─────────

03 다음 빈칸에 들어갈 알맞은 말을 쓰시오.

(1) ( )은(는) 인간만이 가진 기능을 탁월하게 발휘할 때 궁극적 삶의 목적인 행복에 도달할 수 있다고 보았다.

(2) 직업 생활에 있어서는 자신의 직업을 천직으로 삼는 ( ) 의식이 필요하다.

(3) ( )은(는) 직업 생활에서 지켜야 할 행동 기준과 규범을 뜻한다.

(4) 공직자에게는 공공의 안녕과 복리를 위해 탐욕을 추구하지 않는 ( )의 자세가 요구된다.

04 다음과 같은 직업윤리가 필요한 직업인을 쓰시오.

┌─────────────────────
• 윤리 경영 및 사회 공헌
• 소비자와 관련한 책임과 윤리
• 사회적 약자 보호, 환경 보호
└─────────────────────

05 변호사, 의사와 같이 고도의 전문적 교육과 훈련을 통해 일정한 자격, 면허를 획득해야만 종사할 수 있는 직종을 무엇이라고 하는지 쓰시오.

06 빈칸 ㉠~㉢에 들어갈 말을 각각 쓰시오.

┌─────────────────────
청렴의 특징으로는 법령 및 규칙이 규정하는 사회적 의무를 준수하는 (㉠), 정부 및 사회 조직의 의사 결정 과정과 결과를 공개하는 (㉡), 직업윤리에 따라 권한 남용 없이 임무 완수를 위해 노력하는 (㉢) 등이 있다.
└─────────────────────

01 직업의 의의에 대한 설명으로 옳지 <u>않은</u> 것은?

① 직업을 통해 개성을 발휘하고 자아를 실현할 수 있다.
② 직업을 통해 안전과 소속감 등 사회적 욕구를 충족할 수 있다.
③ 직업 활동을 통해 재화를 얻고 물질적·정신적 풍요를 누릴 수 있다.
④ 직업을 통해 사회에 기여함으로써 자존감과 성취감을 높일 수 있다.
⑤ 직업 생활에서 맺게 되는 인간관계로 이해 타산적 품성을 계발할 수 있다.

02 직업 생활에 보편적으로 필요한 태도에 대해 올바르게 설명하지 <u>않은</u> 사람은?

① 철수: 공익에 대한 봉사 정신을 가져야 해.
② 영희: 이해관계를 초월한 진실성이 필요해.
③ 영철: 인간을 가치 있고 소중하게 여겨야 해.
④ 기숙: 부단한 노력을 통해 전문성을 함양해야 해.
⑤ 지민: 인간의 이익을 위해 자연을 도구로 삼아야 해.

03 다음을 주장한 사상가가 강조하는 직업의 의의로 옳은 것은?

> 자본주의 사회에서 인간의 노동은 상품만을 생산하는 것이 아니라 노동자를 하나의 상품으로 전락시킨다. 결국 노동자의 노동은 그 자신을 위한 것이 아니라 타인을 위한 것이 된다.

① 사유 재산 축적의 수단으로 직업을 삼아야 한다.
② 육체노동보다 정신노동의 가치를 중시해야 한다.
③ 직업 그 자체가 목적이 되는 자발적인 노동을 해야 한다.
④ 직업의 철저한 분담을 통해 경제적 생산성을 높여야 한다.
⑤ 합리적 이기심을 발휘하여 직업에서의 경쟁력을 높여야 한다.

04 직업을 바라보는 갑, 을의 공통된 관점으로 적절한 것은?

> 갑: 정치에서 중요한 것은 명분을 바로 세우는 것이다. …… 임금은 임금답고, 신하는 신하다워야 하며, 아비는 아비답고, 자식은 자식다워야 한다.
> 을: 사회를 이루는 세 계층은 각자 타고난 성향에 따라 하나의 일에 배치되어야 한다. 각자 자신이 맡은 일에서 탁월함을 발휘하여 조화를 이룰 때 그 사회는 정의롭다.

① 직업은 사회적 역할을 분담하는 활동이다.
② 부의 축적을 직업의 궁극적인 목적으로 삼아야 한다.
③ 노동을 원죄로 받은 형벌로 인식하여 속죄의 노동을 해야 한다.
④ 직업을 신이 내린 소명으로 알고 근면, 성실한 자세로 일해야 한다.
⑤ 모든 사람들에게 개인의 취향에 따른 직업 선택의 자유를 부여해야 한다.

05 다음 사례를 통해 알 수 있는 직업에 필요한 바람직한 자세로 가장 적절한 것은?

> 하루는 박제가가 얼큰히 취해 제자인 김정희에게 말했다.
> "내가 사랑하는 바보들이 있다. 그중 하나는 자기가 하는 일에 깊이 푹 빠져 넋을 잃고, 병적으로 집착하는 바보이다. 한 벗은 매화꽃 한 송이를 그리려고 그 꽃의 표정과 몸짓과 향기를 며칠씩 밥을 굶어 가며 들여다보고 또 향기를 맡고, 그것을 한 번 그리고 열 번 그리고 스무 번 그리고 서른 번, 백 번을 그린다."

① 인간애   ② 전문성
③ 연대 의식   ④ 금욕적 태도
⑤ 공평무사한 태도

06 다음은 서술형 평가 문제와 학생 답안이다. 밑줄 친 ㉠ ~ ㉤ 중 옳지 않은 것은?

> 문제: 기업 윤리가 중요한 이유를 서술하시오.
>
> 답안: ㉠기업이 윤리적 경영을 하지 않으면 무절제한 이윤 추구로 인해 사회에 여러 가지 해악을 끼칠 수 있다. 또한, ㉡기업의 영향력이 큰 현대 사회에서 기업의 비윤리적인 행위는 사회 구성원의 윤리 의식에 부정적인 영향을 준다. 그뿐만 아니라 ㉢비윤리적 기업에서 일하는 근로자는 윤리적 기업에서 일하는 근로자보다 윤리적 갈등과 스트레스를 훨씬 더 많이 받는다. ㉣그러한 상태에서 일하는 근로자는 근로 의욕이 떨어져 생산성도 저하될 것이다. ㉤비윤리적인 기업은 부정적인 이미지로 인해 단기적 피해가 발생하지만 장기적인 이익과는 무관하다.

① ㉠   ② ㉡   ③ ㉢   ④ ㉣   ⑤ ㉤

07 다음 사례를 통해 알 수 있는 기업의 사회적 책임에 해당하는 것을 |보기|에서 고른 것은?

> 신발 회사인 ○○사의 'One for One' 프로젝트는 소비자가 ○○사의 신발 하나를 구매할 때마다 아프리카 어린이 한 명에게 신발 한 켤레를 기부하는 것이다. 이런 프로젝트는 소비자들의 착한 소비를 유도할 뿐만 아니라 기업의 이미지를 긍정적으로 높이는 효과를 가져온다.

┌ 보기 ┐
ㄱ. 나눔과 배려를 통해 사회 공헌 활동을 한다.
ㄴ. 국가와 사회가 규정한 법에 따라 기업을 경영한다.
ㄷ. 기부나 교육 · 문화 향상 프로그램 등을 운영한다.
ㄹ. 상품과 서비스를 생산하고 고용을 창출하는 책임을 진다.

① ㄱ, ㄴ   ② ㄱ, ㄷ   ③ ㄴ, ㄷ
④ ㄴ, ㄹ   ⑤ ㄷ, ㄹ

08 전문직과 전문직 윤리에 대한 설명으로 옳은 것은?

① 전문직의 사회적 영향력은 약화되는 추세이다.
② 전문직의 행동 규율은 개인의 양심에만 의지해야 한다.
③ 전문직은 사회적 지위와 자율성만큼 높은 윤리 의식이 요구된다.
④ 개인의 노력을 통해 얻은 전문직의 전문성은 사익을 위해서만 사용해야 한다.
⑤ 전문직은 일정한 자격이 없어도 해당 분야의 기술만 가지고 있으면 누구나 종사할 수 있다.

09 갑의 입장에서 〈사례〉의 'A 공무원'에게 해 줄 수 있는 조언으로 가장 적절한 것은?

> 갑: 청렴은 목민관(牧民官)의 본무(本務)요 모든 선(善)의 근원이요 덕의 바탕이니, 청렴하지 않고서는 능히 목민관이 될 수 없다.
>
> 〈사례〉
>
> ○○구에 근무하는 A 공무원은 건설 업체 직원으로부터 건설 허가 청탁을 위해 수십만 원에 달하는 상품권과 놀이공원 자유 이용권을 받았다가 적발되었다.

① 공직자는 비공개적으로 사익을 추구해야 합니다.
② 공직자는 연고주의에 입각해 공무를 집행해야 합니다.
③ 공직자는 신분 상승을 유일한 목적으로 추구해야 합니다.
④ 공직자는 국민의 대리인으로서 봉공(奉公)의 태도를 가져야 합니다.
⑤ 공직자는 자신의 재량권과 독점권을 이용하여 사익을 추구해야 합니다.

10 근로자의 권리에 대한 설명으로 옳지 않은 것은?

① 근로자는 계약에 따라 적정 임금을 받아야 한다.
② 근로자는 회사의 이익을 위해 비밀을 누설할 수 있다.
③ 근로자는 인간다운 삶을 위한 노동 3권을 행사할 수 있다.
④ 근로자는 신체와 건강에 유해하거나 위험한 작업 환경에서 보호받아야 한다.
⑤ 근로자는 고용과 임금에 있어 성별, 종교 등으로 부당한 차별을 받아서는 안 된다.

주관식
01 다음 맹자의 말에 나타나 있는 직업의 의의를 쓰시오.

> 맹자는 "백성이 일정한 소득이 없으면 바른 마음을 유지할 수 없다[無恒産無恒心]."라고 했다.

─────────────────────────

주관식
02 다음은 노동 3권에 대한 내용이다. ㉠~㉢에 들어갈 말을 각각 쓰시오.

> • (㉠): 근로자의 권리를 보호하고 근로 조건의 유지 및 개선하기 위해 단체를 구성할 수 있는 권리이다.
> • (㉡): 노동조합 등이 임금, 노동 시간, 보건·후생 등 고용의 기본 조건에 대해 사용자와 주체적으로 협의할 수 있는 권리이다.
> • (㉢): 노사 간 단체 교섭을 통한 합의가 이루어지지 않을 경우 분쟁을 해결하기 위해 가지는 권리이다.

─────────────────────────

주관식
03 일반 직업윤리와 특수 직업윤리의 사례를 각각 두 가지 이상 쓰시오.

(1) 일반 직업윤리 사례: _____

(2) 특수 직업윤리 사례: _____

주관식
04 다음 내용에 해당하는 것을 쓰시오.

> 재물에 대한 욕심이 없고 곧고 깨끗한 조선 시대의 이상적 관료상을 의미한다.

─────────────────────────

서술형
05 직업을 바라보는 세 가지 관점과 그 구체적인 내용을 서술하시오.

─────────────────────────

서술형
06 기업가와 근로자 간의 갈등을 해결하기 위한 개인 윤리적 방안과 사회 윤리적 방안을 각각 서술하시오.

(1) 개인 윤리적 방안: _____

(2) 사회 윤리적 방안: _____

서술형
07 전문직 종사자에게 특별히 높은 수준의 윤리 의식과 책무성이 요구되는 까닭을 서술하시오.

─────────────────────────

단원 흐름 읽기

사회 윤리 문제의 해결
1. 개인 윤리: 개인의 양심과 도덕성 함양을 통한 문제 해결
2. 사회 윤리: 사회 구조와 제도, 법과 정책의 개선을 통한 문제 해결

• 정의　바르고 곧은 것
• 분배적 정의　사회적 이익과 부담을 공정하게 분배하는 것
• 교정적 정의　국가가 법 집행을 통해 부정의를 바로잡는 것

분배적 정의
• 롤스의 공정성으로서의 정의
• 노직의 소유 권리로서의 정의
• 우대 정책과 역차별의 문제

교정적 정의
• 칸트의 응보주의, 벤담의 공리주의
• 사형 제도에 관한 찬반 논쟁

1 분배적 정의의 의미와 윤리적 쟁점들

1. 개인 윤리와 사회 윤리

(1) **개인 윤리**　윤리 문제의 원인은 개인의 양심 및 도덕성의 결핍에 있기 때문에 바른 도덕성을 길러 주고 품성을 도야해야 함.

(2) **사회 윤리의 등장 배경**　개인 윤리의 한계 보완, 현대 사회의 윤리 문제들을 해결하기 위함.

(3) **사회 윤리**　개인의 양심과 덕목의 실천뿐만 아니라 사회 구조와 제도의 개선을 강조함.
  ① 니부어❶는 집단의 도덕성은 개인의 도덕성보다 떨어지기 때문에 자기 집단의 이익을 위해 비도덕적인 행동을 쉽게 할 수 있다고 주장 　자료 1
  ② 니부어는 사회의 비합리적 수단을 통해서라도 사회 부정의를 바로잡아야 한다고 주장

2. 분배적 정의의 의미

(1) **정의❷와 사회 정의의 의미**　자료 2

정의	인간이 언제 어디서나 추구하고자 하는 '바르고 곧은 것'
사회 정의	• 사회에서 '궁극적으로 실현해야 할 규범과 가치'로 여겨 추구하는 것 • 분배적 정의❸(사회적 이익과 부담을 공정하게 분배하는 것)와 교정적 정의(국가의 법 집행을 통해 부정의를 바로잡는 것)로 나눌 수 있음.

(2) **롤스와 노직의 정의관**

롤스의 공정성으로서의 정의	• 원초적 입장이라는 가상적 상황에서 무지의 베일❹을 쓰고 공정한 분배의 원칙에 합의해야 함. → 결과보다 과정에 초점을 맞춘 절차적 정의 강조 　자료 3 • 합리적 이기주의자인 인간은 자신이 가장 열악한 상황(최소 수혜자)에 놓일 가능성을 염두에 두고 위험을 최소화하고 상호 이익이 되는 원칙에 합의하게 됨.
노직의 소유 권리로서의 정의	재화의 취득과 양도의 과정이 정당하다면 개인의 소유권은 정의로운 것임. → 최소 국가론 주장

3. 분배적 정의와 관련된 윤리적 쟁점: 우대 정책과 역차별

우대 정책❺의 찬성 근거	• 보상의 논리: 사회적 약자가 입은 고통에 대해 보상해 주어야 함. • 재분배의 논리: 사회적 약자에게 유리한 기회를 부여해야 함. • 공리주의 논리: 사회 전체의 행복을 증진해야 함.
우대 정책의 반대 근거	• 보상 책임의 부당성: 이전 세대의 고통에 대해 현세대가 책임을 져야 하는지의 문제 • 역차별: 우대 정책 등으로 오히려 반대편이 차별받게 될 수 있음. • 업적주의 원칙 위배: 특정 계층에게 혜택을 주는 것은 업적주의에 위배됨.

❶ **니부어(Niebuhr, R., 1892~1971)**
미국의 신학자
"모든 인간 집단은 개인과 비교할 때 충동을 억제할 수 있는 이성과 자기 극복의 능력, 그리고 다른 사람들의 욕구를 수용하는 능력이 훨씬 결여되어 있다. 게다가 집단을 구성하는 개인들은 개인적 관계에서 보여 주는 것보다 훨씬 심한 이기주의를 집단에서 표출한다."

❷ **아리스토텔레스의 정의관**

일반적 정의	공동선과 덕을 장려하는 사회 규범을 지키는 것(= 준법으로서의 정의)
특수적 정의	각자에게 각자의 몫이 공정하게 주어지는 것 • 분배적 정의: 사회에서 발생하는 이익을 개인의 가치에 비례하여 분배하는 것 • 교정적 정의: 이익과 손해의 불균형을 교정하여 균등하게 하는 것

❸ **형식적 정의와 실질적 정의**
분배적 정의는 형식적 정의와 실질적 정의로 나눌 수 있음.
• 형식적 정의: '같은 것은 같게, 다른 것은 다르게' 분배하는 것
• 실질적 정의: 능력, 업적, 노력 등의 차이를 고려하여 분배하는 것

❹ **무지의 베일**
개인적 특성과 사회적 위치 등 자신의 조건을 모르는 상태

❺ **우대 정책**
불리한 위치에 있는 집단에 대한 차별을 없애고 이들의 교육 참여와 사회 참여 기회를 확대하기 위해 만든 제도

자료 1 니부어, 개인보다 집단에서 이기적 충동은 더 강해진다.

개개의 인간은 자신들의 이해관계뿐만 아니라 다른 사람들의 이해관계도 고려하며, 또한 때에 따라서는 행위의 문제를 결정함에 있어 다른 사람들의 이익을 더욱 존중할 수도 있다는 의미에서 도덕적(moral)이다. 그들은 본성상 자신들과 비슷한 사람들에 대한 공감과 이해심을 갖고 있다. 이 경우 동류의식을 느끼는 범위는 사회 교육에 의해 얼마든지 확장된다. …… 그러나 이 모든 성과들은 인간 사회와 사회 집단에서는 개인들에 비해 훨씬 획득되기 어렵다. …… 집단의 도덕이 이처럼 개인의 도덕에 비해 열등한 이유는, 본질적으로는 자연적 충동들—사회는 이 자연적 충동들에 의해 응집력을 갖는다—에 버금갈 만한 합리적인 사회 세력을 형성하기가 힘들기 때문이며, 이는 오직 개인들의 이기적인 충동으로 이루어진 집단 이기주의의 표출이기도 하다. 왜냐하면 개인들의 이기적 충동은 개별적으로 나타날 때보다는 사회라는 별도의 속성으로서 하나의 공통된 충동으로 결합되어 나타날 때 더욱 생생하게, 그리고 더욱 누적되어 표출되기 때문이다.

– 라인홀드 니부어, "도덕적 인간과 비도덕적 사회" –

◎ **자료 분석** 니부어는 현대 사회에서는 집단 간 힘의 불균형이 커지며, 집단 간 사회 문제들을 해결하는 데 있어 개인의 도덕성 함양만으로는 한계가 있다고 보았다. 그래서 그는 개인 윤리와 함께 사회 윤리, 즉 사회 제도 및 구조, 법과 정책의 개선을 통해 사회 문제를 해결할 수 있다고 보았으며, 비합리적인 수단도 동원 가능하다고 보았다.

뜯어보기 포인트
현대 사회의 윤리 문제를 해결하기 위한 개인 윤리와 사회 윤리적 해법에 대해 정리하자.

Q1 니부어가 추구했던 도덕적 이상 사회의 모습은 무엇인가?

① 공산 사회
② 자급자족 사회
③ 이기적인 사회
④ 정의로운 사회
⑤ 이타적인 사회

자료 2 아리스토텔레스의 정의관

무법한 사람은 부정한 사람이요, 법에 따르는 사람은 옳은 사람이므로 이 사람들이 합법적으로 행하는 모든 일이 어느 의미에서는 옳은 일임에 분명하다. 무릇 입법에 의하여 행해진 모든 일은 합법적이며, 또 우리는 이것들의 하나하나를 옳다고 말한다. 그런데 문제를 해결하기 위한 법은 모든 사람들이나 가장 훌륭한 사람들, 권력을 쥐고 있는 사람들의 공동 이익을 목표로 삼고 제정된다. …… 부분적인(특수적인) 정의와 이것에 대응하는 옳음 가운데, 한 종류는 명예나 금전이나 이 밖에 국기의 공민 간에 분배될 수 있는 것들의 분배에 있어서의 정의가 있고, 다른 한 종류는 사람과 사람 간의 상호 교섭에 있어서 시정하는 구실을 하는 정의가 있다. …… 옳은 것이란, 즉 비례적인 것이다. 그리고 옳지 않은 것이란 비례를 깨뜨리는 것이다.

– 아리스토텔레스, "니코마코스의 윤리학" –

◎ **자료 분석** 아리스토텔레스는 정의를 일반적 정의와 특수적 정의로 구분하였다. 일반적 정의는 공동선과 덕을 장려하는 법을 준수하는 것이고, 특수적 정의는 각자에게 각자의 몫을 공정하게 주는 것을 의미한다. 특수적 정의는 분배적 정의와 교정적 정의로 구분할 수 있다. 분배적 정의는 개인의 가치에 비례하여 분배하는 기하학적 비례에, 교정적 정의는 이익과 손해의 불균형을 교정하여 균등을 회복시켜 주는 산술적 비례에 따른다.

뜯어보기 포인트
아리스토텔레스의 일반적 정의와 특수적 정의의 구체적인 내용을 정리하자.

Q2 아리스토텔레스가 특수적 정의의 기준으로 제시한 것은?

① 법을 준수하는 것
② 균등 분배하는 것
③ 불균형을 유지하는 것
④ 최대 이익을 따르는 것
⑤ 각자에게 각자의 몫을 공정하게 주는 것

답 Q1 ④ / Q2 ⑤

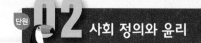

2 교정적 정의의 의미와 윤리적 쟁점들

1. 교정적 정의의 의미와 목적

(1) **의미** 범죄의 심각성에 비례하여 그에 합당한 처벌을 내리는 것 → 법적 정의[6]와 관련됨.

(2) **목적** 범죄자에게 범죄에 상응하는 처벌을 가하는 것

(3) **칸트의 응보주의적 정의**

① 형벌은 범죄 예방이나 교화의 수단이 아니라 오직 범죄자가 범죄를 저질렀다는 사실만으로 가해져야 함.

② 형벌은 범죄 예방이나 교화의 수단이 될 수 없음.

(4) **공리주의의 정의**

① 처벌은 사회 전체의 이익을 증진하기 위한 수단으로, 범죄 억지력[7] 및 예방을 고려하여 처벌의 수준을 정해야 함.

② 벤담: 형벌은 필요악으로, 처벌로 인한 선한 결과[8]가 처벌로 인해 발생하는 악보다 클 때 정당화될 수 있음.

2. 교정적 정의의 윤리적 쟁점: 사형 제도

(1) **사형** 범죄인의 생명을 박탈하여 사회에서 영구히 격리하는 형벌 → 윤리적·종교적으로 중요한 쟁점 자료 4

(2) **사형 제도에 대한 입장**

사형 제도 찬성 입장	국가가 중대한 범죄를 일으킨 사람의 생명을 빼앗음으로써 범죄자를 사회에서 영구히 격리하고 국민을 보호해야 한다고 주장
사형 제도 반대 입장	어떤 상황에서라도 국가가 개인의 생명을 빼앗을 권리는 없다고 주장

(3) **응보주의 관점**

① 처벌의 정도가 죄의 정도에 비례해야 한다는 동등성의 원리에 근거하여 사형을 찬성하는 입장

② 범죄로 인해 발생한 불평등을 조정하여 평형 상태를 회복하는 것이 정의임.

③ 칸트: 사형만이 인격 안의 인간성을 해치는 죄책감으로부터 살인자를 벗어나게 해 줄 수 있는 유일한 방법으로, 사형은 인간 존중의 이념에 부합하는 것이라고 주장

(4) **공리주의 관점**

① 사형 제도가 범죄의 예방 및 사회 전체 행복의 증진에 기여하느냐에 따라 존폐 여부를 결정해야 한다는 입장

② 일반 예방주의와 특수 예방주의

• 일반 예방주의: 사형이 흉악 범죄에 대한 예방 효과가 있기 때문에 바람직한 제도임.

• 특수 예방주의: 형벌은 범죄자의 교화와 재사회화가 목적인데, 사형은 그 목적 자체를 부정하기 때문에 잘못된 제도임.

③ 베카리아[9][10]: 사형은 범죄 억제 효과가 없으며, 형벌의 강도보다 지속성이 더 효과가 크기 때문에 종신 노역형이 사형 제도보다 더 효과적인 형벌이라고 주장

---

[6] 법적 정의
어떤 사람이 범죄를 저질러서 처벌을 받을 때 행사하는 정의

[7] 억지력(抑止力)
한쪽이 공격하려고 하여도 상대편의 반격이 두려워서 공격하지 못하도록 하는 힘

[8] 선한 결과
처벌에 대한 두려움의 효과로 범죄를 예방하거나, 교화를 통해 범죄자의 사회 복귀 등에 도움이 되는가의 여부

[9] 베카리아(Beccaria,C., 1738~1794)
이탈리아의 계몽 사상가로서 근대 형법학의 선구자로 불리며, 저서로 "범죄와 형벌"이 있음.

[10] 사회 계약설의 입장에서 본 사형 제도
• 베카리아: 각 개인은 자신의 생명 박탈권을 국가에 양도하지 않았기 때문에 사형을 살인으로 보았음.
• 루소: '살해당하기 싫어하는' 모든 인간은 자신의 생명 보전을 목적으로 생명권을 공동체에 양도하고 일반 의지의 감독 아래에 두기 때문에 국가에 의한 사형을 정당화함.

자료 3 롤스의 정의관

시장 사회는 재능을 가진 사람에게 일할 기회를 주고 법 앞에서 평등을 보장하면서, 어느 정도는 임의성을 교정한다. 시민들은 기본적 자유를 평등하게 보장받고, 소득과 분배는 자유 시장에서 결정된다. 이처럼 기회 균등을 공식적으로 인정하는 자유 시장 체제는 자유 지상주의 정의론에 해당한다. 이 체제는 출생에 따른 고정된 서열을 거부한다는 점에서 봉건 사회나 카스트 사회보다 개선된 모습을 제시한다. 법적으로는 모든 사람에게 노력과 경쟁을 허용한다. 그러나 현실에서는 기회가 전혀 균등하지 않은 방식으로 배분될 수도 있다.

가족의 도움을 받고 교육도 많이 받은 사람은 그렇지 못한 사람보다 분명 유리하다. 모든 사람에게 경기에 참가할 기회를 주는 것은 좋은 일이다. 그러나 애초에 출발선이 다르다면 그 경기는 공정하다고 보기 힘들다. 기회 균등이 공식적으로 보장되는 자유 시장에서 소득과 부가 공정하게 분배된다고 생각할 수 없는 이유가 바로 거기에 있다고 롤스는 주장한다.

– 마이클 샌델, "정의란 무엇인가?" –

○ **자료 분석** 롤스는 절차가 공정하다면 결과도 공정하다는 공정성으로서의 정의를 강조한다. 그는 개인의 노력과 상관없는 자연적·사회적 우연성을 배제해야만 분배에 있어 공정한 절차가 확보될 수 있다고 보았으며, 행운이 없는 최소 수혜자에게 최대한 이익을 줄 경우에만 자신의 행운을 이용해 이익을 얻을 수 있다고 본다.

뜯어보기 포인트
롤스의 공정성으로서의 정의를 이해하고, 이를 노직의 소유 권리로서의 정의관과 비교하여 생각해 보자.

Q3 롤스의 정의관의 핵심 개념으로 옳은 것은?

① 사익의 최대화
② 공정한 절차의 확보
③ 절대적 평등의 실현
④ 필요에 따른 분배 실현
⑤ 최대 다수의 최대 행복의 실현

자료 4 사형에 대한 관점들

• 루소: 타인의 희생으로 자기의 생명을 보존하려고 하는 사람은 타인을 위해 자신도 희생해야 한다는 데 동의해야 한다. 그는 일반 의지로부터 규정된 법을 따라야 한다.
• 칸트: 형벌의 법칙은 하나의 정언 명령이다. 그래서 형벌은 범죄자가 범죄를 저질렀다는 이유 때문에 가해져야 한다. 형벌의 종류와 정도는 어느 한쪽으로 기울어지지 않는 평등의 원리에 따라 결정되어야 한다.
• 벤담: 형벌과 위법 행위 간에는 비례의 규칙이 성립해야 한다. 형벌의 정도는 위법 행위에서 얻는 이득의 가치를 능가하기에 충분한 것이어야 한다. 이러한 비례의 규칙은 공리의 원리에 근거해야 한다.

○ **자료 분석** 루소는 사회 계약설의 입장에서, 칸트는 형벌 동등성의 원리에 따른 응보주의적 관점에서 사형을 찬성하였다. 이와 달리 벤담은 공리주의 입장에서 형벌을 통해 얻게 되는 선한 결과가 형벌로 인한 악보다 클 때에만 형벌이 정당화된다고 본다. 따라서 공리주의 입장에서는 사형 제도가 범죄 예방과 사회 전체 행복에 기여하느냐의 여부에 따라 그 존폐가 결정된다고 본 것이다.

뜯어보기 포인트
루소, 칸트, 벤담의 사형에 대한 입장을 이해하고, 공통점과 차이점을 정리하자.

Q4 칸트가 사형 제도를 찬성한 근거로 옳은 것은?

① 차등의 원리
② 공리의 원리
③ 동등성의 원리
④ 업적주의 원리
⑤ 기하학적 비례의 원리

답 Q3 ② / Q4 ③

01 다음 빈칸에 들어갈 알맞은 말을 쓰시오.

(1) 니부어에 따르면, 사회를 중심에 놓고 보면 최고의 도덕적 이상은 (   )이고, 개인을 중심에 놓고 보면 최고의 도덕적 이상은 (   )이다.

(2) 니부어는 집단을 구성하는 개인들은 개인적 관계에서 보여 주는 것보다 훨씬 심한 (   )을(를) 집단에서 표출한다고 본다.

(3) 아리스토텔레스는 일반적 정의를 (   )(으)로서의 정의로 보았다.

(4) 아리스토텔레스는 (   ) 정의를 각자에게 각자의 몫이 공정하게 주어지는 것으로 보았는데, 구체적으로 분배적 정의와 교정적 정의로 나누었다.

02 표의 ㉠, ㉡에 들어갈 말을 각각 쓰시오.

(㉠)	이성적 존재인 인간이 언제 어디서나 추구하고자 하는 '바르고 곧은 것'
사회 정의	• 사회에서 '궁극적으로 실현해야 할 규범과 가치'로 여겨 추구하는 것 • (㉡)와(과) 교정적 정의로 나눌 수 있음.

03 롤스는 개인적 특성과 사회적 위치 등 자신의 조건을 모르는 무지의 베일을 쓰고 공정한 분배의 원칙에 합의해야 한다고 보았다. 무지의 베일을 쓴 평등한 가상적 상황을 무엇이라고 하는지 쓰시오.

04 다음 설명에 해당하는 제도를 쓰시오.

> 장애인, 여성, 유색 인종 등 불리한 위치에 있는 집단에 대한 차별을 없애고, 이들의 교육 참여와 사회 참여 기회를 확대하기 위해서 만든 제도를 의미한다.

05 사형 제도를 바라보는 관점과 그 주장을 바르게 연결하시오.

(1) 응보주의 관점 •

(2) 공리주의 관점 •

• ㉠ 처벌의 정도가 죄의 정도에 비례해야 한다는 동등성의 원리에 근거하여 사형 제도를 찬성함.

• ㉡ 사형 제도가 범죄의 예방 및 사회 전체 행복의 증진에 기여하느냐에 따라 존폐 여부를 결정해야 함.

06 다음 내용이 맞으면 ○표, 틀리면 ×표를 하시오.

(1) 벤담은 형벌은 오직 범죄자가 범죄를 저질렀다는 사실만으로 그에게 가해져야 한다고 본다. (   )

(2) 칸트는 형벌은 필요악이라고 주장하며, 처벌로 인한 선한 결과가 처벌로 인해 발생하는 악보다 더 클 때에만 처벌이 정당화될 수 있다고 본다. (   )

(3) 베카리아는 공리주의적 입장에서 사형 제도는 효과가 없다고 주장하며, 그 대안으로 종신 노역형을 제안하였다. (   )

01 다음 중 아리스토텔레스의 정의관으로 옳지 않은 것은?

① 공동선을 장려하는 사회 규범을 지켜야 한다.
② 각자에게 각자의 몫이 공정하게 주어져야 한다.
③ 개인의 가치, 업적, 능력에 따라 권력, 재화가 분배되어야 한다.
④ 다른 사람에게 해를 끼친 만큼 처벌을 하여 이익과 손해의 불균형을 교정해야 한다.
⑤ 모든 사람이 능력에 따라 일하고 필요에 따라 분배받는 결과적 평등을 실현해야 한다.

02 다음 중 니부어의 주장으로 옳은 것은?

① 집단 간 힘의 균형으로 사회 갈등이 확대되고 있다.
② 개인의 도덕성은 집단의 도덕성보다 현저히 떨어진다.
③ 집단과 집단 사이의 관계는 정치적이기보다 윤리적이다.
④ 개인의 도덕성 함양 및 바람직한 습관 형성으로 사회 문제를 해결할 수 있다.
⑤ 선의지의 통제를 받는 비합리적인 수단을 사용해서라도 사회 부정의를 바로잡아야 한다.

03 아리스토텔레스가 주장한 정의의 원칙을 |보기|에서 고른 것은?

| 보기 |
| ㄱ. 준법 | ㄴ. 성실 |
| ㄷ. 공정성 | ㄹ. 효율성 |

① ㄱ, ㄴ ② ㄱ, ㄷ ③ ㄴ, ㄷ
④ ㄴ, ㄹ ⑤ ㄷ, ㄹ

04 분배의 기준에 관한 친구들의 대화 내용이다. ㉠~㉣ 중 옳은 것을 있는 대로 고른 것은?

철수: 이 피자를 어떻게 나누어 먹는 게 좋을까?
영희: 능력이 탁월한 애들에게 많이 주자.
철수: 그런데 ㉠자신의 노력과 상관없는 우연적 능력은 배제해야 하지 않을까? 나는 학급에 많은 기여를 한 학생에게 주었으면 좋겠어.
영희: ㉡기여도를 기준으로 삼는다면 서로 다른 일의 업적을 비교하기 어렵잖아.
진숙: 열심히 노력한 사람에게 더 많이 주자.
철수: ㉢그 노력을 어떻게 측정할 수 있겠어? 그냥 필요한 애들에게 더 주자.
영희: 그렇게 되면 ㉣친구들 간 과열 경쟁으로 서로 위화감이 커질 거야.

① ㉠, ㉡ ② ㉠, ㉢ ③ ㉡, ㉣
④ ㉠, ㉡, ㉢ ⑤ ㉡, ㉢, ㉣

05 다음 내용의 찬성 근거로 옳은 것을 |보기|에서 고른 것은?

여성 할당제는 정치·경제·교육·고용 등 각 부문에서 채용이나 승진 시 일정한 비율을 여성에게 할당하는 제도이다. 이는 정치, 사회 등의 분야에서 여성들의 권리를 실질적으로 대변하고 여성이 국회 의원, 임원 등 고위직이 될 수 있는 가능성을 가로막는 유리 천장을 깰 수 있는 방법으로 꼽히고 있다.

| 보기 |
ㄱ. 여성 차별로 인한 고통을 보상해 주어야 한다.
ㄴ. 과거 세대의 차별과 고통을 현세대가 보상하는 것은 부당하다.
ㄷ. 사회적 약자를 배려함으로써 사회 전체의 행복을 증진시킬 수 있다.
ㄹ. 모든 사람들은 개인의 노력이나 성취에 비례하여 분배를 받아야 한다.

① ㄱ, ㄴ ② ㄱ, ㄷ ③ ㄴ, ㄷ
④ ㄴ, ㄹ ⑤ ㄷ, ㄹ

06 다음은 가상 대화의 일부분이다. ㉠, ㉡에 들어갈 말을 바르게 짝지은 것은?

> 기자: 선생님께서 제안한 소유 권리론의 핵심 내용은 무엇입니까?
> 사상가: 취득과 양도의 절차가 정의롭다면 그 소유권은 개인에게 있다는 것입니다.
> 기자: 그렇다면 국가는 어떤 역할을 해야 할까요?
> 사상가: 국가는 _____㉠_____ 의 역할만 수행하면 됩니다. 구체적으로 그 국가는 _____㉡_____의 기능을 수행합니다.

	㉠	㉡
①	복지 국가	시민의 안전 보호와 계약 집행
②	복지 국가	소득 재분배 정책을 통한 생존권 보장
③	최소 국가	시민의 안전 보호와 계약 집행
④	최소 국가	세금 확대를 통한 복지 제도 확충
⑤	최소 국가	소득 재분배 정책을 통한 생존권 보장

07 다음을 주장한 사상가가 제시할 처벌의 시행 유무에 대한 기준을 |보기|에서 고른 것은?

> 도덕과 입법의 원리는 쾌락과 고통에 근거해서 찾아야 한다. 쾌락의 양은 측정될 수 있다.

┌ 보기 ┐
ㄱ. 범죄를 예방하는 데 유용한가?
ㄴ. 인간의 자연적 본성에 일치하는가?
ㄷ. 처벌이 범죄를 억지하는 데 효과가 있는가?
ㄹ. 인간 존중이라는 순수한 동기에서 시작되었는가?

① ㄱ, ㄴ ② ㄱ, ㄷ ③ ㄴ, ㄷ
④ ㄴ, ㄹ ⑤ ㄷ, ㄹ

08 다음 사상의 근거가 되는 원칙을 모두 고른 것은?

> 그가 살인을 했다면 그는 죽어야만 한다. 이 경우에 정의의 실현을 위한 다른 방법은 없다. 시민 사회가 모든 구성원의 동의에 따라 해체될 때조차도 감옥에 있는 마지막 살인자는 먼저 처형되어야 한다.

┌ 보기 ┐
ㄱ. 공리주의   ㄴ. 세계 시민주의
ㄷ. 응보의 원칙   ㄹ. 인간 존중의 원칙

① ㄱ, ㄴ ② ㄱ, ㄷ ③ ㄴ, ㄷ
④ ㄴ, ㄹ ⑤ ㄷ, ㄹ

09 사형 제도에 대해 다른 관점을 제시한 학생은?

① 주희: 인과응보의 원칙에 따라 범죄에 상응하는 처벌을 가해야 해.
② 수미: 형벌의 목적은 범죄자를 교화시켜 다시 사회에 복귀시키는 거야.
③ 철수: 형벌에 대한 두려움으로 미래의 흉악한 범죄를 줄일 수 있을 거야.
④ 영철: 개인의 권리보다 공동선을 강조하는 사회 분위기상 사형은 존속되어야 해.
⑤ 진호: 일반인의 생명을 보호하고 사회를 유지하기 위해서는 흉악범을 사회에서 격리해야 해.

10 다음 사상가의 입장에 부합하는 진술로 옳은 것은?

> 인간의 정신에 큰 효과를 끼치는 것은 형벌의 강도가 아니라 그 지속성이다.

① 응보주의적 관점에서 사형을 시행해야 한다.
② 사회 계약론의 입장에서 사형을 시행해야 한다.
③ 사형보다 종신 노역형이 범죄 예방 효과가 크다.
④ 나라와 시대별로 사형의 집행 여부는 달라야 한다.
⑤ 사형은 사회 전체 이익을 높이는 데 큰 기여를 한다.

주관식

01 빈칸 ㉠, ㉡에 들어갈 말을 각각 쓰시오.

> '같은 것은 같게, 다른 것은 다르게' 분배하는 것은
> (㉠) 정의로, 모든 국민에게 1인 1표의 선거권
> 을 부여하는 것이 이에 해당한다. 하지만 이것만으로
> 는 사회 정의가 실현되기 어렵기 때문에 각자의 능력,
> 업적, 노력 등의 차이를 고려하여 분배하는 (㉡)
> 정의도 필요하다.

주관식

02 빈칸 ㉠, ㉡에 들어갈 말을 각각 쓰시오.

> 교정적 정의의 목적은 범죄자에게 범죄에 상응하는 처
> 벌을 내리는 것이다. 칸트는 교정적 정의를 (㉠)
> (으)로 해석하여 범죄자가 범죄를 저질렀다는 사실만
> 으로 형벌을 가해야 한다고 보았으며, 공리주의 입장
> 에서는 처벌을 사회 전체 이익을 위한 (㉡)(으)
> 로 보았다.

서술형

03 다음 사상가의 입장에서 개인의 도덕성과 집단의 도덕
성의 관계를 서술하시오.

> 집단 간의 관계는 도덕적이고 합리적인 판단이 아니
> 라 각 집단이 가지고 있는 힘의 비율에 따라 수립되
> 는 경우가 많다.

서술형

04 다음은 어느 사상가의 입장이다. 이 사상가가 밑줄 친
상황을 제안한 이유가 무엇인지 서술하시오.

> 이 원초적 입장은 역사상 실재했던 상태나 원시 상태
> 가 아니며, 그것은 일정한 정의관에 이르게 하도록 규
> 정된 순수한 가상적 상황으로 이해된다. 이러한 상황
> 이 갖는 본질적 특성 중에는 아무도 자신의 사회적 지
> 위나 계층상의 위치를 모르며, 누구도 자기가 어떠한
> 소질이나 능력, 지능, 체력 등을 천부적으로 타고났는
> 지를 모른다는 점이다. 심지어 당사자들은 자신의 가
> 치관이나 특수한 심리적 성향까지도 모른다고 가정된
> 다. 정의의 원칙들은 <u>무지의 베일(veil of ignorance)</u>
> 속에서 선택된다.

서술형

05 갑, 을 사상가를 쓰고, 두 사상가의 공통된 입장을 두 가
지 서술하시오.

> 갑: 원초적 입장에서 타인의 이익에 무관심한 합리적
>   개인은 자신의 능력, 사회적 위치 등을 모른 채 공
>   정한 분배의 원칙에 합의해야 한다.
> 을: 각 개인은 자신에 대한 완전한 소유권을 지니고
>   있기 때문에 재화의 분배는 전적으로 개인의 자유
>   에 위임해야 한다.

서술형

06 공리주의적 관점에서 베카리아가 사형 제도를 반대하는
근거를 쓰고, 그가 제시한 대안을 서술하시오.

(1) 사형 제도의 반대 근거: _____

_____

(2) 대안: _____

_____

단원 **03** 국가와 시민의 윤리

단원 흐름 읽기

국가의 권위와 시민의 권리

1. 국가의 권위 근거
   • 동양: 유교 → 가족 공동체의 확대
   • 서양: 사회 계약설 → 시민의 자발적 동의
2. 시민의 권리: 자유권, 평등권 등

• 국가에 대한 시민의 복종 근거   인간의 본성, 동의, 공공재와 관행의 혜택, 자연적 의무
• 시민 불복종의 정당화 조건   공공성, 공개성, 비폭력성, 최후의 수단, 처벌 감수
• 시민 불복종의 정당화 근거   소로(개인의 양심), 드워킨(헌법 정신), 싱어(공리의 원칙), 롤스(사회적 다수가 공유하는 정의관)

1 국가의 권위와 시민에 대한 의무

1. 국가의 권위와 시민의 권리, 그리고 의무

(1) 국가의 권위❶ 근거

① 동양: 유교
  • 국가는 가족 공동체 의식이 전제된 정치적 공동체이며, 국가에 대한 백성의 충성을 부모에 대한 효의 확장으로 인식함.
  • 가족 내에서의 도덕의식이 국가 공동체로 확대된 것임.

② 서양: 사회 계약설
  • 국가는 각 개인들의 자발적인 계약과 동의를 통해 형성된 인위적 산물로, 시민은 국가의 보호를 받는 대신 국가의 권위에 복종해야 함.
  • 국가의 권위는 시민의 동의에 바탕을 두어야 한다는 국민 주권론의 바탕이 됨.

(2) 국가의 의무

① 소극적 의무: 시민의 생명과 재산, 인권 보호 등
② 적극적 의무: 모든 국민이 인간다운 삶을 영위할 수 있도록 사회 복지 증진

(3) 시민의 권리와 의무

① 시민의 권리: 자유권, 평등권, 참정권, 청구권, 사회권 등
② 시민의 의무: 납세, 국방, 교육, 근로의 의무 등

2. 국가에 대한 정치적 의무의 도덕적 근거❷

인간의 본성	• 아리스토텔레스는 개인이 국가의 권위를 존중하고 정치적 의무를 져야 하는 근거를 인간의 본성에서 찾음. 자료 1 • 국가는 인간의 본성에 따라 자연스럽게 형성된 산물임. • 국가에 대한 복종은 인간의 본성에 부합하는 것임.
동의	• 국가는 시민의 자발적 동의와 계약을 통해 형성된 산물임. 자료 2 • 시민은 계약을 준수해야 하기 때문에 국가의 권위에 복종해야 함.
공공재와 관행의 혜택	• 국가는 시민에게 공공재 및 제도, 법률 등 관행의 혜택을 줌. • 국가로부터 혜택을 받고, 이를 지속적으로 누리길 원한다면 국가에 복종해야 함.
자연적 의무	• 국가는 시민의 권리 보호, 공동선과 정의의 실현 등에 기여하는 공동체임. • 시민이 국가에 복종하는 것은 자연적 의무임.

❶ 권위
남을 통솔하여 따르게 하는 힘으로, 해당 분야에 정통한 지식, 실질적 권위로서 영향력, 결정과 명령에 복종을 요구할 수 있는 요구권 등이 있음. 국가의 권위는 요구권과 관련됨.

❷ 국가의 권위에 대한 사상가들의 입장

아리스토텔레스	국가는 가장 높은 단계의 선을 추구하는 최상의 공동체로, 인간은 국가에서 자아실현 및 행복을 실현할 수 있다고 주장
홉스	국가 권위의 절대성 주장
로크	시민이 국가의 구성원으로서 영토를 소유하고 혜택을 향유한다면 묵시적 동의가 이루어진 것으로 보고, 국가에 복종해야 함. 만약 국가가 시민의 자연권을 침해한다면 정부에 대한 시민의 저항권을 인정함.
흄	국가가 국민에게 주는 물질적·비물질적 혜택 등 좋은 결과의 산출 여부를 복종의 근거로 봄.
롤스	국가가 시민의 기본적인 평등한 자유를 심각하게 침해한다면 국가에 대한 불복종이 가능하다고 주장

자료 1 아리스토텔레스가 바라보는 국가와 국가에 대한 복종

모든 국가는 분명 일종의 공동체이며, 모든 공동체는 어떤 좋음을 실현하기 위해 구성된다. 무릇 인간 행위의 궁극적 목적은 좋음이라고 생각되는 바를 실현하는 데 있기 때문이다. 이렇듯 모든 공동체가 어떤 좋음을 추구하는 것이라면, 모든 공동체 중에서도 으뜸으로 여기며, 다른 공동체를 모두 포괄하는 공동체야말로 분명 으뜸으로 여기는 좋음을 가장 훌륭하게 추구할 것인데, 이것이 이른바 국가 또는 국가 공동체이다. ……

국가는 자연의 산물이며, 인간은 본성적으로 국가를 구성하는 동물임이 분명하다. 따라서 어떤 사고가 아니라 본성으로 인하여 국가가 없는 자는 인간 이하이거나 인간 이상이다. 그런 자를 호메로스는 "친족도 없고 법률도 없고 가정도 없는 자"라고 비난한다. …… 국가는 본성상 가정과 개인에 우선한다. 전체는 필연적으로 부분에 우선하기 때문이다.

– 아리스토텔레스, "정치학" –

◎ **자료 분석** 아리스토텔레스는 국가를 최상의 공동체로 보며, 전체는 필연적으로 부분에 우선하기 때문에 국가는 본성상 가정과 개인에 우선한다고 본다. 그는 이를 설명하기 위해 몸이 파괴되면 손이나 발이 존재할 수 없을 것이라는 비유를 하였다. 나아가 인간은 국가라는 정치 공동체 속에서만 자아실현과 행복을 추구할 수 있다고 본다.

뜯어보기 포인트
아리스토텔레스가 생각하는 국가의 가치와 시민이 국가에 복종해야 하는 근거를 이해하자.

Q1 아리스토텔레스가 국가에 대한 시민의 복종 근거로 제시한 것은?

① 본성
② 동의
③ 이익과 혜택
④ 자연적 의무
⑤ 제도 등의 관행

자료 2 국가의 권위에 대한 시민의 복종 근거(의무론·결과론적 정당화 근거)

의무론적 정당화의 범주에는 국가의 권위에 복종하는 것이 '그 자체'로 옳기 때문에 '내'가 복종한다는 논리가 묻어 있다. 반대로 결과론적 접근 방식에는 국가에 복종함으로써 '좋은 결과'가 산출되기 때문에 '내'가 복종한다는 논리가 포함되어 있다.

의무론적 정당화 논리의 대표적인 것은 동의론이다. '내'가 동의했기 때문에 동의한 바를 이행한다는 차원에서 국가에 대한 복종의 의무를 정당화하고자 하며, 약속을 지킬 의무에서 그 규범성을 엿볼 수 있다. ……

결과론적 정당화의 핵심이라면 국가 권위가 사람들에게 혜택을 제공한다는 사실이다. 수단적인 국가의 혜택이라면 어떤 것이 있을까?

첫째, 집단 선택에 관한 문제를 전담하는 국가 기구가 없다면 일반 시민들로서는 생업에 종사하기가 어려울 것이라는 점이다. 둘째, 사회적 조정 상황에 관한 문제의 해결 기제로 국가의 권위가 요구된다는 점이다. 셋째, 공공재 문제에 대한 해결의 필요성이야말로 논리적으로 저항하기 어려운 국가의 존재 이유가 아닐 수 없다.

◎ **자료 분석** 국가의 권위에 복종해야 하는 근거를 크게 의무론적 입장과 결과론적 입장으로 나누어 볼 수 있다. 의무론적 입장에 따르면, 약속은 반드시 지켜야 하듯이, 국가와 국민 간 자발적 동의를 통해 계약을 맺었다면 그 계약을 지켜야 한다. 결과론적 입장에 따르면, 국가가 주는 이익과 혜택에서 복종의 근거를 찾으며, 국가가 더 이상 국민에게 이익과 혜택을 주지 못한다면 복종의 근거도 사라지게 된다.

뜯어보기 포인트
국가에 대한 시민의 복종 근거로 의무론적 입장과 결과론적 입장을 구분하여 기억하자.

Q2 의무론에서 제시하는 국가에 대한 복종 근거로 옳은 것은?

① 약속을 지켜야 한다.
② 결과를 따져 보아야 한다.
③ 이익을 주는가를 살펴야 한다.
④ 국가가 주는 편리성을 살펴야 한다.
⑤ '최대 다수의 최대 행복'을 따져야 한다.

目 Q1 ① / Q2 ①

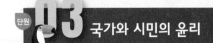
2 민주 시민의 참여와 시민 불복종

1. 민주주의 사회에서 시민 참여의 가치

(1) 참여의 두 가지 의미

① 자유: 참여의 권리와 자격 → 공동체의 의사 결정에 적극적으로 참여하는 것

② 평등: 어느 누구도 공동체의 의사 결정에서 배제되어서는 안 된다는 것

(2) 정치 참여❸의 필요성

① 국가의 권력 남용을 견제함.

② 공동체의 문제를 협력적으로 해결하여 더 좋은 민주주의를 실현하는 토대가 됨.

(3) 민주주의에서 참여의 의의

본래적 가치	스스로에 대한 자부심, 귀속감 등을 통해 사회적 정체성을 갖게 함.
자기 개발 가치	사고의 폭을 확대하고 새로운 가치 체계, 태도, 기술 등을 습득하며 자아 성숙의 계기가 됨.(= 교육적 가치)
도구적 가치	사회 구성원의 이익을 보호하고 민주주의 발전을 심화하는 수단으로 기능함.(= 공리주의적 가치)

2. 시민 불복종의 조건 및 정당성

(1) 시민 불복종❹ 개인의 기본권을 침해하는 정의롭지 못한 법과 정책을 변화시키려는 목적을 가지고 의도적으로 법을 위반하는 행위

(2) 시민 불복종의 정당화 조건

공공성	사적 이익 추구가 아니라 사회 정의 실현 등 공익을 목적으로 삼는 양심적 행동이어야 함.
공개성	불복종의 정당성 등을 널리 알리기 위해 공개적으로 이루어져야 함.
비폭력적 방법	불의한 법과 정책에 대해 폭력적으로 대응하거나 이를 선동해서는 안 됨.
최후의 수단	합법적인 방법과 절차로 개선의 효과가 없을 때 마지막 수단으로 사용해야 함.
처벌 감수	시민 불복종은 정의롭지 못한 법과 정책을 바로잡고자 하므로 그로 인한 체포나 처벌을 감수함.

(3) 시민 불복종의 정당화 근거

① 소로❺: 개인의 양심 [자료 3]

② 드워킨: 헌법 정신에의 부합 여부

③ 싱어: 공리주의 원칙(시민 불복종이 가져올 유용성에 근거하여 불복종 운동이 정당화될 수 있다고 주장)

④ 롤스: 사회적 다수가 공유하는 정의관의 부합 여부(롤스는 법의 충실성의 한계 내에서 이루어지는 시민 불복종을 주장) [자료 4]

(4) 시민 불복종의 문제점

① 시민들의 준법 의식을 약화시킬 수 있음.

② 국가와 사회의 존립을 위협할 수 있음.

③ 시민 불복종 운동 주체의 대표성 문제가 발생할 수 있음.

④ 감정을 자극하여 시민을 선동할 위험성이 있음.

---

❸ 시민의 정치 참여 방법
시민의 정치 참여는 선거를 통해 의사 결정의 지위를 가진 공직자를 선출하는 것뿐만 아니라 주민 청원, 집회나 서명 운동, 시민 단체 활동 등 여러 가지 형태로 나타남.

❹ 대표적인 시민 불복종 운동
마하트마 간디의 '소금 행진'이 있음. 간디는 영국이 식민지 인도에서 소금의 생산과 판매를 통제하고 과도한 세금을 부과하자, 이에 대한 저항으로 행진을 함.

❺ 소로(Thoreau, H. D., 1817~1862)
미국의 사상가·수필가. 시민의 자유를 열렬히 옹호하였으며, '시민 불복종'이라는 용어는 소로의 논문에서 도입되었음.

자료 3 소로의 시민 불복종

- 우리는 먼저 인간이어야 하고, 그 다음에 국민이어야 한다고 나는 생각한다. 법에 대한 존경심보다는 먼저 정의에 대한 존경심을 기르는 것이 바람직하다. 내가 떠맡을 권리가 있는 나의 유일한 책무는, 어떤 때라도 내가 옳다고 생각하는 일을 행하는 일이다
- 사람 하나라도 부당하게 가두는 정부 밑에서 의로운 사람이 진정 있을 곳은 감옥이다.
- 만약 불의가 정부라는 기계의 필수 불가결한 마찰의 일부분이라면 그냥 내버려 두라. …… 그러나 이 불의가 당신으로 하여금 다른 사람에게 불의를 행하는 하수인이 되라고 요구한다면, 분명히 말하는데, 그 법을 어기라. 당신의 생명으로 하여금 그 기계를 멈추는 역마찰이 되도록 하라.

– 헨리 데이빗 소로, "시민의 불복종" –

◎ **자료 분석** 소로는 개인의 양심에 근거하여 국가의 권위에 불복종할 수 있다고 보았다. 그는 당시 노예제를 지원하는 정부에 저항하여 납세를 거부하여 감옥에 갇히게 되었다. '시민 불복종'이라는 용어를 처음 사용한 소로의 사상과 행동은 이후 시민들의 정치 참여와 불의한 법과 정책에 대한 불복종 운동에 대한 큰 시사점을 주었다.

뜯어보기 포인트

소로가 제시한 시민 불복종의 정당화 근거를 이해하고, 시민의 정치 참여가 갖는 의미를 정리하자.

Q3 소로가 시민 불복종의 근거로 제시한 것은?

① 양심
② 사익
③ 헌법
④ 쾌락의 증진
⑤ 다수의 정의감

자료 4 롤스가 제시하는 시민 불복종의 정당화 조건

나는 우선 시민 불복종을 흔히 법이나 정부의 정책에 변혁을 가져올 목적으로 행해지는, 공공적이고 비폭력적이며 양심적이기는 하지만 법에 반하는 정치적 행위라고 정의하고자 한다. 이러한 행위를 통해서 우리는 공동 사회의 다수자가 갖는 정의감을 나타내게 되고, 우리의 신중한 견지에서 볼 때, 자유롭고 평등한 사람들 사이에서 사회 협동체의 원칙이 존중되지 않고 있음을 선언하게 된다. …… 시민 불복종은 그것이 정치권력을 쥐고 있는 다수자에게 제시된다는 의미에서뿐만 아니라 그것이 정치적 원칙, 즉 헌법과 사회 제도 일반을 규제하는 정의의 원칙들에 의해 지도되고 정당화되는 행위라는 의미에서 정치적 행위라는 점을 주목해야 한다. …… 시민 불복종은 비록 법의 바깥 경계선에 있는 것이기는 하지만, 법에 대한 충실성의 한계 내에서 법에 불복종을 나타내고 있다. 그 법을 어기기는 하지만, 법에 대한 충실성은 그 행위의 공공적이고 비폭력적인 성격과 그 행위의 법적인 결과들을 받아들이겠다는 의지에 의해 표현된다.

– 존 롤스, "정의론" –

◎ **자료 분석** 롤스는 법의 충실성의 한계 내에서 정의롭지 못한 법과 정책에 대한 시민들의 불복종을 인정하였다. 그는 시민 불복종의 정당화 조건으로 공공성, 공개성, 비폭력적 방법, 최후의 수단, 처벌 감수 등을 제시하였다. 또한 롤스는 사회적 다수가 공유하는 정의관에 어긋나는, 특히 오랜 기간 동안 심각하게 정의의 원칙을 위배하는 법과 정책에 대한 불복종을 인정하였다.

뜯어보기 포인트

롤스가 제시한 시민 불복종의 정당화 조건을 기억하고, 각 조건들이 갖는 의미를 정리하자.

Q4 롤스가 제시한 시민 불복종의 정당화 조건으로 옳지 <u>않은</u> 것은?

① 공공성
② 비공개성
③ 처벌의 감수
④ 최후의 수단
⑤ 비폭력적 방법

답 Q3 ① / Q4 ②

01 다음 빈칸에 들어갈 알맞은 말을 쓰시오.

(1) 동양의 유교에서는 국가를 가족 공동체 의식을 바탕으로 한 정치 공동체로 보았으며, 백성의 국가에 대한 충성을 (　　　)의 확장으로 보았다.

(2) 서양의 사회 계약설에 따르면 국가는 각 개인들이 자신의 기본권을 보장받기 위해 자발적인 (　　　)와(과) 동의로써 만든 인위적 산물이다.

(3) 아리스토텔레스는 (　　　)을(를) 가장 높은 단계의 선(善)을 추구하는 최상의 공동체로 보았으며, (　　　)에 복종하는 것은 본성에 부합하는 자연스러운 것으로 보았다.

(4) 롤스는 국가는 시민의 권리를 보호하고 행복을 증진하며, 공동선과 정의와 같은 도덕적 선을 실현하는 데 기여하기 때문에 시민이 국가에 복종하는 것은 (　　　)(이)라고 보았다.

02 다음 내용이 맞으면 ○표, 틀리면 ×표를 하시오.

(1) 국가는 시민의 생명과 재산, 인권을 보호해야 하는 소극적 의무만 가지고 있다. (　　　)

(2) 국가가 제 의무를 다하지 못한 채 시민의 의무와 복종만을 강요한다면 전체주의에 빠질 수 있다. (　　　)

(3) 시민은 국가 안에서 일정한 권리를 보장받으며, 동시에 다양한 의무를 요구받게 된다. (　　　)

(4) 시민은 국가가 요구하는 납세, 국방, 교육, 근로의 의무 등을 성실하게 이행해야 한다. (　　　)

(5) 우리는 인간다운 삶을 영위하는 데 필요한 조건을 요구할 수 있는 평등권을 가진다. (　　　)

03 개인의 기본권을 침해하는 정의롭지 못한 법이나 정책을 변화시키려는 목적을 가지고 의도적으로 법을 위반하는 행위를 무엇이라고 하는지 쓰시오.

04 빈칸 ㉠~㉢에 들어갈 알맞은 말을 각각 쓰시오.

소로가 개인의 양심을 근거로 시민 불복종을 정당화했다면, 드워킨은 해당 법이 (　㉠　)에 부합하는가를, 롤스는 사회적 다수가 공유하는 (　㉡　)에 부합하는가를, 싱어는 (　㉢　)의 원칙에 입각하여 시민 불복종 운동을 정당화한다.

05 표는 시민 불복종의 정당화 조건이다. 빈칸 ㉠~㉢에 들어갈 말을 각각 쓰시오.

공공성	사회 정의 실현 등 (　㉠　)을(를) 목적으로 삼는 양심적 행동이어야 함.
(　㉡　)	불복종의 정당성 등을 널리 알리기 위해 공개적으로 이루어져야 함.
비폭력적 방법	불의한 법과 정책에 대해 폭력적으로 대응하거나 선동해서는 안 됨.
최후의 수단	합법적인 방법과 절차로 개선의 효과가 없을 때 마지막 수단으로 사용해야 함.
(　㉢　)	시민 불복종 행위로 인해 예상되는 체포나 처벌을 감수함.

정답과 해설 · 217쪽

01 국가의 권위 및 시민의 권리에 관한 설명으로 옳지 <u>않은</u> 것은?

① 유교에서는 국가에 대한 충성을 부모에 대한 효의 확장으로 본다.

② 시민은 국가의 권위에 복종할 뿐 자신들의 권리에 대해 요구할 권리가 없다.

③ 사회 계약설에서는 국가를 각 개인들의 자발적 동의를 통해 만든 인위적 산물로 본다.

④ 국가가 국가의 권위만을 강조하고 시민의 의무와 복종만을 강요한다면 전체주의에 빠질 수 있다.

⑤ 시민들이 자신의 권리만을 강조하고 국가에 대한 의무를 외면할 경우 국가의 존립 자체가 위협받는다.

02 다음을 주장한 사상가의 입장으로 옳은 것은?

> 정부의 시민이 되는 것은 오직 자신의 동의에 근거한다. 비교적 평화로운 자연 상태를 떠나 시민이 되려는 것은 자신의 생명, 자유, 재산의 보존을 위해서이다.

① 시민의 정부에 대한 저항권은 인정될 수 없다.

② 시민의 권리는 어떤 이유로도 정부에 위임될 수 없다.

③ 시민의 명시적 동의만이 국가에 대한 시민의 복종 근거가 될 수 있다.

④ 국가에 대한 복종의 의무는 시민들의 자발적인 동의를 통해 이루어진다.

⑤ 국가는 절대선(善)으로 시민은 국가 안에서만 삶의 궁극적인 목적을 실현할 수 있다.

03 갑이 을에게 제기할 반론으로 적절한 것은?

> 갑: 국가는 인간의 본성에 따라 자연스럽게 형성된 산물이며 국가에 복종해야 하는 것 또한 본성에 부합하는 자연스러운 것이다.
>
> 을: 국민이 국가로부터 혜택을 받았고 그 혜택을 계속 누리기를 원한다면 국가의 권위에 복종해야 한다.

① 국가가 최상의 공동체일까요?

② 인간의 본성을 정확하게 정의내릴 수 있을까요?

③ 시민과 국가 간의 동의가 실제로 이루어질까요?

④ 복잡한 현대 국가를 본성만으로 설명 가능할까요?

⑤ 국가와 시민 간의 관계가 지나치게 이해타산적으로 흐르지 않을까요?

04 다음은 헌법 조항 중 일부이다. 이를 통해 알 수 있는 국가의 의무에 대한 설명으로 옳은 것은?

> 제10조 모든 국민은 인간으로서의 존엄과 가치를 가지며 행복을 추구할 권리를 가진다. 국가는 개인이 가지는 불가침의 기본적 인권을 확인하고 이를 보장할 의무를 진다.
>
> 제34조 국가는 사회 보장·사회 복지 증진에 노력할 의무를 진다.
>
> 제123조 ②항 국가는 지역 간의 균형 있는 발전을 위하여 지역 경제를 육성할 의무를 진다.

① 국가는 그 자체로 최고 선의 가치를 지니고 있다.

② 국가의 의무와 시민의 권리는 서로 관련성이 없다.

③ 국가는 시민들의 삶에 어떤 형태의 간섭도 해서는 안 된다.

④ 시민의 동의에 의해 성립된 국가는 시민에 대한 어떤 의무도 지지 않는다.

⑤ 국가가 정당한 권위를 행사하기 위해서는 시민에 대한 의무를 다해야 한다.

05 시민이 보장받아야 할 권리에 대한 설명으로 옳지 <u>않은</u> 것은?

① 자유권: 자유롭게 생각을 표현할 수 있는 권리
② 청구권: 개인의 의사에 따라 자유롭게 선택할 수 있는 권리
③ 참정권: 국가의 정책이나 정치에 직간접적으로 시민이 참여할 수 있는 권리
④ 사회권: 인간다운 삶을 영위하는 데 필요한 조건을 국가에 요구할 수 있는 권리
⑤ 평등권: 모든 국민은 법 앞에 평등하고, 성별, 종교 등에 상관없이 차별받지 않을 권리

06 다음 제도에 담긴 민주주의의 가치로 적절한 것은?

> 주민이 지방 자치 단체의 장 및 지방 의회 의원을 소환할 권리를 주민 소환권이라고 하는데, 주민 소환 제도는 지방 자치 단체의 장 및 지방 의회 의원의 위법·부당한 행위, 직권 남용 등의 통제와 지방 자치에 관한 주민의 직접 참여의 확대 및 지방 행정의 민주성·책임성의 제고를 목적으로 한다.

① 국방의 의무에 충실해야 하는 애국 정신
② 자신의 역할에 최선을 다하는 직업 정신
③ 사회적 약자를 보호하기 위한 나눔 봉사
④ 시민들의 자발적이고 적극적인 정치 참여
⑤ 공동체 질서 유지를 위한 철저한 준법정신

07 다음을 주장한 사상가가 강조하는 내용으로 옳은 것은?

> 우리 모두는 인간이어야 하고, 그 다음 국민이어야 한다. 법에 대한 존경심보다는 먼저 정의에 대한 존경심을 지니는 것이 바람직하다. 불의가 당신으로 하여금 불의를 행하는 하수인이 되라고 요구한다면 그 법을 어겨라.

① 국가의 법 체계에 대한 복종
② 사회적 약자를 배려하는 우대 정책
③ 불의한 법에 저항하는 시민 불복종
④ 인간을 존엄하게 여기는 생명 존중 정신
⑤ 모든 사람을 평등하게 여기는 공동체 의식

08 다음을 주장한 사상가가 제시하는 시민 불복종의 정당화 조건으로 옳은 것을 |보기|에서 고른 것은?

> 법은 정의에 기초할 때 정당한 것이다. 법의 부정의가 심각할 때는 그것이 아무리 정당한 절차에 의해 만들어졌다 할지라도 여기에 불복종할 권리를 갖게 된다.

| 보기 |
ㄱ. 사회 정의 실현 등 공익을 목적으로 삼아야 한다.
ㄴ. 위법 행위이므로 공개적이 아니라 은밀하게 이루어져야 한다.
ㄷ. 불의한 법을 개선하기 위해서는 폭력적인 방법도 사용 가능하다.
ㄹ. 합법적인 절차를 따랐지만 효과가 없을 때 마지막 수단으로 사용해야 한다.

① ㄱ, ㄴ　　② ㄱ, ㄹ　　③ ㄴ, ㄷ
④ ㄴ, ㄹ　　⑤ ㄷ, ㄹ

09 민주주의에서 참여의 의의로 옳은 것만을 |보기|에서 있는 대로 고른 것은?

| 보기 |
ㄱ. 소수 엘리트에 의한 다수의 지배를 통해 효율적인 통치가 실현될 수 있다.
ㄴ. 사회 구성원 스스로의 이익을 보호하고 사회의 민주주의 발전을 심화할 수 있다.
ㄷ. 참여 과정에서 사고의 폭이 넓어지고 새로운 가치 체계, 기술 등을 배워 자아가 성숙해진다.
ㄹ. 소외로부터 벗어나 스스로에 대한 자부심과 귀속감을 느끼는 사회적 정체성을 형성할 수 있다.

① ㄱ, ㄴ　　② ㄴ, ㄷ　　③ ㄷ, ㄹ
④ ㄱ, ㄴ, ㄹ　　⑤ ㄴ, ㄷ, ㄹ

주관식

01 로크와 홉스 등 사회 계약론자들은 국가 권위의 근거를 시민의 자발적 동의와 계약에 둔다. 이러한 계약을 맺게 된 근거를 쓰시오.

_____

주관식

02 다음 글의 빈칸에 공통적으로 들어갈 말을 쓰시오.

> 로크는 사회 계약과 관련하여 '우리가 직접 동의를 한 적이 있는가?'라는 질문에 명시적 동의와 (   ) 을(를) 구분하여 설명한다. 즉, 영토를 소유하고 혜택 을 향유하는 사람은 이미 (   )을(를) 한 것으 로 간주하며, 그 향유가 지속되는 동안 그 정부하에 있는 사람들과 같은 정도로 정부의 법률에 복종해야 할 의무를 가진다고 보았다.

_____

서술형

03 국가의 소극적 의무와 적극적 의무를 각각 서술하시오.

(1) 소극적 의무: _____

_____

(2) 적극적 의무: _____

_____

서술형

04 시민 불복종의 의의와 그 문제점을 서술하시오.

(1) 시민 불복종의 의의: _____

_____

(2) 문제점: _____

서술형

05 다음의 시민 불복종에 관한 어떤 사상가의 주장이다. 밑 줄 친 부분의 근거를 서술하시오.

> 어느 정도 민주적이고 정의로운 사회에서 국가의 법 이나 제도, 정책 등의 일부가 다수 구성원이 생각하 는 정의의 기준을 심하게 침해할 경우, 이를 개선하 기 위해 시민이 불복종할 권리가 있다. 그는 국가가 불복종 행위에 대해 처벌하고자 할 때 이를 감수해야 된다고 보았다.

_____

_____

서술형

06 롤스가 제시한 시민 불복종의 정당화 조건을 세 가지 이 상 서술하시오.

_____

_____

서술형

07 민주주의에 있어 참여는 사회 구성원 스스로의 이익을 보호하는 도구적 가치를 지니고 있다. 도구적 가치로서 의 참여가 가질 수 있는 문제점을 두 가지 서술하시오.

_____

_____

01 직업의 의의에 대한 설명으로 옳지 <u>않은</u> 것은?

① 직업은 생계를 유지하기 위한 활동이다.
② 직업은 사회적 공헌의 수단이 되기도 한다.
③ 직업은 자아실현을 가능하게 하는 능동적 활동이다.
④ 맹자는 기본적인 생계가 유지되어야만 도덕적 마음을 유지할 수 있다고 주장하였다.
⑤ 마르크스는 분업을 통해 잠재력을 계발하고 생산의 효율성을 증대하는 노동을 강조하였다.

02 다음 글에 나타난 직업의 바람직한 자세로 옳은 것은?

> 인간은 구원을 예정해 놓은 신의 부르심(召命: Calling)에 노동을 통해 응답해야 한다. 왜냐하면 신은 여러 가지 삶의 양식들을 구분해 놓음으로써 각 개인이 해야 할 일을 정해 두었기 때문이다.

① 인간을 소중히 여기는 인간애
② 타인과 더불어 살아가는 공동체 의식
③ 자신의 이익을 극대화하는 경쟁 의식
④ 자신의 직업을 천직으로 생각하는 소명 의식
⑤ 인간과 자연의 조화를 추구하는 생태 중심적 사고

03 신문 기사에서 강조하는 직업 생활에 보편적으로 필요한 바람직한 태도로 적절한 것은?

> ○○ 신문　○○○○년 ○○월 ○○일
>
> ○○○선생님은 가야금, 거문고, 해금, 아쟁, 양금 등 전통 현악기를 만드는 현악기 장인입니다. 올해는 그가 현악기를 만들기 시작한 지 47년이 되는 해입니다. 하지만 지금도 선생님은 국악 공연을 빠짐없이 찾아다니며 보고 듣고 공부합니다. 이것이 좋은 소리를 만들기 위한 가장 좋은 방법이라고 생각하기 때문입니다.

① 양심　　② 인간애　　③ 전문성
④ 연대　　⑤ 소명 의식

04 다음을 주장한 사상가가 강조하는 직업의 의미로 옳은 것은?

> 고정적인 생업(恒産)이 없으면서도 항상적인 마음(恒心)을 지니는 것은 오직 선비만이 할 수 있습니다. 일반 백성의 경우는 고정적인 생업이 없으면 그로 인해 항상적인 마음도 없어집니다. 만일 항상적인 마음이 없으면 방탕하고 편벽되고 간사하고 사치스러운 행위를 하지 않을 수 없을 것입니다.

① 생계유지　　　　② 자아실현
③ 사회 분업　　　　④ 사회 참여
⑤ 국익 증대

05 을이 갑에게 제기할 수 있는 비판으로 가장 적절한 것은?

> 갑: 자유 경쟁 체제하에서 정해진 규칙을 지키면서 기업 활동을 하는 한 기업이 사회에 대해 책임져야 할 유일한 것은 기업 자원을 활용해 수익을 올리는 것이다.
> 을: 기업은 법의 테두리 내에서의 경영을 통한 재무적 성과에 대한 책임만이 아니라 인권, 환경 등의 개선에 대해서도 사회적 책임을 다해야 한다. 이것은 장기적으로 볼 때 공익 증진뿐만 아니라 기업의 이익 증대에 기여할 수 있기 때문이다.

① 기업의 목적은 이윤 추구입니다.
② 기업은 법을 준수하면서 경쟁력을 키워야 합니다.
③ 기업은 사회적 책임을 져야 하는 적극적 의무를 가지고 있습니다.
④ 기업의 자율성은 사회 발전을 저해하기 때문에 정부의 통제를 강화해야 합니다.
⑤ 기업에게 사회적 책임을 강요하는 것은 기업의 자유로운 경영권을 침해하는 것입니다.

06 전문직과 공직자 윤리에 대한 설명으로 옳은 것을 |보기|에서 고른 것은?

┌─ 보기 ┐
ㄱ. 전문직 종사자에게는 자율성만큼 높은 수준의 책무성이 요구된다.
ㄴ. 전문직 종사자가 가진 전문성의 수준과 윤리 의식은 비례한다.
ㄷ. 공직자는 공공의 안녕과 복리를 위해 청렴한 태도가 필요하다.
ㄹ. 공직자는 국민의 대리인으로서 독점적 정보를 활용해 사익을 추구할 수 있다.
└──────┘

① ㄱ, ㄴ   ② ㄱ, ㄷ   ③ ㄴ, ㄷ
④ ㄴ, ㄹ   ⑤ ㄷ, ㄹ

07 다음을 주장한 사상가의 입장으로 옳은 것은?

┌──────┐
청렴은 목민관이 마땅히 지켜야 할 임무이며 모든 덕(德)의 원천이다. 청렴한 자는 청렴을 편안히 여기고 지혜로운 자도 이를 이롭게 여긴다. 그러므로 지혜로운 선비는 청렴을 자신의 몸과 마음의 보배로 삼는다.
└──────┘

① 공직자는 공(公)보다 사(私)를 우선시해야 한다.
② 공직자는 봉공의 정신으로 이윤을 추구해야 한다.
③ 공직자는 업무의 성과를 높이기 위해 노력해야 한다.
④ 공직자는 혈연과 지연에 의지해 업무를 수행해야 한다.
⑤ 공직자는 자신의 본분에 맞는 절제의 자세가 필요하다.

08 밑줄 친 ㉠에 들어갈 말로 적절한 것은?

┌──────┐
개인은 타인의 이익을 존중할 수 있다는 점에서 도덕적이지만, 사회는 이기심을 합리적으로 통제하기 어려우므로 비도덕적이다. 따라서 사회 갈등을 해결하기 위해서는 _____㉠_____
└──────┘

① 사회 구조, 법과 정책의 개선이 필요하다.
② 집단 간 힘의 불균형 상태를 유지해야 한다.
③ 소유권에 있어서의 절차적 정의를 실현해야 한다.
④ 형평성보다 경제적 효율성에 관심을 가져야 한다.
⑤ 제도적 접근보다 사회 구성원의 도덕적 완성에 초점을 두어야 한다.

09 갑과 을이 〈사례〉 속 'A 국가'의 정책에 대해 취할 적절한 입장을 |보기|에서 고른 것은?

┌──────┐
갑: 사회 · 경제적 불평등은 차등의 원칙과 기회 균등의 원칙을 충족시킬 때에만 정당화된다.
을: 개인은 자신에 대한 완전한 소유권을 지니므로 재화의 분배는 전적으로 개인의 자유에 위임해야 한다.

〈사례〉
상속세는 사망으로 재산이 가족이나 친족에게 무상으로 이전되는 경우에 해당 재산에 대하여 부과되는 세금으로, A 국가는 내년부터 상속세를 대폭 확대 시행하기로 하였다.
└──────┘

┌─ 보기 ┐
ㄱ. 갑은 평등한 자유의 원칙에 따라 정책을 반대할 것이다.
ㄴ. 갑은 선천적 우연성을 사회의 공동 재산으로 여기므로 정책을 찬성할 것이다.
ㄷ. 을은 국가가 개인의 재산권을 침해하므로 정책을 반대할 것이다.
ㄹ. 갑은 공정한 절차를, 을은 취득과 양도 과정의 절차를 강조하므로 을만 찬성할 것이다.
└──────┘

① ㄱ, ㄴ   ② ㄱ, ㄷ   ③ ㄱ, ㄹ
④ ㄴ, ㄷ   ⑤ ㄷ, ㄹ

10 교정적 정의에 대한 설명으로 옳지 않은 것은?

① 칸트는 형벌을 범죄 예방과 교화의 수단으로 보았다.
② 범죄의 심각성에 비례하여 그에 합당한 처벌을 내리는 것이다.
③ 사회 질서를 유지하기 위해 국가 권력에 의해 만들어진 법적 정의와 관련되어 있다.
④ 공리주의 입장에서는 범죄 억지력 및 예방을 고려하여 처벌의 수준을 정해야 한다고 본다.
⑤ 벤담은 처벌로 얻은 선한 결과가 처벌로 발생하는 악보다 더 클 때에만 처벌이 정당화될 수 있다고 본다.

11 다음을 주장한 고대 서양 사상가의 입장으로 옳은 것은?

> 정의는 합법적이며 공정한 것을 의미한다. 특수한 정의는 자신에게 주어진 몫보다 많은 몫을 갖지 않는 것으로, 하나는 분배에 관련된 것이고, 다른 하나는 처벌과 보상, 그리고 거래에 관련된 것이다.

① 분배의 대상을 권력, 명예가 아닌 재화에 한정해야 한다.
② 공동선을 장려하는 통치자에게 복종하는 것이 일반적 정의이다.
③ 정의로운 분배는 각자에게 각자의 몫이 공정하게 주어지는 것이다.
④ 타인이 아니라 사회에 미친 피해에 대해서는 해악을 넘어서는 처벌을 해야 한다.
⑤ 교정적 정의는 공리의 원칙에, 분배적 정의는 기하학적 비례의 원칙에 따라야 한다.

12 (가) 상황에 대한 (나)의 갑~정의 반론으로 옳은 것은?

(가)	학급에 빵 30개가 선물로 들어왔다. 학급 친구들은 누구에게 얼마만큼의 빵을 주는 것이 정의로운가에 대해 논의를 벌였지만, 그 합의가 쉽지 않았다.	
(나)	갑: 모두에게 똑같이 빵을 나누어 주자. 을: 더 필요한 사람에게 더 많이 주자. 병: 능력이 뛰어난 사람이 더 많이 가져가야 해. 정: 학급에 많은 기여를 한 사람에게 더 주자.	

	~이	~에게	반론 내용
①	갑	을	사회적 약자를 배려해 주지 못하는 문제가 생겨.
②	을	갑	한정된 재화로 모두의 필요를 충족시키는 것은 불가능해.
③	을	정	경제적 효율성과 노동 의욕을 저하시킬 것 같아.
④	병	을	과열 경쟁으로 인해 분배의 불평등이 심화될 거야.
⑤	정	병	개인의 노력과 상관없는 우연적·선천적 능력은 배제해야 해.

13 갑이 을에게 제기할 비판으로 가장 적절한 것은?

갑	개인들은 원초적 상황에서 합리적 선택을 통해 공정으로서의 정의관에 기초한 원칙들을 합의하게 된다. 이 원칙들은 사회 기본 구조의 원리가 된다.
을	최초의 정당한 취득 행위에 이어 자발적인 교환 행위로 재산의 정당한 이전(移轉)이 잇따르게 된다면, 사람들이 정확히 자신의 것만을 소유하게 되는 정당한 결과가 나온다.

① 절차가 공정하면 결과도 공정한 것입니다.
② 부의 재분배보다 개인의 자유 보장이 더 중요합니다.
③ 세금의 강제 징수는 강제 노동을 시키는 것과 같습니다.
④ 국가는 시민의 안전 보호 등 최소한의 역할만 해야 합니다.
⑤ 국가는 사회적 약자를 고려하는 복지 정책을 실시해야 합니다.

14 밑줄 친 ㉠의 찬성 근거만을 |보기|에서 있는 대로 고른 것은?

> 미국은 반세기 전인 1961년부터 대학 입시에서 ㉠소수계 우대 정책(Affirmative Action)을 시행하고 있다. 이 제도는 한마디로 흑인과 라틴계 미국인에게 대학 입학의 우선권을 주는 것이다. 미국 최초의 흑인 퍼스트 레이디 미셸 오바마가 대표적인 수혜자로 꼽히고 있다. 이런 미국의 소수계 우대 정책이 지금 도마에 올라 있다. 성적이 상대적으로 우수한 아시안이 대학 입시에서 흑인, 라티노뿐만 아니라 백인에 비해 역차별을 받고 있기 때문이다. 백인인 애비게일 피셔는 2012년 소수계 우대 정책으로 역차별을 받았다며 오스틴 텍사스 대학을 상대로 소송을 냈다.

| 보기 |
ㄱ. 과거의 차별에 대해 보상해 주어야 한다.
ㄴ. 개인의 가치와 업적에 비례하여 분배해야 한다.
ㄷ. 기회 균등에 있어 형식적 평등을 구현해야 한다.
ㄹ. 다양성의 확보로 사회 전체 이익을 증진해야 한다.

① ㄱ, ㄴ   ② ㄱ, ㄹ   ③ ㄴ, ㄷ
④ ㄱ, ㄷ, ㄹ   ⑤ ㄴ, ㄷ, ㄹ

15 다음 대화의 쟁점으로 가장 적절한 것은?

> 갑: 다가올 우리 사회의 다양한 도덕 문제들은 저출산과 관련되어 있어.
> 을: 맞아. 그래서 저출산을 해결하기 위한 다양한 노력들이 필요하지. 나는 국가가 출산 장려금 및 양육 보조금 등을 통해 재정적 지원을 하면 좋겠어.
> 갑: 저출산의 해결 방안으로 그건 문제가 있다고 봐. 출산과 양육은 개인의 자유로운 선택권이잖아. 국가가 금전적 혜택으로 개입할 수 없는 영역이지.

① 저출산보다 고령화 문제가 더 선결 과제인가?
② 저출산을 해결하기 위한 다양한 노력이 필요한가?
③ 정부가 사적 영역인 출산과 양육에 개입해도 좋은가?
④ 저출산으로 인해 다양한 사회 문제가 발생할 것인가?
⑤ 출산과 관련되어 정부는 어떤 정책도 추진해서는 안 되는가?

16 시민 불복종에 대한 설명으로 옳지 <u>않은</u> 것은?

① 의도적인 위법 행위이다.
② 싱어는 공리의 원칙에 근거하여 불복종을 인정하였다.
③ 드워킨은 헌법 정신에 근거하여 불복종을 정당화하였다.
④ 롤스는 정의의 원칙보다 법을 더 상위의 가치로 보았다.
⑤ 롤스는 시민 불복종에 있어 변화 및 실현 가능성을 강조하였다.

17 갑, 을 사상가의 공통점에 대한 설명으로 옳은 것은?

갑	어느 누가 자기 생명을 박탈할 권리를 타인에게 위임하였겠는가? 사형은 하나의 권리가 아니고 또 권리일 수도 없다. 사형은 한 국민에 대하여 국가가 이 국민의 생명을 파멸시키는 선전 포고이다.
을	사회 계약의 목적은 계약자의 생명 보존에 있다. 이를 위해 각자는 모든 것을 공동체에 양도함으로써 일반 의지의 감독하에 둔다. 살인을 저질러 계약을 위반한 자는 공공의 적으로 간주되어야 한다.

① 인간 존엄성 측면에서 사형을 찬성한다.
② 사회적 유용성을 고려하여 사형을 반대한다.
③ 구성원의 안전을 위해 사형을 필요악으로 본다.
④ 형벌의 지속성보다 강도의 효과가 크다고 본다.
⑤ 사회 계약론적 입장에서 사형의 존폐 여부를 논한다.

18 밑줄 친 ㉠의 문제점을 |보기|에서 고른 것은?

> 민주주의에서 참여의 의의로는 사회적 정체성을 가지는 본래적 가치, 자아가 성숙해지는 자기 개발 가치, ㉠사회 구성원 스스로의 이익을 지키는 도구적 가치 등이 있다.

┤ 보기 ├
ㄱ. 다수의 참여가 잘못된 결과를 초래할 수 있다.
ㄴ. 결과만을 향유하려는 무임승차의 문제가 나타난다.
ㄷ. 정책의 일관성과 정치 지도자의 신뢰를 높일 수 있다.
ㄹ. 의사 결정을 신속하게 할 수 있는 효율성을 높일 수 있다.

① ㄱ, ㄴ ② ㄱ, ㄷ ③ ㄱ, ㄹ
④ ㄴ, ㄷ ⑤ ㄷ, ㄹ

19 갑~병이 제시할 국가에 대한 정치적 의무의 도덕적 근거를 바르게 연결한 것은?

> 교사: 왜 우리는 국가에 대한 정치적 의무를 져야 할까요?
> 갑: 인간은 국가 안에서만 자아실현이 가능하게끔 태어났으니까요.
> 을: 국가에 대한 의무는 타인에게 고통을 가하면 안 되는 것과 같은 마땅히 해야 할 의무입니다.
> 병: 국가가 우리에게 도로, 항만, 소방 등 각종 공공재를 제공해 줍니다.

	갑	을	병
①	인간의 본성	동의	자연적 의무
②	인간의 본성	자연적 의무	공공재·관행의 혜택
③	동의	인간의 본성	자연적 의무
④	동의	자연적 의무	공공재·관행의 혜택
⑤	자연적 의무	공공재·관행의 혜택	인간의 본성

: 2016 9월

01 ㉠에 들어갈 내용으로 가장 적절한 것은?

> 나는 기업의 사회적 책임은 오로지 법을 준수하면서 자유로운 경쟁에 전념하여 수익을 내는 것뿐이라고 생각한다. 사회를 향한 기업인의 선의가 사회에 반드시 좋은 결과를 가져오는 것은 아니기 때문이다. 그런데 어떤 학자는 "기업은 법의 테두리 내에서의 경영을 통한 재무적 성과에 대한 책임만이 아니라 인권, 환경 등의 개선에 대해서도 사회적 책임을 다해야 한다. 이것은 공익 증진을 위한 것뿐만 아니라, 기업이 보다 유리한 경쟁력을 갖게 되어 장기적으로 볼 때 기업의 목적인 이익 증대에 기여할 수 있기 때문이다."라고 주장한다. 나는 이 학자의 견해가 (㉠   )고 생각한다.

① 기업의 책임과 주주들의 이익 증진은 무관함을 강조하고 있다
② 기업의 이윤 추구와 공익이 양립될 수 없음을 강조하고 있다
③ 공동선의 추구는 기업의 사회적 책임이 아님을 간과하고 있다
④ 기업의 공익 활동이 기업 경쟁력 상실의 원인임을 강조하고 있다
⑤ 합법적인 경영이 합리적인 이윤 추구의 수단임을 간과하고 있다

출제 단원
01 직업과 청렴의 윤리

출제 개념
기업의 사회적 책임

풀이
제시문의 '나'는 기업의 목적을 법의 테두리 내에서 이윤 추구를 하는 것이라고 보는 입장이고, '어떤 학자'는 기업은 이윤 추구뿐만 아니라 사회적 책임을 다해야 한다는 입장이다. 특히 기업이 윤리 경영, 사회 공헌 등 사회적 책임을 다할 때 공익뿐만 아니라 기업의 장기적 이익을 증대하는 데에도 기여할 수 있다고 본다. 따라서 '나'는 '어떤 학자'에게 '공동선의 추구는 기업의 책임이 아니다.'라고 비판할 것이기 때문에 정답은 ③번이다.

: 2017 수능

02 (가)의 갑, 을, 병 사상가들의 입장을 (나) 그림으로 탐구할 때, A~D에 들어갈 옳은 질문만을 |보기|에서 있는 대로 고른 것은?

(가)	갑: 모든 형벌은 강도, 지속성, 보편성을 근거로 과도하지 않게 집행되어야 한다. 형벌의 가장 중요한 목적은 처벌을 본보기로 삼아 전체의 효용을 증진하는 것이다. 을: 모든 인간은 목적으로 대우받아야 한다. 사형은 살인범의 인간성을 훼손할 수 있는 모든 가혹 행위로부터 살인범의 인격을 존중하는 것이다. 병: 모든 사람들에게 살인범의 끝없는 비참한 상태를 보여 주는 것이 사형보다 범죄 예방에 더 효과적이다. 형벌의 강도보다 지속성이 사람들에게 더 큰 영향을 준다.
(나)	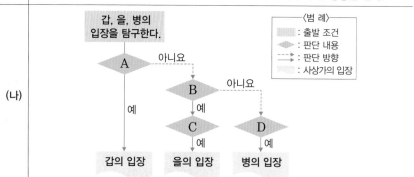

보기
ㄱ. A: 사회 전체의 이익보다 살인범의 생명권을 우선해야 하는가?
ㄴ. B: 사형은 범죄 억제 목적을 달성하기 위한 응보적 처벌인가?
ㄷ. C: 사형은 살인죄에 대한 동등성 원리에 부합하는 정당한 처벌인가?
ㄹ. D: 사형은 종신형에 비해 처벌의 사회적 효용이 낮은 형벌인가?

① ㄱ, ㄴ   ② ㄱ, ㄷ   ③ ㄷ, ㄹ   ④ ㄱ, ㄴ, ㄹ   ⑤ ㄴ, ㄷ, ㄹ

출제 단원
02. 사회 정의와 윤리

출제 개념
사형 제도에 관한 벤담, 칸트, 베카리아의 관점

풀이
갑은 벤담, 을은 칸트, 병은 베카리아이다. 칸트는 사형을 형벌 동등성의 원리에서 찬성하기 때문에 C의 질문에 '예', 베카리아는 종신형보다 사형의 사회적 효용이 낮다고 보기 때문에 D의 질문에 '예'라고 답할 것이다. 따라서 정답은 ③번이다.

오답 피하기
ㄱ. 벤담은 살인범의 생명권보다 사회 전체의 이익을 강조하기 때문에 A의 질문에 '아니요'라고 답할 것이다.
ㄴ. 칸트는 응보주의적 관점에서 범죄에 상응하는 처벌을 강조하며, 형벌은 범죄를 억제하는 목적의 수단이 될 수 없다고 보기 때문에 B의 질문에 '아니요'라고 답할 것이다.

03 갑, 을 사상가들의 입장에 대한 설명으로 옳은 것은?

> 갑: 법이나 정책은 원초적 입장에서 합의한 정의의 원칙을 위반해서는 안 된다. 시민 불복종은 제1원칙인 평등한 자유의 원칙이나 제2원칙 중 공정한 기회 균등의 원칙에 대한 현저한 위반에 국한되어야 한다.
>
> 을: 법에 대한 존경심보다는 먼저 정의에 대한 존경심을 길러야 한다. 법에 대한 존경심 때문에 선량한 사람조차도 불의의 하수인이 될 상황이라면 그 법을 어겨라. 양심에 따라 그 법에 저항하라.

① 갑은 불복종이 공개적으로 이루어질 필요가 없다고 본다.
② 갑은 불복종에 따른 처벌을 감수하는 것이 옳지 않다고 본다.
③ 을은 양심에 어긋나는 모든 법에 불복종해야 한다고 본다.
④ 을은 공동체의 정의감을 불복종 정당화의 최종 근거로 본다.
⑤ 갑, 을은 불복종을 정의의 실현을 위한 합법적 행위로 본다.

출제 단원
03. 국가와 시민의 윤리

출제 개념
롤스와 소로의 시민 불복종

풀이
제시문의 갑은 롤스, 을은 소로이다. 소로는 양심에 어긋나는 모든 법에 불복종해야 한다고 주장한다. 따라서 정답은 ③번이다.

오답 피하기
① 롤스에 따르면, 시민 불복종은 불복종의 정당성을 알리기 위해 공개적으로 이루어져야 한다. ② 롤스는 불복종이 법의 충실성의 한계 내에서 이루어져야 한다고 보기 때문에 불복종으로 인한 처벌을 감수해야 한다고 본다. ④ 소로는 개인의 양심에 근거하여 불복종을 주장한다. ⑤ 롤스와 소로 모두 불복종을 의도적인 위법 행위로 본다.

04 다음 서양 사상가가 부정의 대답을 할 질문으로 가장 적절한 것은?

> 거의 정의롭지만 정의에 대한 심각한 위반이 발생하기도 하는 사회에서 시민 불복종이 성립한다. 시민 불복종은 신중하고 양심적인 정치적 신념의 표현인 청원의 한 형태이므로 공개 석상에서 이루어지며, 어떤 개인적 도덕 원칙이나 종교적 교설이 아닌 공유된 정의관에 의거해야 한다. 정당한 시민 불복종이 시민 화합을 해치는 것으로 보이면, 그 책임은 불복종하는 자들이 아니라 권위와 권력을 남용한 자들에게 있는 것이다.

① 시민 불복종의 주체는 체제의 합법성을 인정하는 시민인가?
② 시민 불복종의 의도는 동료 시민들에게 공표되어야 하는가?
③ 시민 불복종은 공동체의 정의감에 호소하는 정치 행위인가?
④ 시민 불복종의 목적에서 정부 정책의 개혁은 제외되어야 하는가?
⑤ 시민 불복종은 어떠한 합법적 방법도 효과가 없을 때 행해져야 하는가?

출제 단원
03 국가와 시민의 윤리

출제 개념
시민 불복종

풀이
제시문은 롤스의 시민 불복종에 관한 내용이다. 그는 시민 불복종을 '정부의 정책이나 법률에 어떤 변화를 가져오기 위해 법에 반하여 행해지는 공적이고 비폭력적이며 양심적인 행위'라고 정의한다. 특히 시민이 공유하는 다수의 정의관에 의해서 가능하다고 보았으며, 불의한 정부 정책의 변혁을 위한 것으로 보았다. 이러한 시민 불복종은 어느 정도 질서 정연한 사회에서 가능하며, 합법적 절차에 대한 존중으로 불복종에 대한 처벌을 감수해야 한다고 본다. 따라서 정답은 ④번이다.

오답 피하기
① 롤스에 따르면, 시민 불복종의 주체인 시민들은 체제의 합법성을 인정해야 한다. ② 롤스는 시민 불복종은 공개적으로 이루어져야 한다고 보았다. ③ 롤스는 시민 불복종을 시민이 정치에 참여하는 정치적 행위로 보았다. ⑤ 롤스에 따르면 시민 불복종은 최후의 수단으로 실행되어야 한다.

IV 과학과 윤리

학습 계획표

- 자신의 일정에 맞게 계획을 세워 보고, 실제 학습일을 적어 봅시다.
- 학습을 마무리한 후 스스로 얼마나 학습 목표를 달성했는지 점검해 봅시다.

단원 01 과학 기술과 윤리

	쪽수	계획일	완료일	목표 달성도
Day 19 핵심 정리, 자료 뜯어보기	104~107쪽	월 일	월 일	☆☆☆☆☆
Day 20 개념 익히기, 내신 유형 다지기, 주관식·서술형 잡기	108~111쪽	월 일	월 일	☆☆☆☆☆

단원 02 정보 사회와 윤리

	쪽수	계획일	완료일	목표 달성도
Day 21 핵심 정리, 자료 뜯어보기	112~115쪽	월 일	월 일	☆☆☆☆☆
Day 22 개념 익히기, 내신 유형 다지기, 주관식·서술형 잡기	116~119쪽	월 일	월 일	☆☆☆☆☆

단원 03 자연과 윤리

	쪽수	계획일	완료일	목표 달성도
Day 23 핵심 정리, 자료 뜯어보기	120~123쪽	월 일	월 일	☆☆☆☆☆
Day 24 개념 익히기, 내신 유형 다지기, 주관식·서술형 잡기	124~127쪽	월 일	월 일	☆☆☆☆☆

	쪽수	계획일	완료일	목표 달성도
영역 마무리하기, 수능 유형 익히기	128~133쪽	월 일	월 일	☆☆☆☆☆

과학 기술과 윤리

단원 흐름 읽기

과학 기술의 가치 중립성 논쟁
• 연구물의 발견과 사용 과정에서 가치 개입
• 과학 기술 발전으로 인한 폐해와 윤리적 문제
• 과학 기술 발전 방향에 대한 성찰

→ 과학 기술에 대한 견해 ┬ 과학 기술 낙관주의
                          └ 과학 기술 비관주의

→ 과학 기술자의 윤리적 책임

• 사회에 대한 무한한 책임과 의무
• 후손들을 위한 책임 윤리
• 예방 윤리 실천
• 반성적 사고 필요

1 과학 기술 가치 중립성 논쟁

1. 인간의 삶과 과학 기술

(1) **과학 기술의 의미**

① 자연 과학과 응용 기술을 통칭하는 용어

② 기술의 도움으로 과학의 연구가 가능하고, 응용을 전제로 과학 기술이 발전함.

(2) **과학 기술의 발전과 인간 삶의 변화**

① 인터넷 혁명: 정보화 시대로의 진입, 생명 과학 기술의 눈부신 발전

② 디지털 지식 산업 사회 형성: 나노❶ 기술(NT), 생명 공학 기술(BT), 정보 기술(IT), 인지 과학(CS)❷ 등의 융합

③ 새로운 성장 동력 확보를 위한 국가 간의 치열한 경쟁

2. 과학 기술의 본질과 윤리

(1) **과학 기술의 가치 중립성**❸

① 과학 기술은 가치의 문제와 무관한 사실의 영역 → 사회적·윤리적 책임에서 자유로움.

② 과학 기술 이론을 검증하는 과정에서만 가치 중립적임.

③ 연구물을 발견하거나, 그 연구물을 사용하는 과정에서는 가치가 개입됨.

(2) **과학 기술이 가치에서 자유로울 수 없는 이유**

① 공공 연구 기관이나 기업의 연구비 지원: 과학 연구의 결과물이 가치 중립적일지라도, 이용 주체의 의도에 따라 가치가 개입될 수 있음.

② 과학 기술 발전으로 인한 윤리적 문제: 핵전쟁의 위협, 환경 파괴, 자원 고갈, 사생활 침해, 인간 소외 현상 등 자료1

(3) **과학 기술에 대한 윤리적 성찰의 필요성**

① 연구는 순수해도 그 결과에 대해서는 책임이 따름. 자료2

② 과학 기술의 영향력이 커져 과학 기술의 발전 방향에 대한 성찰은 필수적임.

③ 윤리는 과학 기술이 나아가야 할 방향을 안내하는 나침반 역할을 하며, 과학 기술이 추구해야 할 올바른 가치를 제공함.

---

❶ **나노**
국제 단위계에서 10억 분의 1을 나타내는 분수

❷ **인지 과학(Cognitive Science)**
인간이나 생물의 인식 과정을 대상으로 지식의 표현, 추론 기구, 학습, 시각·청각의 메커니즘 등을 연구하는 과학

❸ **가치 중립성**
경험 과학이 객관성을 지니기 위해서는 가치 판단으로부터 분리되어야 한다는 학문적 태도

자료 1 과학 기술과 윤리의 관련성

제우스는 프로메테우스에게 인간을 창조하라는 명령을 내렸다. 프로메테우스와 에피메테우스는 인간과 그 밖의 동물들에게 그들이 살아가는 데 필요한 능력을 주는 일을 제우스로부터 위임받았다. 에피메테우스가 형을 졸라 이 일을 맡게 되었는데, 각기 동물들에게 용기, 힘, 속도, 지혜 등 각자 스스로 살아갈 수 있도록 선물을 주기 시작했다. 그런데 인간의 차례가 오자 에피메테우스는 이제까지 그의 자원을 몽땅 탕진하였으므로 줄 것이 남아 있지 않았다. 문제를 알게 된 형 프로메테우스는 해결책으로 기술과 하늘의 불을 훔쳐 인간에게 선물했다.

기술과 불의 선물을 받은 인간은 다른 동물보다 더 월등한 존재가 되었다. 이 불을 사용하여 인간은 무기를 만들어 다른 동물을 정복할 수 있었고, 도구를 사용하여 토지를 경작할 수 있었기 때문이다. 그러나 인간은 곧 기술과 불이 삶의 질을 보장해 주지 못한다는 사실을 깨닫게 되었다. 인간은 공동체를 이루어 살면서 정치적 기술이 부족했기 때문에 서로를 해치게 되었다. 그래서 제우스는 인간의 멸종을 우려하여 헤르메스를 보내어 인간에게 타인을 존중하는 성품과 정의감을 갖도록 하였다. 이는 국가에 질서를 부여하고 우정과 단결력을 싹트게 하기 위해서였다.

– 김진, "철학의 현실 문제들" –

◐ **자료 분석** 제시문은 인간이 행복하게 살아가기 위해서는 과학 기술이 충분조건이 되지 못하고, 그것이 윤리성 안에서 이루어져야 된다는 점을 강조한다. 즉 과학 기술은 인간에게 혜택과 폐해를 동시에 가져다줄 수 있기 때문에 과학 기술의 적용이 도덕적 규범 안에서 이루어져야 한다.

뜯어보기 포인트

기술과 불이 인간의 삶의 질을 보장해 주지 못한 이유를 생각해 보자.

Q1 과학 기술의 발전에 있어서 윤리의 역할은 무엇인가?

자료 2 요나스의 '공포의 발견술'

과학 기술 시대에는 새로운 책임 개념이 필요하다고 본 요나스(H. Jonas)는 '공포의 발견술'을 말한다. 즉 악의 인식이 신의 인식보다 쉽다는 점에서 실제로 무엇을 보호해야 하는가를 알아내기 위해서 윤리학은 희망보다 공포를 논의의 대상으로 삼아야 한다는 것이다. 예를 들면 핵무기가 개발되었을 때 혜택보다는 그것이 가져다줄 수 있는 절망과 공포를 먼저 생각해야 한다는 것이다. 원자 폭탄, 화학 무기에 의한 끔찍한 살상의 역사 속에서 과학은 파괴의 도구가 되기도 했다는 점을 생각해 볼 때 공포의 발견술은 유효한 책임 윤리의 기준이 될 수 있다.

◐ **자료 분석** 요나스는 미래의 지구상에 인간이 존립할 수 있을 것인지에 대한 질문을 하면서 '공포의 발견술'을 말한다. 과학 기술 시대에는 전통적인 윤리로는 극복할 수 없는 새로운 차원의 문제들이 생기는데, 기술 시대의 생태 위기를 극복하기 위해서는 미래를 예측하는 책임 윤리가 필요하다는 것이다.

뜯어보기 포인트

'공포의 발견술'이 오늘날 과학 기술이 가져야 할 책임 윤리가 될 수 있음을 기억하자.

Q2 과학 기술이 가져야 할 책임 윤리를 강조하고 있는 것으로 옳은 것은?

① 우주선 윤리
② 구명선 윤리
③ 공포의 발견술
④ 환경 영향 평가
⑤ 착한 사마리아인의 법

📰 Q1 윤리는 과학 기술이 나아가야 할 방향을 안내하는 나침반 역할을 하며, 과학 기술이 추구해야 할 올바른 가치를 제공해 준다. / Q2 ③

2 과학 기술의 사회적 책임

1. 과학 기술의 성과와 윤리적 문제

(1) 과학 기술의 긍정적 영향

① 물질적 풍요: 새로운 재화와 서비스 개발로 인한 인간의 욕구 충족

② 의학의 발달: 질병 치료, 수명 연장

③ 교통·통신 수단의 발달: 삶의 편리성 증대

④ 대중 매체의 확산: 대중문화의 발달

⑤ 생명 공학의 발달: 식량 문제 해결(예 녹색 혁명❹) 등

(2) 과학 기술에 대한 낙관론과 비관론 자료 3

① 과학 기술 낙관주의

• 과학 기술의 발전이 인류의 모든 문제를 해결해 줄 것이라고 주장

• 문제점: 과학 지상주의의 한계와 위험 간과

② 과학 기술 비관주의

• 과학 기술의 발전이 가져오는 환경 비용과 인간 삶에 대한 위험성 강조

• 문제점: 과학 기술의 전면 부정

➡ 편중된 시각에 치중하는 것을 경계하고, 균형 잡힌 시각을 유지해야 함.

2. 과학 기술의 바람직한 활용

(1) 과학 기술의 양면성 과학 기술의 발전과 함께 문제점도 증가 → 과학 기술의 발전에 비해 인간의 의식과 윤리가 뒤따르지 못했기 때문

(2) 과학 기술자의 윤리적 책임

① 인류의 복지에 긍정적으로 기여하려는 선한 의도와 사회적 책임을 가져야 함.

② 전문가로서 윤리적 책임과 자기 정당화의 의무를 지님.

③ 사회에 대한 무한한 책임과 의무를 성실히 이행해야 함.(예 환경 영향 평가 제도❺)

④ 사회 제도적 차원에서 과학 기술이 사회적 책임을 다할 수 있도록 도와야 함.

⑤ 과학 기술은 궁극적으로 인간의 존엄성 구현과 삶의 질 향상이라는 윤리적 목적과 연결됨. 자료 4

(3) 과학 기술자의 윤리 의식

① 후손들을 위해 과학 기술을 통제하고 욕망을 절제해야 함.

② 예방 윤리❻를 실천하는 데 초점을 맞추어야 함.

③ 과학 기술자의 윤리 의식이 사람들의 건강, 보건, 공공 안전, 정치적·경제적 안정 등에 작용하는 가장 중요한 변수가 됨.

④ 윤리학은 과학 기술자들이 반성적 사고❼를 통해 올바른 방향으로 나아갈 수 있도록 해 주는 길잡이라고 할 수 있음.

❹ 녹색 혁명
개발 도상국의 식량 생산력의 급속한 증대, 또는 이를 위한 농업상의 모든 개혁을 이르는 말

❺ 환경 영향 평가 제도
개발이 환경에 미치는 영향의 정도나 범위를 사전에 예측·평가하고 대처 방안을 마련하여 환경 오염을 예방하는 제도

❻ 예방 윤리
나중에 생길 수 있는 더 심각한 문제를 피하기 위해 건전한 윤리적 판단을 하고 실천하는 것

❼ 반성적 사고
사물이나 자아에 대한 사고 과정을 되돌아보면서 성찰하는 것

자료 3 인공 지능이 개인의 자유를 침해한다면?

슈퍼컴퓨터와 인간의 지능이 완벽하게 합쳐졌을 때 어떤 일이 일어날까? 영화 '트랜센던스'(2014)에서 천재 과학자 윌 캐스터의 인공 지능은 엄청난 힘을 가지고 있다. 그의 힘을 이용하면 식량 부족 문제, 환경 문제, 질병 등 인류의 난제들을 해결할 수 있게 된다. 하지만 트랜센던스의 비대해진 존재는 그 자체로 심각한 불평등과 불균형을 초래한다. 윌은 자신이 치료한 사람들에게 칩을 심어서 조종할 수 있으며, 심지어 공기 중의 습도를 통해 전 세계로 뻗어 나갈 수 있게 된다. 이 과정에서 많은 사람들의 자유와 권리가 침해된다.

– 리더스뉴스, 2014. 5. 9. –

◐ **자료 분석** 질병, 식량, 전쟁 등 인류의 문제를 해결하는 대가로 개인의 권리를 포기할 것인가? 아니면 개인의 권리를 지키기 위해 풍요로운 삶을 포기할 것인가? 이처럼 기술과 삶이 충돌하는 모습을 통해 우리는 과학이 가진 양날의 칼을 떠올려 볼 수 있다.

뜯어보기 포인트

과학의 발전과 개인의 자유 중 어떤 것을 더 중시해야 할까? 환경·식량 문제 등이 해결되기만 한다면 개인의 자유는 침해되어도 상관없을지 생각해 보자.

Q3 다음 빈칸에 들어갈 알맞은 말은?

> 인공 지능의 힘이 비대해질수록 인류는 ( )을(를) 잃는 대가를 치러야 할 것이다.

① 행복　　　　② 미래
③ 책임　　　　④ 자유
⑤ 능력

자료 4 인공 지능의 발전과 인류의 미래

21세기는 인간이 현생 인류를 일컫는 '호모 사피엔스'로서 살아가는 마지막 세기가 될까? 이스라엘 히브리 대학교 사학과 교수 유발 하라리는 "그렇다."라고 단언한다. 그는 "인공 지능이 인간에게 적응할 시간을 주지 않고 지나치게 빨리 발전하고 있다."라고 우려했다. 그는 "단도직입적으로 말하자면 2100년 이전에 현생 인류는 사라질 것"이라고 했다. 하라리는 인공 지능에 밀려 무용지물로 전락한 인간들이 약점을 보완하기 위해 기계와의 결합을 선택할 것으로 예상했다. 새 인류는 더 이상 호모 사피엔스가 아닐뿐더러, "생물학적 한계를 뛰어넘는 신(神)적 존재"가 될 것이라고 그는 내다봤다. 기계가 인간의 영역을 차지한 이상 인간은 기계와 함께 신의 영역으로 넘어가는 길로 나아간다는 것이다. '호모 사이보그'가 된다 해도 인간이 인간성을 잃지 않으려면 어떻게 해야 할까? 하라리는 "지금부터 '마음'에 대한 연구를 강화해야 한다."라고 했다.

◐ **자료 분석** 하라리는 '호모 사이보그'가 된다고 해도 인간성을 잃지 않으려면 마음에 대한 연구를 강화해서 마음을 유지해야 한다고 주장한다. 그는 기계와 구별되는 인간의 특성은 따뜻한 마음을 가지고 있는 것이기 때문에, 바로 그 점을 강조하여 미리 대비를 하자는 것이다.

뜯어보기 포인트

인간이 약점을 보완하기 위해 기계와 결합하여 사이보그가 된다면, 인간성을 잃지 않기 위해서 어떤 노력을 해야 할지 생각해 보자.

Q4 유발 하라리는 호모 사피엔스가 멸망하고, '호모 사이보그'가 된다 해도 인간이 인간성을 잃지 않으려면 무엇을 연구해야 한다고 했는가?

① 행복　　　　② 두뇌
③ 경제　　　　④ 마음
⑤ 인체

📖 Q3 ④ / Q4 ④

01 다음 내용이 맞으면 ○표, 틀리면 ×표를 하시오.

(1) 오늘날 과학과 기술의 엄격한 경계가 무너지고 있다.

( )

(2) 과학 기술 연구·개발에 있어 연구물을 사용하는 과정에서는 가치가 개입될 수밖에 없다. ( )

(3) 과학 기술은 가치 중립적이기 때문에 사회적·윤리적 책임으로부터 자유롭다. ( )

(4) 과학 기술과 경제적 풍요가 인간의 욕망을 과도하게 확대시켜 오늘날의 윤리적 문제를 야기하였다.

( )

02 과학 기술의 긍정적 영향을 |보기|에서 모두 고르시오.

┌ **보기** ┐
ㄱ. 빈부 격차   ㄴ. 환경 문제
ㄷ. 물질적 풍요   ㄹ. 의학 기술의 발달
ㅁ. 대중 매체의 확산
└──────────────────────────┘

03 다음 빈칸에 들어갈 알맞은 말을 쓰시오.

(1) ( ) 혁명은 21세기 정보화 시대로의 진입에 결정적 역할을 하였다.

(2) ( )은(는) 과학 기술이 나아가야 할 방향을 안내하는 나침반 역할을 하며, 과학 기술이 추구해야 할 올바른 가치를 제공해 준다.

(3) 과학적 지식을 사회의 선을 위해 사용하고자 할 때 가장 중요한 것은 ( ) 사고이다. 이를 통해 과학 기술은 보다 바람직한 방향으로 나아갈 것이다.

04 서로 관련 있는 것끼리 연결하시오.

(1) 과학 기술 ·
지상주의

· ㉠ 과학 기술의 성과만을 일방적으로 높게 평가하는 것

(2) 과학 기술 ·
혐오주의

· ㉡ 과학 기술의 부작용만을 지나치게 염려하여 모든 종류의 과학 기술을 거부하는 것

05 다음 빈칸에 들어갈 알맞은 말을 쓰시오.

┌──────────────────────────────┐
│ ( ) 윤리는 나중에 생길 수 있는 더 심각한 │
│ 문제를 피하기 위해 건전한 윤리적 판단을 하고 실천 │
│ 하는 것이다. │
└──────────────────────────────┘

06 개발이 환경에 미치는 영향의 정도나 범위를 사전에 예측·평가하고 대처 방안을 마련하여 환경 오염을 예방하는 제도를 무엇이라고 하는지 쓰시오.

01 과학 기술에 대한 설명으로 옳지 <u>않은</u> 것은?

① 과학과 기술은 더욱 엄격하게 구분되고 있다.
② 오늘날 기술의 도움 없이는 과학의 연구가 불가능하다.
③ 응용을 전제로 하지 않는 과학은 생각할 수 없게 되었다.
④ 과학 기술은 자연 과학과 응용 기술을 통칭하는 용어이다.
⑤ 과학 기술의 발전은 정치 · 경제 · 문화 · 예술 등 우리 삶의 모든 분야를 변화시키고 있다.

02 다음 글의 빈칸에 공통적으로 들어갈 말로 적절한 것은?

> 근대 과학은 그 출발에서부터, 진리의 객관성을 유지하기 위하여 (   )의 문제를 포함한 일체의 주관적 요소를 배제해 왔다. 그리하여 과학에서는 (   ) 중립이 불가피하고, 그 결과에 대해 도덕적 책임을 물을 수 없다는 주장이 나오기도 한다. 일부 과학자들은 과학 기술이 (   )의 문제와 무관한 사실의 영역이라고 강조한다. 즉 과학 기술은 (   ) 중립적이기 때문에 사회적 · 윤리적 책임으로부터 자유롭다는 것이다.

① 가치   ② 경제   ③ 사상
④ 이념   ⑤ 실용

03 밑줄 친 부분에 해당하지 <u>않는</u> 것은?

> 과학 기술의 발전이 우리에게 <u>선하고 유익한 것만을</u> 가져다주지는 않았다.

① 물질적 풍요
② 삶의 편리성 증대
③ 시공간적 제약 극복
④ 질병 치료 및 수명 연장
⑤ 인간의 무한한 욕구 확대

04 과학 기술의 가치 중립성 논쟁과 관련한 다음 표에서 A, B의 입장에 대한 설명으로 옳은 것은?

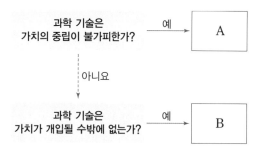

① A : 과학 기술 연구자는 그 결과의 책임에서 자유로울 수 없다.
② A : 과학 기술은 이용 주체의 의도에 따라 선과 악의 분야에 모두 이용 가능하다.
③ A : 과학 기술 연구는 대개 어떤 목적을 지향하는 공공 연구 기관이나 기업의 연구비 지원하에 이루어진다.
④ B : 과학 기술은 진리의 객관성 유지가 가장 중요하다.
⑤ B : 과학 기술의 발전이 인류에게 선하고 유익한 것만을 가져다주지는 않았다.

05 과학 기술과 가치의 관계에 대한 설명으로 가장 적절한 것은?

① 과학 기술은 사회적 · 윤리적 책임으로부터 자유롭다.
② 과학 기술은 가치의 문제와 무관한 사실의 영역이다.
③ 과학 기술은 항상 인간에게 유익하게 활용될 수밖에 없다.
④ 과학 기술 이론을 검증하는 과정에는 가치가 개입되어야 한다.
⑤ 과학 기술 연구물을 사용하는 과정에서는 가치가 개입될 수밖에 없다.

06 밑줄 친 부분에 해당하지 <u>않는</u> 것은?

> 오늘날 과학 기술은 <u>눈부신 발전</u>을 거듭해 나가고 있다.

① 고도의 디지털 지식 산업 사회를 만들어 가고 있다.
② 인터넷 혁명은 21세기 정보화 시대로의 진입에 결정적 역할을 하였다.
③ 새로운 성장 동력을 확보하려는 국가 간의 경쟁은 더욱 치열해지고 있다.
④ 인간 유전자 해독이 완성되고 배아 복제를 이용한 치료용 줄기세포 연구가 활발해지고 있다.
⑤ 나노 기술, 생명 공학 기술, 정보 기술, 인지 과학 등의 과학 기술이 융합보다 독립을 지향하고 있다.

07 다음 주장의 근거로 적절하지 <u>않은</u> 것은?

> 가치 중립성 주장은 과학 기술 이론을 검증하는 과정에서만 정당화될 수 있다. 하지만 과학 기술의 연구 및 개발에 있어 연구물을 발견하거나, 그 연구물을 사용하는 과정에서는 가치가 개입될 수밖에 없다.

① 이용 주체의 의도에 따라 선과 악의 분야에 모두 이용 가능하기 때문이다.
② 과학 기술과 경제적 풍요가 인간의 욕망을 과도하게 확대시켜 왔기 때문이다.
③ 과학 기술의 발전은 항상 우리에게 선하고 유익한 것만을 가져다주었기 때문이다.
④ 과학자들에게 연구비를 지원하는 기업의 이윤 창출이라는 목적을 무시할 수 없기 때문이다.
⑤ 과학자들의 연구가 대부분 어떤 목적을 지향하는 공공 연구 기관의 지원하에 이루어지고 있기 때문이다.

08 다음 글의 입장에 부합하는 진술로 적절한 것은?

> 과학 기술의 발전을 인간 삶을 위협하는 하나의 요인으로 간주한다.

① 이러한 입장을 과학 기술 지상주의라고 한다.
② 과학 기술의 성과만을 일방적으로 높게 평가한다.
③ 과학 기술의 폐해라는 부정적인 측면만을 강조한다.
④ 과학 기술의 발달이 인류에게 행복을 가져다줄 것이라고 주장한다.
⑤ 과학 기술이 인류가 당면한 모든 문제를 해결할 수 있다고 생각한다.

09 다음은 서술형 문제와 학생 답안이다. 학생 답안의 ㉠~㉤ 중 옳지 <u>않은</u> 것은?

> **서술형 평가**
>
> 문제: 과학 기술의 바람직한 활용을 위한 노력을 서술하시오.
>
> 답안: 먼저 ㉠과학 기술자는 전문가로서 그에 상응하는 윤리적 책임과 자기 정당화의 의무를 지니고 있어야 한다. ㉡과학 기술의 성과가 현세대에게 아무리 많은 이익을 가져다준다 하더라도 미래 세대와 자연에 심각한 해악을 끼친다면 우리는 그것을 중단해야 한다. ㉢과학 기술자는 예방 윤리보다는 사후 관리 능력을 배양해야 한다. 또한 ㉣반성적 사고를 통해 과학 기술이 보다 바람직한 방향으로 나아갈 수 있도록 해야 한다. ㉤사회적 차원에서 환경 영향 평가와 같은 제도 등을 통해서 과학 기술이 사회적 책임을 다할 수 있도록 도와야 한다.

① ㉠ ② ㉡ ③ ㉢ ④ ㉣ ⑤ ㉤

01 다음 글의 빈칸에 들어갈 알맞은 말을 쓰시오.

> 이제 과학 기술은 나노 기술(NT), 생명 공학 기술(BT), 정보 기술(IT), 인지 과학(CS) 등이 (   )되면서 모든 것이 광속으로 변하고 있는 고도의 디지털 지식 산업 사회를 만들어 가고 있다.

02 다음과 같은 현상이 일어나게 된 원인을 쓰시오.

> 과학 기술의 발전이 우리에게 선하고 유익한 것만을 가져다주지는 않았다. 핵전쟁의 위협이나 환경 파괴, 자원 고갈, 사생활 침해, 인간 소외 현상 등은 과학 기술의 발전에 따른 부산물들이다.

03 우리가 후손들을 위해서 과학 기술을 통제하고 욕망을 절제해야 하는 이유를 서술하시오.

04 다음 글과 관련하여 과학 기술과 윤리의 관계를 서술하시오.

> 과학 기술이 인간과 사회에 미치는 영향이 훨씬 커져 버린 현대 사회에서 과학 기술의 발전 방향에 대한 성찰은 필수적이다.

05 밑줄 친 부분의 이유를 서술하시오.

> 과학 기술의 연구와 개발의 바탕이 되는 이론은 실험과 관찰이라는 객관적 방법을 통해서 검증되어야 하기 때문에 가치 중립성이 요구된다. 하지만 과학 기술의 연구 및 개발에 있어 연구물을 발견하거나, 그 연구물을 사용하는 과정에서는 <u>가치가 개입될 수밖에 없다.</u>

단원 02 정보 사회와 윤리

단원 흐름 읽기

정보 사회의 문제와 사이버 윤리
• 정보 격차, 사생활 침해 문제
• 게임 · 인터넷 중독과 사이버 폭력
• 정보 통신 기술의 양면적 특성

→ 개인의 사생활 침해 문제

→ 정보 사회의 다양한 윤리적 문제

정보 사회에서의 매체 윤리
• 뉴 미디어의 등장과 그 특성
• 언론의 자유와 사회적 책임
• SNS의 장점과 부작용
• 정보의 소비자이자 생산자인 대중의 역할

---

1 정보 기술 발달과 정보 윤리

1. 정보 통신 기술의 발전과 사회 변화

(1) 정보 통신 기술의 발전 [자료 1]

① 인터넷과 스마트폰의 발전: 시간과 공간의 제약 극복, 활발한 의사소통과 자유로운 교류가 가능함, 삶의 편리성 향상

② 사물 인터넷(IoT)❶ 발달: 각종 사물들이 인터넷에 연결되어 서로 정보를 공유하고 원격으로 조정 가능

(2) 정보 통신 기술의 발전으로 인한 사회의 변화

① 중앙 집권적이고 수직적인 사회 구조에서 분권적이고 평등한 방향으로의 변화

② 정보 격차❷ 확대, 사생활 침해나 정보 유출의 위험성 증가, 게임 · 인터넷 중독과 사이버 폭력 등의 사회적 문제 발생

2. 정보 사회의 문제와 윤리적 접근

(1) 개인의 사생활 침해 문제 [자료 2]

① 개인 정보가 쉽게 노출되고 도용되는 문제

② 국가 권력에 의한 개인의 자유 침해 → 민주주의의 퇴보로 이어질 수 있음.

③ 인터넷 실명제와 개인 정보 자기 결정권❸에 대한 논의

(2) 정보 사회의 다양한 윤리적 문제

① 저작권 보호(copyright)와 정보 공유권(copyleft) 간의 갈등

카피라이트 (copyright)	• 창작자가 자신의 저작물에 대해서 배타적으로 가지는 권리 • 저작물은 개인의 자산이며, 창작자에게 배타적 권리를 부여해야 창작 활동이 늘어나고 문화가 발전된다는 논리
카피레프트 (copyleft)	• 지식과 정보는 모든 사람에게 동등하게 열려 있어야 한다고 주장 • 저작물은 사회의 공유 자산이며, 저작물을 자유롭게 이용하게 되면 창작이 활성화된다는 논리

② 사이버 공간에서 표현의 자유 및 국민의 알 권리 충족과 인격권❹ 보호 간의 갈등❺

(3) 사이버 윤리의 필요성

① 정보 사회의 부정적 측면을 예방하고, 극복하기 위해 필요함.

② 사이버 윤리의 원칙: 존중, 책임, 정의, 해악 금지의 원리 등

---

❶ **사물 인터넷(IoT)**
가전제품 등 각종 사물에 센서와 통신 기능을 내장하여 인터넷에 연결하는 기술

❷ **정보 격차**
고소득층이 접할 수 있는 정보와 저소득층이 접할 수 있는 정보 간의 심각한 격차

❸ **정보 자기 결정권**
개인 정보를 언제, 누구에게, 어느 범위까지 알리고 이용하도록 할 것인지를 결정하는 권리

❹ **인격권**
권리의 주체와 분리하여 생각할 수 없는 인격적 이익을 내용으로 하는 권리

❺ **사이버 공간에서 표현의 자유와 개인의 인격권 보호 간의 갈등**

표현의 자유와 국민의 알 권리 충족	• 표현의 자유는 민주주의를 실현하는 기초임. • 알 권리는 표현의 자유를 위한 전제이며, 합리적인 행동을 위한 조건임.
개인의 인격권 보호	• 알 권리는 표현의 자유를 위한 전제이며, 합리적인 행동을 위한 조건임. • 인격권은 모든 자유권의 출발점임. • 무분별한 보도나 인터넷 댓글 등이 개인의 명예 훼손이나 사생활 침해를 야기함.

자료 1 제4차 산업 혁명

세계 경제 포럼은 '제4차 산업 혁명'을 3차 산업 혁명을 기반으로 한 디지털과 바이오산업, 물리학 등의 경계를 융합하는 기술 혁명이라고 설명하고 있다. 첫 번째 산업 혁명이 영국에서 시작된 물과 증기를 이용한 생산 과정의 기계화를 뜻했다면, 두 번째 산업 혁명 동안에 인류는 발전기 등 전기 에너지를 이용한 산업 시스템 혁신으로 대량 생산을 이루어 냈다. 20세기 중반 이후 현재까지는 3차 산업 혁명기로 전자·정보 기술을 이용한 생산의 자동화와 인터넷의 보급이 그 특징이다. 4차 산업 혁명은 분명 이전과는 극명하게 다른 차원의 것으로 보인다. 실제로 현재 우리가 매일 만나고 있는 인공 지능, 로봇 공학, 사물 인터넷(IoT), 자율 주행 차, 3-D 프린팅, 나노 기술, 바이오 공학 등과 같은 신흥 기술 분야의 혁신은 속도 면에서 역사적인 유례를 찾기 어려울 정도이다.

– 이코노믹리뷰, 2016. 1. 19. –

◎ **자료 분석** 제4차 산업 혁명은 오늘날 정보 통신 기술의 급격한 발전을 가리키는 말이다. 지금까지 우리가 살아왔고 일하고 있던 삶의 방식을 근본적으로 바꿀 기술 혁명이 현실로 다가왔으며, 이러한 변화의 규모와 범위, 복잡성 등은 이전에 인류가 경험했던 것과는 전혀 다를 것이라는 내용이다.

뜯어보기 포인트

제4차 산업 혁명이 이전 3차까지의 산업 혁명과 근본적으로 다른 점이 무엇인지 생각해 보자.

Q1 제4차 산업 혁명과 관계가 <u>없는</u> 것은?

① 인공 지능
② 로봇 공학
③ 사물 인터넷
④ 3-D 프린팅
⑤ 산업 간의 분리와 독립

자료 2 영화 '스노든'(2016)

2013년의 실화를 바탕으로 한 영화이다. 전직 CIA와 NSA(미 국가 안보국)에서 근무하던 컴퓨터 기술자였던 에드워드 스노든이 영국 가디언지를 통해 NSA가 PRISM이라는 프로그램을 이용해 인터넷상에서 이메일, 통화, 사진 등을 통해 무차별적인 감청과 감시를 행했다고 폭로했다. 오늘날 정부 기술의 발전으로 인한 개인의 사생활 침해 문제를 표현하고 있다.

◎ **자료 분석** 2013년 6월에 미국 국가 안보국(NSA) 직원이었던 에드워드 스노든은 NSA가 국내외를 가리지 않고, 공무원과 민간인 구분 없이 무차별적으로 인터넷과 통신 정보 등을 수집하고 있다는 사실을 폭로하였다. NSA가 인터넷 업체들과 통신 업체 등의 협조를 받아 개인 정보를 광범위하게 수집하고 도청 등을 하고 있다는 것이다. 그는 세계를 뒤흔든 폭로에 나선 이유에 대해 미국 정부 기관이 세계의 '빅브라더'가 되는 현실에서 우리가 살아가야 하는지 의문을 던지고 싶었다고 설명하였다.

뜯어보기 포인트

정보 통신 기술의 발전으로 인한 개인의 사생활 침해 문제가 현실적인 문제가 되고 있음을 기억하자.

Q2 정보 사회에서 발생하는 사생활 침해 문제로 볼 수 <u>없는</u> 것은?

① 범죄 은닉
② 민주주의의 퇴보
③ 개인의 자유 침해
④ 상업적 이기주의에 노출
⑤ 국가 권력에 의한 통제와 억압

📖 Q1 ⑤ / Q2 ①

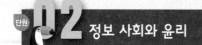

2 정보 사회에서의 매체 윤리

1. 뉴 미디어 시대 매체들의 특징

(1) 뉴 미디어의 등장

① 인터넷의 폭발적인 발전 → 쌍방향성과 디지털을 특징으로 하는 뉴 미디어의 등장

② 새로운 디지털 방송 서비스로 변화했으며, 뉴 미디어는 계속 발전하고 있음.

(2) 뉴 미디어의 종류

DAB	디지털 오디오 방송
IPTV	초고속 인터넷망을 이용하여 제공되는 양방향 텔레비전 서비스
스마트 TV	인터넷을 통해 다양한 기능을 쌍방향으로 활용할 수 있는 서비스 방식
N-Screen	하나의 콘텐츠를 여러 디지털 기기들을 넘나들며 시간·장소에 구애받지 않고 이용할 수 있는 기술
기타	DMB, 팟캐스트, 와이브로, e-magazine, LTE 등

(3) 뉴 미디어의 특성

디지털화	신속하고 정확한 정보 처리가 가능함.
멀티미디어화 및 영상화	각기 개별적으로 존재하던 매체들이 하나의 정보망으로 통합되고, 영상으로 표현됨.
쌍방향성	일방적·수동적인 전달 방식에서 쌍방향적인 전달 방식으로 변화함.
비동시성	원하는 시간에 원하는 프로그램을 원하는 곳에서 시청할 수 있음.

2. 뉴 미디어 시대의 매체 윤리❻

(1) 언론의 자유와 사회적 책임 [자료 3]

① 윤리 강령❼ 채택: 미디어 종사자들 스스로가 엄격한 윤리적 기준을 가지고 노력해야 함.

② 언론 보도의 궁극적인 목표는 사회의 진실한 모습을 사람들에게 알리는 것임. [자료 4]

③ 언론 자유의 남용 경계: 진실하고 공정한 보도를 위해서는 언론의 자유와 함께 사회적 책임도 중요함.

(2) SNS(Social Network Service)의 장점과 부작용

① 장점: 손쉬운 콘텐츠 생산, 빠르고 광범위한 전달, 시민의 정치 참여 유발, 1인 미디어 기능 등

② 부작용: 부정확한 정보의 확산, 악성 댓글, SNS 중독, 뮌하우젠 증후군❽, 어그로❾ 등

(3) 대중들이 정보의 소비자이면서 동시에 생산자

① 정보를 생산하고 소비하는 행위 자체가 재생산, 유통시키는 행위가 될 수 있음.

② 인터넷 개인 방송 확대 및 'BJ(Broadcasting Jockey)' 등장

③ 문제점 및 부작용: 규제는 어렵고 접근성은 용이해져 지나치게 폭력적이고 선정적인 소재들이 여과 없이 방송됨.

④ 뉴 미디어 시대에 필요한 자세: 소비자(부적절한 미디어 정보들을 구별할 수 능력 배양), 생산·유통자(만들어 낸 정보들의 유익과 해악 검토), 사회적 측면(유해한 정보의 차단을 위한 제도적 기반 마련)

❻ 매체 윤리의 기준
• 중용: 언론은 대립하는 여론에 대해 중간의 입장을 취함으로써 불공정의 시비에서 벗어남.
• 공리주의: '최대 다수의 최대 행복'이라는 원리에 따라 국민의 알 권리를 충족해야 함.
• 의무론: 취재원을 속이거나 협박하여 뉴스를 취재하는 행위는 그 뉴스가 국민의 알 권리를 충족한다 하더라도 정당화될 수 없으며, 비윤리적이라는 비판을 면하기 어려움.

❼ 언론 윤리 강령
신문사나 방송사, 각 언론 단체들은 기능별로 구체적인 윤리 강령을 마련해 놓고 있음. 예컨대 기자 협회 윤리 강령, 방송 프로듀서 윤리 강령 등을 별도로 책정하여 실무자들이 지침으로 삼을 수 있도록 하였음.

❽ 뮌하우젠 증후군(Munchausen Syndrome)
주위 사람들의 이목을 끌기 위해 꾀병 등 거짓말을 일삼는 일종의 정신 질환

❾ 어그로(aggro)
관심을 끄는 사람, 혹은 이목을 집중시키는 사람의 행위를 가리키는 신조어

자료 3 언론인의 윤리적 자세

만약 어떤 기자가 취재 과정에서 얻은 정보를 이용해 개인적 이득을 취하고, 그러한 행위가 공익을 위협하는 결과를 초래했을 때에는 이익 갈등과 관련된 심각한 윤리 문제가 발생한다.

미국의 경제 신문 기자였던 포스터 위넌스는 이러한 윤리 문제로 말미암아 해고되었을 뿐만 아니라 법적 제재까지 받았다. 재계에서 수집한 정보를 바탕으로 증권 시세에 관한 고정 칼럼을 쓰던 그가 일부 증권 투자자들에게 다음 날 기사화할 원고의 내용을 미리 알려 주었던 것이다. 칼럼의 내용이 증권 시세의 변동에 영향을 미칠 것을 간파한 증권 투자자들은 위넌스가 건네준 정보를 근거로 주식을 거래함으로써 막대한 이익을 챙겼다. 기자가 기사의 내용을 사전에 누출하는 행위를 금지했던 해당 신문사는 위넌스의 행위를 윤리적으로 도저히 용납될 수 없는 것으로 판단하고 그를 해고했다. 그 이유는 이익 갈등의 상황에서 개인의 사적 이익을 앞세웠기 때문이다. – 오택섭, "뉴 미디어와 정보 사회" –

◎ **자료 분석** 포스터 위넌스의 행위는 대중 매체 종사자들이 직업적 전문인으로서의 활동을 통해 공익을 증진시키고 사회에 봉사함으로써 얻는 사회적 이익과, 공인이 아닌 개인으로서 추구하는 정치적·경제적 이익이 상충되기 때문에 야기되는 윤리적 쟁점이다. 사회적 이익보다 개인적 이익을 앞세우는 경우 이익 갈등과 관련된 심각한 윤리 문제가 발생할 수 있는 것이다.

뜯어보기 포인트

언론인이 공익보다 개인적 이익을 앞세웠을 때 어떤 심각한 문제가 발생할지 생각해 보자.

Q3 언론인이 취재 과정에서 가장 중시해야 할 것은 무엇인가?

① 권력 ② 사익
③ 인기 ④ 공익
⑤ 영향력

자료 4 언론 보도의 진실성

언론 보도의 진실성과 관련하여 윤리적 문제를 야기한 대표적인 사례는 미국의 한 일간지 기자 자넷 쿡이 쓴 "지미의 세계"라는 기사에 관한 것이다. 1981년 4월 기획 기사 부문 퓰리처상까지 받은 이 기사는 마약 중독 소년의 충격적이고 처절한 삶에 관한 생생한 이야기였는데, 이것이 날조된 허위 보도였음이 드러나 미국 전역에 엄청난 파문을 일으켰다. 실제로 존재하지도 않은 지미라는 소년을 등장시켜 허구의 이야기를 만든 기자의 윤리 의식에도 문제가 있지만, 어떻게 이 기사가 확인 과정도 거치지 않고 신문에 실릴 수 있었으며, 더욱이 미국의 모든 언론인들이 동경하는 퓰리처상까지 받을 수 있었는지에 관해 많은 사람들이 의아해했다.

◎ **자료 분석** 자넷 쿡의 행위는 대중의 이목을 끄는 보도를 위해서 기자가 의도적으로 속임수를 쓴 경우이다. 언론 보도의 궁극적인 목표는 사회의 진실한 모습을 대중에게 알리는 것이다. 대중을 기만하거나 속임수를 쓰는 것은 정당화될 수 없으며, 당연히 비윤리적인 행위로 취급된다.

뜯어보기 포인트

언론의 자유가 남용되었을 때 어떤 문제가 야기될 수 있을지를 생각해 보자.

Q4 다음 빈칸에 들어갈 알맞은 말은?

진실하고 공정한 보도를 위해서는 언론의 자유가 전제되어야 하지만, 그 사회적 (　　　) 또한 크다.

① 영향 ② 파장
③ 책임 ④ 권리
⑤ 기능

📋 Q3 ④ / Q4 ③

01 다음 내용이 맞으면 ○표, 틀리면 ×표를 하시오.

(1) 정보 통신 기술이 발전함에 따라 중앙 집권적이고 수직적이던 사회 구조가 분권적이고 평등한 방향으로 변하고 있다. ( )

(2) 오늘날 정보 통신 기술이 발전하면서 사생활 침해나 정보 유출의 위험성은 감소하였다. ( )

(3) 3차 산업 혁명을 기반으로 한 디지털과 바이오산업, 물리학 등의 경계를 융합하는 기술 혁명을 제4차 산업 혁명이라고 한다. ( )

02 다음 빈칸에 들어갈 알맞은 말을 쓰시오.

(1) 개인 정보를 언제, 누구에게, 어느 범위까지 알리고 또한 이용하도록 할 것인지를 결정하는 권리가 바로 '( )'이다.

(2) 정보 사회의 부정적 측면을 예방하고 극복하기 위해서는 ( ) 윤리의 필요성과 중요성을 인식해야 한다.

(3) 신문이나 라디오 등 기존의 미디어 외에 디지털화·멀티미디어화·영상화·비동시성 등을 특징으로 하는 ( )이(가) 등장하게 되었다.

(4) 최근 정보 통신 기술의 발달로 인해 일방적으로 메시지를 전달하고 수동적으로 전달받는 데에서 벗어나 매체의 ( )이(가) 확대되었다.

03 다음 내용에 해당하는 사이버 윤리를 |보기|에서 고르시오.

┌ 보기 ┐
ㄱ. 존중   ㄴ. 책임
ㄷ. 정의   ㄹ. 해악 금지
└────────────┘

(1) 사이버 공간 사람들의 인격과 권리도 소중히 여긴다. ( )

(2) 사이버 공간에서 공정하고 정의롭게 행동한다. ( )

(3) 사이버 공간에서 타인에게 피해를 주지 않는다. ( )

04 다음 내용에 해당하는 권리를 쓰시오.

> 권리의 주체와 분리하여 생각할 수 없는 인격적 이익을 내용으로 하는 권리이다. 구체적으로는 생명, 신체, 정신의 자유에 대한 권리를 말한다.

_____

05 서로 관련 있는 것끼리 연결하시오.

(1) 대중 •   • ㉠ 진실하고 공정한 보도를 위해서는 자유가 전제되어야 하지만, 그 사회적 책임도 큼.

(2) 언론 •   • ㉡ 뉴 미디어 시대를 맞아 정보의 소비자이면서 동시에 생산자로 떠오르고 있음.

06 인터넷 신조어로서 관심을 끄는 사람, 혹은 이목을 집중시키는 사람의 행위를 무엇이라고 하는지 쓰시오.

01 밑줄 친 '많은 변화'에 대한 설명으로 옳지 <u>않은</u> 것은?

> 정보 통신 기술의 발달은 우리 삶에 <u>많은 변화</u>를 가져왔다.

① 인터넷과 스마트폰이 발전하였다.
② 서로 정보를 공유하고 원격으로 조정이 가능하게 되었다.
③ 시간과 공간의 제약을 어느 정도 극복할 수 있게 되었다.
④ 삶의 편리성이 향상되어 인터넷에서 모든 업무를 처리할 수 있게 되었다.
⑤ 인터넷은 정보 통신 기술에 한정되고 각종 사물과의 연결은 이루어지지 않고 있다.

02 정보 통신 기술의 발달로 인한 사회의 변화 모습으로 옳은 것만을 |보기|에서 있는 대로 고른 것은?

┌ 보기 ┐
ㄱ. 사생활 침해나 정보 유출의 위험성이 증가하고 있다.
ㄴ. 사회 구조가 중앙 집권적이고 수직적인 방향으로 변하고 있다.
ㄷ. 게임 · 인터넷 중독과 사이버 폭력 등의 문제로 고통받는 사람들이 많아지고 있다.
ㄹ. 급격한 변화에 적응하지 못하는 사람들은 사회적으로 소외되어 정보 격차가 더욱 벌어지고 있다.

① ㄱ, ㄴ　　　② ㄱ, ㄹ　　　③ ㄴ, ㄷ
④ ㄱ, ㄷ, ㄹ　　⑤ ㄴ, ㄷ, ㄹ

03 다음 글과 관련하여 정보화 사회에서 우려되는 윤리적 문제로 볼 수 <u>없는</u> 것은?

> 오늘날 급속한 발전을 거듭하고 있는 정보 통신 기술은 양면적인 특성을 가지고 있다. 양날의 칼처럼 인간이 정보 통신 기술을 어떻게 사용하느냐에 따라 유익할 수도 있고, 해가 될 수도 있는 이중적 특성이 있는 것이다. 따라서 테크노피아적 축복의 세상이 올지, 디스토피아적 재앙의 세상이 올지는 결국 정보 통신 기술을 사용하는 인간의 행동에 달려 있다.

① 카피레프트와 카피라이트 간의 갈등
② 표현의 자유와 인격권 보호 간의 갈등
③ 인터넷 중독과 사이버 폭력 간의 갈등
④ 개인 정보가 쉽게 노출되고 도용되는 문제
⑤ 인터넷 실명제와 개인 정보 자기 결정권 부여 문제

04 다음 표는 표현의 자유와 국민의 알 권리 충족, 그리고 개인의 인격권 보호에 대해 정리한 것이다. 이에 대한 설명으로 옳은 것은?

표현의 자유와 국민의 알 권리 충족	개인의 인격권 보호
• 표현의 자유는 민주주의를 실현하는 기초임. • 알 권리는 표현의 자유를 위한 전제이며, 합리적인 행동을 위한 조건임.	• 인격권은 모든 자유권의 출발점임. • 무분별한 보도나 인터넷 댓글 등이 개인의 명예 훼손이나 사생활 침해를 야기함.

① 자신의 모든 생각을 자유롭게 표현할 수는 없다.
② 개인의 인격권은 어떤 경우에도 보장되어야 한다.
③ 어느 것이 더 중요한지 양자택일이 필요한 것이다.
④ 개인의 인격권 보호보다는 표현의 자유가 더 중요하다.
⑤ 양자를 동시에 실현시킬 수 있는 타협점을 찾는 것이 중요하다.

05 다음 내용과 관계 깊은 것을 |보기|에서 고른 것은?

> 창작물을 만든 사람이 자신의 저작물에 대해서 배타적으로 가지는 권리이다.

| 보기 |
ㄱ. 지식과 정보는 소수의 사람들에게 독점되어서는 안 된다고 주장한다.
ㄴ. 다른 사람이 복제, 방송, 전시, 전송하는 것을 허용하거나 금지할 수 있는 권리이다.
ㄷ. 창작자에게 배타적 권리를 부여해야 창작 활동이 늘어나고 문화가 발전된다는 논리를 주장한다.
ㄹ. 저작물은 사회의 공유 자산이며, 저작물을 자유롭게 이용하게 되면 창작이 활성화된다는 논리를 주장한다.

① ㄱ, ㄴ ② ㄱ, ㄷ ③ ㄴ, ㄷ
④ ㄴ, ㄹ ⑤ ㄷ, ㄹ

06 빈칸 ㉠, ㉡에 들어갈 말을 바르게 연결한 것은?

> 뉴 미디어에서는 모든 정보를 (㉠)함으로써 신속하고 정확하게 정보를 처리하는 것이 가능하다. 또한 각기 개별적으로 존재했던 매체들이 하나의 정보망으로 통합되어 멀티미디어화되고, 영상으로 표현된다. 그리고 일방적으로 메시지를 전달하고 수동적으로 전달받는 데에서 벗어나 매체의 (㉡)이 (가) 확대되었다.

	㉠	㉡
①	전기 신호화	광고성
②	디지털화	일방성
③	디지털화	쌍방향성
④	아날로그화	일방성
⑤	아날로그화	쌍방향성

07 다음 내용과 관련하여 언론의 자유와 사회에 대한 책임을 조화시키기 위한 노력으로 보기 <u>어려운</u> 것은?

> 오늘날 뉴 미디어가 급속히 발전하고 사회에 끼치는 영향력이 증대됨에 따라 언론의 자유와 사회에 대한 책임을 어떻게 균형 있게 조화시키느냐가 당면 과제로 떠오르고 있다.

① 사건을 정확하게, 그리고 공정한 시각에서 보도해야 한다.
② 언론인들은 취재 과정에서 사익보다 공익을 추구하기 위해 노력한다.
③ 신문사나 방송사, 각 언론 단체들마다 구체적인 윤리 강령을 마련하여 실천한다.
④ 진실하고 공정한 보도를 위해서는 어떠한 경우에도 언론의 자유를 침해해서는 안 된다.
⑤ 미디어 종사자들 스스로가 엄격한 윤리적 기준을 가지고 사회 전체를 위해 힘써야 한다.

08 다음 글에 나타나 있는 매체 윤리의 기준으로 가장 적절한 것은?

> 취재원을 속이거나 협박하여 뉴스를 취재하는 행위는 그 뉴스가 국민의 알 권리를 충족한다 하더라도 정당화될 수 없으며 비윤리적이라는 비판을 면하기 어렵다.

① 중용 ② 의무론
③ 공리주의 ④ 합리주의
⑤ 전통주의

주관식

01 빈칸 ㉠, ㉡에 들어갈 말을 각각 쓰시오.

> 진실한 보도는 사건을 정확하게, 그리고 공정한 시각에서 보도하는 것을 말한다. 진실하고 공정한 보도를 위해서는 언론의 (㉠)이(가) 전제되어야 하지만, 그 사회적 (㉡) 또한 크다. 언론의 (㉠)이(가) 남용된다면 심각한 윤리적 문제가 야기되기 때문이다.

서술형

02 밑줄 친 부분과 같은 문제점과 부작용이 발생하는 이유를 서술하시오.

> 뉴 미디어 시대를 맞아 대중들이 정보의 소비자이면서 동시에 생산자로 떠오르고 있다. 우리가 정보를 생산하고 소비하는 행위 자체가 정보를 새롭게 재생산하거나 유통시키는 행위가 될 수 있는 것이다. 이제는 단순히 유용한 정보를 게시하거나 서로의 일상을 공유하는 것을 넘어서 장비를 이용해 직접 인터넷 개인 방송을 하는 이들도 생겨났다. 하지만 문제점과 부작용 또한 적지 않다.

주관식

03 정보 사회의 지적 재산권 문제와 관련하여 다음 글에서 설명하고 있는 개념은 무엇인지 쓰시오.

> 지식과 정보는 소수의 사람들에게 독점되어서는 안 되고, 모든 사람에게 동등하게 열려 있어야 한다.

서술형

04 사이버 공간에서 표현의 자유 못지않게 개인의 인격권이 보호되어야 하는 이유를 서술하시오.

서술형

05 대중들이 정보의 소비자이면서 동시에 생산자인 뉴 미디어 시대에 소비자가 가져야 할 윤리적 자세에는 어떤 것이 있는지 서술하시오.

03 자연과 윤리

핵·심·정·리

단원 흐름 읽기

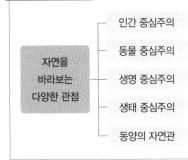

자연을 바라보는 다양한 관점	인간 중심주의
	동물 중심주의
	생명 중심주의
	생태 중심주의
	동양의 자연관

현대 환경 문제의 특징	토양 오염
• 지구의 자정 능력 초과	수질 오염
• 전 지구적 영향	대기 오염
	지구 온난화

환경적으로 건전하고 지속 가능한 발전
• 미래 세대의 행복 고려
• 책임 윤리와 배려 윤리
• 양적 성장주의 반성

1 자연을 바라보는 동서양의 관점

1. 인간 중심주의 윤리와 도구적 자연관

(1) **인간 중심주의 윤리**   이 세상에서 인간만을 가치 있게 여기고, 다른 모든 존재는 수단으로 바라보는 관점

| 고대 인간 중심주의 윤리 | • 아리스토텔레스: "식물은 동물을 위해서, 동물은 인간을 위해서 존재한다." • 아퀴나스: "신의 섭리에 따라 동물은 자연의 과정에서 인간이 사용하도록 운명 지어졌다." |
| 근대 인간 중심주의 윤리 | • 베이컨: 인간은 자연을 지배하고 이용할 수 있는 권한과 능력이 있다고 봄. • 데카르트: 이성적 인식 주체인 인간과 비이성적 인식 대상인 자연을 분리하였음. |

(2) **인간 중심주의 윤리의 특징**   이분법적 세계관, 도구적 자연관, 기계론적 자연관

(3) **인간 중심주의 윤리의 한계**   인간이 자연을 정복하고 이용함으로써 자연이 훼손되는 것을 정당화한다는 문제가 있음.

2. 탈인간 중심주의 윤리   동물·생명·생태 중심주의 윤리

동물 중심주의 윤리	• 싱어의 동물 해방론❶, 레건의 동물 권리론❷ 자료 1 • 한계: 동물 이외에 다른 생명체 무시
생명 중심주의 윤리	• 슈바이처의 생명 외경(畏敬) 사상, 테일러의 인간의 4대 의무(불침해, 불간섭, 신의, 보상적 정의의 의무) 강조 • 한계: 생명 이외에 생태계 전체의 중요성 간과
생태 중심주의 윤리	• 무생물을 포함한 생태계 전체로 도덕적 배려 대상으로 확장 • 레오폴드의 대지 윤리❸, 네스의 심층 생태학❹ • 한계: 생태계 전체의 안정을 위해 생명체, 인간의 희생을 강요

3. 동양적 자연관   인간과 자연의 관계를 상호 의존과 협력의 관점으로 바라봄.

불교	• 연기설과 윤회설: 모든 존재의 상호 의존성 강조 • 자비, 생명 존중 사상, 무소유, 명상이나 참선 등 실천 자료 2
도가	• 무위자연(無爲自然): 자연의 법칙을 중시 • 장자의 제물론❺, 물아일체(物我一體)의 실천
유학	• 천인합일(天人合一): 천지와 인간의 조화 중시 • 각 개체 생명들의 상호 의존성 강조, 안빈낙도❻ 실천

❶ **동물 해방론**
동물도 인간처럼 쾌락과 고통을 느끼기 때문에 인간과 동물을 다르게 대우하는 것은 인종 차별이나 성차별처럼 도덕적으로 정당화될 수 없다고 주장

❷ **동물 권리론**
동물도 하나의 '삶의 주체'라고 할 수 있으므로 인간을 위한 수단으로 취급해서는 안 되며, 그 자체로 본래적 가치를 지닌다고 주장

❸ **대지 윤리**
도덕 공동체의 범위를 확장해 그 속에 토양, 물, 식물과 동물뿐만 아니라 집합적으로 대지까지 포함하였음.

❹ **심층 생태학**
환경 문제를 해결하려면 세계관과 생활 양식 자체를 근본적으로 바꾸어야 한다고 주장함. '큰 자아실현'과 '생명 중심적 평등'을 강조함.

❺ **제물론(齊物論)**
모든 사물의 참과 거짓, 옳고 그름을 상대적인 것으로 보고, 절대적이고 근원적인 하나의 경지로 들어가면 만물이 절대적으로 평등하다는 사상

❻ **안빈낙도(安貧樂道)**
가난한 생활을 하면서도 편안한 마음으로 도를 지키며 즐기는 것

자료 1 싱어의 쾌고 감수성에 의한 이익 관심

> 고통과 쾌락의 감수 능력이 이익 관심을 갖는 전제 조건이 된다. 그것이야말로 누군가 이익 관심을 갖고 있다고 말할 수 있기 위해서는 만족되어야 할 조건이다. 어린이가 길가에 있는 돌멩이를 발로 찼다고 해서, 돌멩이의 이익 관심이 손상되었다는 것은 넌센스이다. 돌멩이는 고통을 느낄 수 없기 때문에 이익 관심을 가졌다고 할 수 없다. 고통과 즐거움을 느낄 수 있는 능력은 어떤 존재가 이익 관심을 가진다고(최소한 고통받지 않을 이익 관심을 가진다고)말할 수 있는 필요조건일 뿐만 아니라 충분조건이다. 예를 들어 쥐는 발에 채이지 않을 이익 관심을 갖는다. 발에 차인다면 그는 고통을 느낄 것이기 때문이다.

◎ **자료 분석** 싱어는 도덕적 지위를 설명하기 위해 '이익 관심'의 개념을 사용하였다. 그는 이익 관심을 갖기 위해 필요한 것은 오로지 고통과 쾌락을 느끼는 능력일 뿐이라고 강조한다.

뜯어보기 포인트

싱어가 이익 관심이라는 개념을 사용하기 위해서 어떤 전제 조건을 제시하고 있는지 알아보자.

Q1 싱어가 '이익 관심'의 전제 조건으로 제시한 것은 무엇인가?

자료 2 불교의 생명 존중 사상

> • 모든 중생이 다 나의 아버지요 어머니거늘, 그들을 잡아서 먹거나 해치는 것은 곧 나의 부모를 죽이거나 해치는 것이며, 또한 나의 옛 몸을 먹는 것이다. 모든 땅과 물은 다 나의 옛 몸이고, 모든 온기와 운동 에너지는 다 나의 본래 몸이다. — "범망경" —
> • 만약에 길을 가다가 개미, 지렁이, 날벌레, 개구리 및 그 밖의 작은 벌레들의 여러 곤충이 실바닥에 있거든 그 벌레들을 피하여 멀리 둘러 가야 하니, 자비심으로써 뭇 생명들(중생)을 보호하기 때문이다. — "정법념처경" —
> • 성읍 촌락과 산림천택과 동산, 궁전, 누각과 모든 행로 및 교량과 일체의 농작물 등을 태우지 말고, 파괴하지 말고, 물을 빼 대지 말며, 자르고 베지 말아야 한다. 왜냐하면 그 모든 것에는 다 같이 생명을 가진 짐승과 벌레들이 있으므로 그 죄 없는 중생들을 다치게 하거나 그 목숨들을 괴롭게 해서는 안 되기 때문이다. — "살차니건자경" —

◎ **자료 분석** 불교에서는 연기적 세계관에 따라 자연을 대하는 인간의 기본적 자세로 자비(慈悲)를 강조한다. 인간은 타인의 아픔과 고통을 자기 것으로 생각하여 함께 해야 하며, 자연 세계의 아픔과 고통 또한 자기 것으로 만들어야 한다고 하였다.

뜯어보기 포인트

생명을 존중하는 불교의 사상이 연기(緣起)라고 하는 기본적 세계관과 어떻게 연결이 되는지를 생각해 보자.

Q2 생명을 존중하는 불교의 기본적 세계관은 무엇인가?
① 연기
② 삼학
③ 팔정도
④ 사성제
⑤ 무위자연

📋 Q1 고통과 쾌락의 감수 능력 / Q2 ①

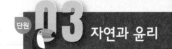

2 환경 문제에 대한 윤리적 쟁점

1. 현대 환경 문제의 유형과 특징

(1) **현대 환경 문제의 유형** 토양·수질·대기 오염, 지구 온난화, 자원 고갈, 오존층 파괴, 산성비, 사막화, 생물 다양성 파괴 등

(2) **현대 환경 문제의 특징**

① 지구의 자정❼ 능력 초과: 생태계의 자기 조절 능력 상실

② 전 지구적인 영향: 한 국가만의 노력으로 해결할 수 없고, 전 세계적인 협력이 필요함.

③ 사회적 약자 및 미래 세대에 대한 배려: 어린이나 노인, 사회적 약자, 미래 세대에 대한 배려의 관점이 고려되어야 함.

❼ **자정**
오염된 물이나 땅 따위가 물리학적, 화학적, 생물학적 작용으로 저절로 깨끗해짐.

2. 기후 변화의 윤리적 문제

(1) **기후 변화의 원인** 온실가스로 인한 지구 온난화

(2) **기후 변화에 따른 문제점** 가뭄, 홍수, 태풍, 사막화, 질병 증가, 작물 생산의 감소, 해수면 상승 등 여러 가지 문제 발생

(3) **기후 변화를 해결하기 위한 국제적인 노력**

① 기후 변화 협약(1992년): 온실가스의 배출을 규제하기 위한 국제 협약

② 교토 의정서(2005년): '탄소 배출권 거래제'를 통해 이산화 탄소와 같은 온실가스 배출량을 나라별로 할당한 후, 그 배출권을 사고팔 수 있도록 하는 국제 협약

③ 파리 협정(2015년): 선진국, 개발 도상국 모두가 온실가스 감축에 동참하기로 한 최초의 세계적 기후 합의 자료 3

3. 미래 세대에 대한 책임과 환경 문제

(1) **환경 보전에 대한 책임** 미래 세대의 행복과 본질적인 이익, 권리를 고려해야 함.

(2) **요나스❽의 '존재 그 자체'에 대한 책임 윤리** 생태학적 정언 명령
→ "네 행위의 결과가 인류의 존속 가능성을 파괴하지 않도록 행위하라."

(3) **나딩스의 배려 윤리** 자연환경은 미래 세대가 생존하기 위한 기초이자 행복한 삶을 살아가기 위한 터전이 되기 때문에 현세대는 환경 보전에 책임을 질 필요가 있음.

❽ **요나스(Jonas, H., 1903~1993)**
독일의 생태 철학자. "책임의 원칙"에서 생태계의 위기를 겪고 있는 현세대의 미래 세대에 대한 책임을 강조함.

4. 환경적으로 건전하고 지속 가능한 발전❾

(1) **의미** 미래 세대가 그들의 필요를 충족시킬 수 있는 가능성을 손상시키지 않는 범위에서 현재 세대의 필요를 충족시키는 발전

(2) **실현 방안** 양적 성장주의를 반성, 진정한 행복에 대한 성찰 필요

(3) **슈마허** "작은 것이 아름답다." → 최소한의 소비로 최대한의 복지 확보가 합리적이라고 주장, 자원과 재화 사용 절제(낭비는 일종의 폭력) 강조 자료 4

(4) **환경 문제 해결을 위한 대응 방안** 개인적·국가적·국제적 노력 필요

❾ **지속 가능한 발전**
지속 가능한 발전은 환경 보호, 사회 발전과 통합, 경제 성장이라는 3가지 축을 포함하고 있음.

자료 3 파리 협정

파리 협정은 2020년 이후 교토 의정서를 잇는 새로운 기후 변화 체제로, 195개 선진국과 개발 도상국 모두가 온실가스 감축에 동참하기로 한 최초의 세계적 기후 합의이다. 1997년의 교토 의정서는 유럽 연합(EU) 등 37개 선진국에만 온실가스 감축 의무를 부과했고, 선진국 중에서도 온실가스 대량 배출국인 미국은 비준을 거부하고, 일본·캐나다·러시아·뉴질랜드 등이 잇따라 탈퇴하거나 기간 연장에 불참했다. 반면, 파리 협정은 선진국의 선도적 역할을 강조하는 가운데, 모든 국가가 전 지구적인 기후 변화 대응에 참여한다는 선언을 했다. 온실가스 배출 1, 2위인 중국과 미국은 물론 전 세계 국가의 실질적 참여를 이끌어 냈다는 데 큰 의미가 있다.

◉ **자료 분석** 2015년 채택된 파리 협정의 의의를 나타내는 글이다. 이 협정의 중요한 사안은 '목표를 달성할 이행 방안을 실행할 수 있느냐.'라는 것이다. 현재로서는 비관적인 전망이 많은 편이다. 파리 협정은 각국이 온실가스 감축 목표를 스스로 정하는 상향식 체제로, 목표의 설정과 이행에 국제법적 구속력은 없다는 한계가 있다.

뜯어보기 포인트

파리 협정이 기존의 기후 변화 협약들과 다른 점이 무엇인지 생각해 보자.

Q3 파리 협정이 정식으로 적용되는 시기는 언제인가?

① 1991년   ② 2001년
③ 2011년   ④ 2021년
⑤ 2031년

자료 4 "작은 것이 아름답다."

슈마허는 경제 성장이 물질적인 풍요를 약속한다고 해도 그 과정에서 환경 파괴와 인간성 파괴라는 결과를 낳는다면, 성장 지상주의는 맹목적인 수용의 대상이 아니라 성찰과 반성의 대상이라고 지적한다. 그는 이러한 경제 구조가 진정으로 인간을 위하는 모습으로 탈바꿈할 수 있는 방안으로 '작은 것'을 강조한다. 인간이 자신의 행복을 위해 스스로 조절하고 통제할 수 있을 정도의 경제 규모를 유지할 때 비로소 쾌적한 자연환경과 인간의 행복이 공존하는 경제 구조가 확보될 수 있다는 것이다. 그는 지역 노동과 자원을 이용한 소규모 작업장을 만들자고 제안하며 더 작은 소유, 더 작은 노동 단위에 기초를 둔 중간 기술 구조만이 세계 경제의 진정한 발전을 가져올 수 있다고 주장한다. 중간 기술이란 인간을 생산 과정에 복귀시켜 생존 수단의 부재로 빈곤에 시달려 온 많은 이들을 구제할 방법으로, 대량 생산 대신 대중에 의한 생산을 이루어 줄 유일한 대안이다.

— 에른스트 슈마허, "작은 것이 아름답다." —

◉ **자료 분석** 이 책은 1973년 출간 이래 생태주의 운동뿐만 아니라 경제와 과학 기술, 가치 있는 삶, 노동과 교육에까지 깊은 영감을 주었다. 슈마허는 무한 성장은 환상이자 인류가 망하는 길이라고 날카롭게 지적하였고, 자연을 조작하고 지배할 수 있다고 믿는 과학 기술이 큰 위기를 만들 것임을 경고하였다.

뜯어보기 포인트

슈마허가 '작은 것'을 강조하는 이유가 무엇인지 생각해 보자.

Q4 슈마허가 강조하는 개념이라고 볼 수 없는 것은?

① 비폭력
② 소박함
③ 작은 것
④ 양적 성장주의
⑤ 최소한의 소비

답 Q3 ④ / Q4 ④

01 다음과 같은 인간 중심주의 윤리를 주장한 사상가를 |보기|에서 고르시오.

┌─ 보기 ┐
ㄱ. 베이컨   ㄴ. 아퀴나스
ㄷ. 데카르트   ㄹ. 아리스토텔레스

(1) 식물은 동물을 위해서, 동물은 인간을 위해서 존재한다.   (   )
(2) 이성적 인식 주체인 인간과 비이성적 인식 대상인 자연을 분리하였다.   (   )
(3) 신의 섭리에 따라 동물은 자연의 과정에서 인간이 사용하도록 운명 지어졌다.   (   )

02 다음 빈칸에 들어갈 알맞은 말을 쓰시오.

(1) 싱어는 인간과 동물을 다르게 대우하는 것은 인종 차별이나 성차별처럼 도덕적으로 정당화될 수 없다고 하면서 '(   )'을(를) 주장하였다.
(2) 슈바이처는 생명은 그 자체로서 신성한 것이라는 (   ) 사상을 제시하였다.
(3) (   )의 심층 생태학은 환경 문제를 해결하려면 세계관과 생활 양식 자체를 근본적으로 바꾸어야 한다고 주장한다. 여기서 우리가 추구해야 하는 것은 큰 자아실현과 생명 중심적 평등이다.

03 동양 사상과 그 자연관을 바르게 연결하시오.

(1) 불교 •   • ㉠ 무위자연(無爲自然)

(2) 도가 •   • ㉡ 천인합일(天人合一)

(3) 유학 •   • ㉢ 연기설과 윤회설

04 다음 내용이 맞으면 ○표, 틀리면 ×표를 하시오.

(1) 오늘날 기후 변화는 온실가스로 인한 지구 온난화 때문에 발생한다.   (   )
(2) 오늘날 환경 문제는 지구의 자정 능력을 넘어서서 회복하기 어려운 수준으로 악화되고 있다. (   )
(3) 신기후 체제로서 2015년 기후 변화 협약이 채택되었는데, 이는 선진국과 개발 도상국 모두의 참여를 이끌어 냈다는 데 의미가 있다.   (   )

05 표는 환경 윤리를 정리한 것이다. ㉠~㉢에 들어갈 알맞은 말을 각각 쓰시오.

요나스	'존재 그 자체'에 대한 (㉠)을(를) 주장함.
나딩스	우리가 미래 세대의 관점에서 판단한다면 환경을 보호하는 행위는 그들에게 이익을 주는 가치 있는 행동으로서 (㉡)을(를) 실천하는 것이라고 보았음.
(㉢)	소박함과 비폭력을 강조하면서 적은 수단으로 만족할 만한 결과를 만들어 내는 것, 혹은 최소한 소비로 최대한의 복지를 확보하는 것이 합리적이라고 주장함.

06 슈마허가 경제 성장을 외면하지 않는 동시에 환경을 보호할 수 있는 방안을 제시했던 그의 대표 저서를 쓰시오.

01 다음 내용에 부합하는 자연관으로 적절하지 <u>않은</u> 것은?

> 오늘날 우리가 겪고 있는 환경 문제의 원인으로 인간 중심주의 윤리가 비판받고 있다. 인간 중심주의 윤리는 이 세상에서 인간만을 가치 있게 여기고, 인간 이외의 다른 모든 존재는 인간의 목적을 이루기 위한 수단으로 바라본다.

① "지식은 곧 힘이다."
② "나는 생각한다. 그러므로 나는 존재한다."
③ "식물은 동물을 위해서, 동물은 인간을 위해서 존재한다."
④ "신의 섭리에 따라 동물은 자연의 과정에서 인간이 사용하도록 운명 지어졌다."
⑤ "나는 '살려고 애쓰는 생명체들 가운데서 살려고 애쓰는 생명체'라는 사실을 자각하는 것이 중요하다."

02 다음과 같은 환경 윤리의 주장으로 적절하지 <u>않은</u> 것은?

> 우리는 동물들에 대한 우리의 행위를 근본적으로 변화시키지 않을 수 없다. 예를 들어 우리의 식생활, 동물 사육 방식, 과학에서의 실험 절차, 야생 동물 사냥, 함정, 모피, 그리고 서커스, 로데오, 동물원에 대한 우리의 태도를 변화시켜야 한다. 우리의 태도가 변한다면 고통의 양은 엄청나게 줄어들 것이다.

① 의무론에 근거하여 '동물 권리론'을 주장하였다.
② 공리주의에 근거하여 '동물 해방론'을 주장하였다.
③ 도덕적 배려의 범위를 동물로 확대하자는 입장이다.
④ 종 차별주의는 인종 차별이나 성차별처럼 도덕적으로 정당화될 수 없다고 주장하였다.
⑤ 생명에 대한 인간의 4대 의무로서 불침해, 불간섭, 신의, 보상적 정의의 의무를 제시하였다.

03 다음의 주장을 한 사상가와 그 입장에 대한 설명으로 옳은 것은?

> 나는 '살려고 애쓰는 생명체들 가운데에서 살려고 애쓰는 생명체'라는 사실을 자각하는 것이 중요하다.

① 슈바이처: 생명 외경 사상을 제시하였다.
② 레건: 의무론에 근거하여 '동물 권리론'을 주장하였다.
③ 테일러: 생명에 대한 인간의 4대 의무를 제시하였다.
④ 싱어: 공리주의에 입각하여 '동물 해방론'을 주장하였다.
⑤ 네스: 세계관과 생활 양식 자체를 바꾸어야 한다는 근본 생태주의를 주장하였다.

04 다음의 입장에서 환경 문제를 해결하기 위해 제시할 수 있는 자연관을 |보기|에서 고른 것은?

> • 어떤 존재도 다른 존재와 떨어져 홀로 존재할 수 없으며, 한 존재의 행위는 반드시 다른 존재에게 영향을 미친다.
> • 자연을 기(氣)로써 이루어지는 개체 생명들의 유기적 관계망으로 이해함으로써 각 개체들의 상호 의존성을 강조한다.

┌ 보기 ┐
ㄱ. 자연을 인간의 목적을 이루기 위한 수단으로 본다.
ㄴ. 인간과 자연의 관계를 상호 의존과 협력의 관점으로 본다.
ㄷ. 이성적 인식 주체인 인간과 비이성적 인식 대상인 자연을 분리한다.
ㄹ. 모든 생명체가 상호 연결된 전체의 평등한 구성원이며, 동등한 가치를 가진다고 본다.

① ㄱ, ㄴ   ② ㄱ, ㄷ   ③ ㄴ, ㄷ
④ ㄴ, ㄹ   ⑤ ㄷ, ㄹ

05 다음과 같은 생태 윤리의 한계로 가장 적절한 것은?

> 생명을 가진 존재만 도덕적으로 고려하는 동물·생명 중심주의를 개체주의적이라고 비판하면서, 생태계와 같은 전체론적 관점에서 접근해야 한다는 입장이다.

① 생명에 대한 불간섭이 현실적으로 가능한가?
② 생명 이외에 생태계 전체의 중요성은 간과하는가?
③ 현실적으로 육식이나 동물 실험을 완전 금지할 수 있는가?
④ 생태계의 조화와 균형을 위해 특정한 종의 개체 수를 줄일 수는 없는가?
⑤ 생태계의 안정을 위해 각각의 생명체, 심지어 인간의 희생을 강요할 수 있는가?

06 다음과 같은 자연관을 주장한 사상과 가장 관계 깊은 것은?

> • 천지는 나와 함께 태어났고, 만물은 나와 더불어 하나이다.
> • 사람은 땅을 본받고, 땅은 하늘을 본받고, 하늘은 도를 본받고, 도는 자연을 본받는다.

① 연기설(緣起說)
② 불살생(不殺生)
③ 천인합일(天人合一)
④ 안빈낙도((安貧樂道)
⑤ 물아일체(物我一體)

07 파리 협정의 의의로 가장 적절한 것은?

> 파리 협정은 2015년 12월 유엔 기후 변화 협약 당사국 총회에서 채택한 협정으로, 2020년 이후 교토 의정서를 대체하여 적용될 새로운 기후 협약이다.

① 기후 변화에 대한 최초의 국제적인 노력이다.
② 1992년 기후 변화 협약을 대체할 수 있는 신기후 체제이다.
③ 선진국과 개발 도상국 모두의 참여를 이끌어 냈다는 데 의미가 있다.
④ '탄소 배출권 거래제'를 통해 온실가스 배출권을 사고팔 수 있도록 하는 국제 협약이다.
⑤ 선진국들에 도덕적 면죄부를 줌으로써 근본적 문제 해결에 도움이 되지 않는다는 비판이 있다.

08 다음과 같은 주장의 근거로 적절하지 **않은** 것은?

> 현세대는 환경 보전에 대한 책임을 질 필요가 있다. 왜냐하면 환경은 미래 세대가 생존하기 위한 기초이자 행복한 삶을 살아가기 위한 터전이 되기 때문이다.

① 요나스는 '존재 그 자체'에 대한 책임 윤리를 주장한다.
② 나딩스는 칸트의 정언 명법을 변형해 새로운 생태학적 정언 명령을 제시한다.
③ 의무론적 윤리 차원에서 볼 때 우리는 미래 세대의 권리를 인정할 수밖에 없다.
④ 이타주의나 사랑의 감정에서 우리는 미래 세대의 행복한 삶을 도와줄 책임이 있다.
⑤ 만약 우리가 환경을 무차별적으로 훼손하고 낭비한다면, 이는 미래 세대의 행복을 빼앗는 것이기 때문이다.

주관식

01 빈칸 ㉠~㉢에 들어갈 말을 각각 쓰시오.

> 도가에서는 노자의 (㉠) 사상에 따라 인위적인 상태를 비판하면서 있는 그대로의 자연을 숭상한다. 따라서 "사람은 땅을 본받고, 땅은 하늘을 본받고, 하늘은 도를 본받고, 도는 자연을 본받는다."라고 하면서 인간은 자연의 법칙을 따라 살아야 함을 강조한다. 장자의 (㉡)은(는) 천하 만물이 서로 의존하여 존재하는 것이므로, 하늘의 입장에서 보면 만물은 절대적으로 평등하여 일체가 된다는 주장이다. 따라서 '천지는 나와 함께 태어났고, 만물은 나와 더불어 하나'라는 (㉢)의 경지에 도달할 것을 강조한다.

서술형

02 다음과 같이 주장할 수 있는 이유를 서술하시오.

> 현세대는 환경 보전에 대한 책임을 질 필요가 있다. 왜냐하면 환경은 미래 세대가 생존하기 위한 기초이자 행복한 삶을 살아가기 위한 터전이 되기 때문이다.

주관식

03 다음 글의 빈칸에 들어갈 알맞은 말을 쓰시오.

> 오늘날 환경 문제는 지구의 ( )을(를) 넘어서서 회복하기 어려운 수준으로 악화되고 있다. 생태계가 자기 조절 능력을 상실한 것이다.

주관식

04 다음 글의 빈칸에 들어갈 국제 협약을 쓰시오.

> ( )은(는) '탄소 배출권 거래제'를 통해 이산화탄소와 같은 온실가스 배출량을 나라별로 할당한 후, 그 배출권을 사고팔 수 있도록 하는 국제 협약이다.

서술형

05 다음과 같은 생태 중심주의 윤리가 동물 및 생명 중심주의 윤리와 비교하여 다른 점은 무엇인지 서술하시오.

> 생태 중심주의 윤리는 무생물을 포함한 생태계 전체로 도덕적 배려의 대상을 확장한다. 레오폴드는 '대지 윤리'를 주장하는데, 도덕 공동체의 범위를 확장해 그 속에 토양, 물, 식물과 동물뿐만 아니라 집합적으로 대지까지 포함한다. 네스의 '심층 생태학'은 인간이 자연으로부터 독립되어 있다는 관점을 거부하고 전체 관계를 중요시하며, 환경 문제를 해결하려면 세계관과 생활 양식 자체를 근본적으로 바꾸어야 한다고 주장한다.

01 과학 기술과 윤리의 관계에 대한 설명으로 옳은 것은?

① 윤리는 과학 기술과 아무런 관계가 없는 다른 영역이다.
② 과학이 발달할수록 윤리적 성찰의 필요성은 그만큼 줄어든다.
③ 과학 기술은 어떤 상황에서도 가치의 문제와는 전혀 관계가 없다.
④ 윤리는 과학 기술이 나아가야 할 방향을 안내하는 나침반 역할을 한다.
⑤ 과학 기술의 발전은 언제나 윤리적으로 올바른 결과만을 가져다주었다.

02 과학 기술 낙관주의에 대한 설명으로 옳지 <u>않은</u> 것은?

① 과학 기술 지상주의의 입장이다.
② 과학 기술의 성과만을 일방적으로 높게 평가하는 것이다.
③ 인류를 질병과 가난으로부터 해방시켜 줄 것이라고 믿는다.
④ 과학 기술의 발전이 가져오는 환경 비용과 위험성에 주목한다.
⑤ 물질적 진보와 꿈의 실현을 통해 우리에게 행복을 가져다줄 것이라고 주장한다.

03 다음 글의 빈칸에 공통적으로 들어갈 말로 알맞은 것은?

> 과학 기술자들은 과학의 양면을 제대로 파악하여 인류의 복지에 긍정적으로 기여하려는 선한 의도와 사회적 (   )을(를) 가져야 한다. 과학이 우리의 삶에 엄청난 영향을 미치고 있는 만큼 과학 기술자는 사회적 (   )과(와) 의무로부터 결코 자유로울 수 없으며, 전문가로서 그에 상응하는 윤리적 (   )과(와) 자기 정당화의 의무를 지니고 있어야 한다.

① 소명   ② 책임
③ 반성   ④ 문제의식
⑤ 문화적 의식

04 다음 글에서 ㉠과 ㉡에 들어갈 말을 바르게 연결한 것은?

> 과학 기술 (㉠)주의는 과학 기술의 성과만을 일방적으로 높게 평가한다. 그러나 우리는 과학 기술의 한계와 위험을 간과해서는 안 된다. 그러나 과학 기술의 부작용만을 지나치게 염려하여 모든 종류의 과학 기술을 거부하는 과학 기술 (㉡)주의의 태도도 바람직하지 않다. 따라서 우리는 과학 기술에 대한 지나친 낙관론이나 비관론과 같이 하나의 편중된 시각에 치중하는 것을 경계하고 균형 잡힌 시각을 유지해야 한다.

	㉠	㉡
①	지상	혐오
②	애착	냉소
③	우대	혐오
④	지상	냉소
⑤	중독	무시

05 과학 기술의 바람직한 활용을 위해 필요한 노력으로 적절하지 <u>않은</u> 것은?

① 과학 기술자는 전문직으로서 고유한 윤리 강령을 따라야 한다.
② 과학 기술자는 공동체나 사회에 대한 무한한 책임과 의무를 성실히 이행해야 한다.
③ 사회적 차원에서 환경 영향 평가와 같은 제도 등을 통해 사회적 책임을 다해야 한다.
④ 과학 기술이 가져올 결과를 미리 생각하고, 나아가 무엇이 윤리적으로 옳은지를 결정해야 한다.
⑤ 과학 기술은 진리의 발견과 활용에만 전념해야지 그 결과에 대해서는 신경을 쓰지 말아야 한다.

06 정보 통신 기술의 발달로 인한 사회 변화의 모습으로 보기 **어려운** 것은?

① 정보 격차의 확대
② 사생활 침해 증가
③ 수직적인 사회 구조
④ 게임 및 인터넷 중독
⑤ 정보 유출의 위험 증가

08 다음 중 뉴 미디어의 유형으로 보기 **어려운** 것은?

① DAB
② IPTV
③ FM RADIO
④ 스마트 TV
⑤ N-Screen

09 다음 글의 빈칸에 들어갈 말로 알맞은 것은?

> 정보 사회의 문제를 해결하는 방법으로는 법이나 사회 제도를 통한 규제, 시장을 통한 규제, 기술적 규제 등 여러 가지가 있겠지만, 가장 중요한 것은 (   ) 접근이다. 결국은 인간이 어떤 규범에 근거해서 행동하느냐에 따라 결과가 달라지기 때문이다.

① 윤리적   ② 사회적
③ 과학적   ④ 경제적
⑤ 지식적

07 지식 재산권을 둘러싼 다음과 같은 문제에 대한 설명으로 옳은 것은?

> 정보 유통이 비약적으로 늘어나고 정보가 지닌 재산적 가치가 윤리 문제가 되면서, '지식 재산권'을 둘러싼 문제가 많이 생겨났다. 이는 정보의 공공성과 상품성이라는 두 가지 상반된 가치의 대립이다.

① 카피라이트는 정보의 공공성을 강조한다.
② 카피레프트는 정보의 상품성을 강조한다.
③ 정보의 공공성에 중점을 두면 정보 격차가 심화될 수 있다.
④ 카피라이트는 창작자에게 배타적 권리를 부여해야 창작 활동이 늘어난다는 논리이다.
⑤ 카피레프트는 다른 사람이 복제, 방송, 전시, 전송하는 것을 허용하거나 금지할 수 있는 권리이다.

10 다음 중 SNS의 장점으로 보기 **어려운** 것은?

> 최근에는 인터넷을 기반으로 하는 사회적 관계망 서비스인 SNS(Social Network Service)가 발달하면서 정보를 공유하는 핵심적인 수단이 되고 있다.

① 정보의 정확성이 증가하였다.
② 1인 미디어 기능을 하기도 한다.
③ 시민의 정치 참여를 유발하기도 한다.
④ 누구나 손쉽게 콘텐츠를 생산할 수 있다.
⑤ 빠른 속도로 광범위한 사람들에게 콘텐츠를 전달할 수 있다.

11 다음 글의 빈칸에 들어갈 말로 알맞은 것은?

> 정보 통신 기술의 혁신적 발전은 기존 매체에 큰 영향을 미쳤다. 인터넷은 폭발적인 발전을 거듭하였고, (   )화의 진행으로 콘텐츠는 미디어의 종류와 관계없이 매체와 독립적으로 활용 가능해졌다.

① 경제　　　　　② 지식
③ 대중　　　　　④ 디지털
⑤ 사생활

12 다음은 공리주의적 입장에서 매체 윤리의 기준을 나타낸 것이다. 빈칸에 들어갈 말로 알맞은 것은?

> '최대 다수의 최대 행복'이라는 원리에 따라 국민의 (   )을(를) 충족해야 한다. 따라서 정치인이나 공직자의 비리를 찾아 폭로하는 행위도 정당화될 수 있다.

① 불공정　　　　② 정당화
③ 알 권리　　　　④ 지식욕
⑤ 봉사 정신

13 다음 글의 빈칸에 들어갈 말로 알맞은 것은?

> 유학에서는 인간과 자연이 조화를 이루는 (   )의 경지를 추구하면서 인간을 기본적으로 천지(天地)와 더불어 화해와 조화를 지향하는 존재로 파악한다. "주역"에서는 자연을 기(氣)로써 이루어지는 개체 생명들의 유기적 관계망으로 이해함으로써 각 개체들의 상호 의존성을 강조한다. 따라서 인간은 안빈낙도의 태도를 바탕으로 욕심을 버리고, 있는 그대로의 자연을 즐겨야 한다고 주장한다.

① 연기설(緣起說)
② 윤회설(輪迴說)
③ 제물론(齊物論)
④ 천인합일(天人合一)
⑤ 물아일체(物我一體)

14 동물 중심주의의 한계에 대한 설명으로 옳지 <u>않은</u> 것은?

① 생명 이외에 생태계 전체의 중요성은 간과하는가?
② 동물 이외에 다른 생명체는 왜 존중받을 수 없는가?
③ 현실적으로 육식이나 동물 실험을 완전 금지할 수 있는가?
④ 인간의 이익과 동물의 이익이 충돌하는 경우 무엇이 우선하는가?
⑤ 생태계의 조화와 균형을 위해 특정한 종의 개체 수를 줄일 수는 없는가?

15 빈칸 ㉠과 ㉡에 들어갈 알맞은 말을 바르게 연결한 것은?

> 레오폴드는 (㉠)을(를) 주장하는데, 도덕 공동체의 범위를 확장해 그 속에 토양, 물, 식물과 동물뿐만 아니라 집합적으로 대지까지 포함한다. 네스의 (㉡)은(는) 인간이 자연으로부터 독립되어 있다는 관점을 거부하고 전체 관계를 중요시하며, 환경 문제를 해결하려면 세계관과 생활 양식 자체를 근본적으로 바꾸어야 한다고 주장한다.

	㉠	㉡
①	동물 해방론	대지 윤리
②	대지 윤리	심층 생태학
③	대지 윤리	생명 외경 사상
④	생명 중심주의	심층 생태학
⑤	동물 권리론	생명 외경 사상

16 생명 중심주의를 주장한 테일러가 강조한 생명에 대한 인간의 4대 의무로 적절하지 <u>않은</u> 것은?

① 명예
② 신의
③ 불침해
④ 불간섭
⑤ 보상적 정의

17 다음 내용과 관련된 윤리학자의 사상으로 옳은 것은?

> 그는 칸트의 정언 명법을 변형해 "네 행위의 결과가 인류의 존속 가능성을 파괴하지 않도록 행위하라."라는 새로운 생태학적 정언 명령을 제시하였다.

① 요나스의 책임 윤리
② 나딩스의 배려 윤리
③ 데카르트의 이성주의
④ 레오폴드의 대지 윤리
⑤ 슈마허의 불교 경제학

18 현대 환경 문제에 대한 설명으로 옳은 것을 |보기|에서 고른 것은?

> ┌ 보기 ┐
> ㄱ. 생태계의 자기 조절 능력을 통해서 해결 가능하다.
> ㄴ. 국경을 초월하여 전 지구적으로 연쇄적인 영향을 미치고 있다.
> ㄷ. 토양 오염, 수질 오염, 대기 오염, 지구 온난화 문제 등 환경 오염이 심각하다.
> ㄹ. 아직 태어나지 않은 미래 세대보다 현세대의 사회적 약자 보호에 더 노력해야 한다.

① ㄱ, ㄴ   ② ㄱ, ㄷ   ③ ㄴ, ㄷ
④ ㄴ, ㄹ   ⑤ ㄷ, ㄹ

19 기후 변화 문제에 대한 설명으로 옳지 <u>않은</u> 것은?

① 교토 의정서는 선진국과 개발 도상국 모두의 참여를 이끌어 냈다는 데 의미가 있다.
② 1992년에 온실가스의 배출을 규제하기 위해 기후 변화 협약이 채택되었다.
③ 기후 변화는 대기 중의 온실가스 농도가 증가하여 지구가 온난화되면서 발생한다.
④ 파리 협정은 2020년 이후 교토 의정서를 대체하여 적용될 새로운 기후 협약이다.
⑤ 물 부족, 사막화, 질병의 증가, 작물 생산의 감소는 물론, 해수면 상승과 같은 문제를 일으키고 있다.

20 밑줄 친 '그'의 입장에 부합하는 진술로 가장 적절한 것은?

> 그는 "작은 것이 아름답다."라고 하면서 경제 성장을 외면하지 않는 동시에 환경을 보호할 수 있는 방안을 강구했다.

① 자원과 재화 사용을 절제하는 것을 혐오하였다.
② 많이 소비할수록 행복하다는 양적인 접근이 합리적인 것이라고 주장하였다.
③ 최대한의 소비로 최소한의 복지를 확보하는 것이 합리적이라고 주장하였다.
④ 적은 수단으로 만족할 만한 결과를 만들어 내는 것이 합리적이라고 주장하였다.
⑤ 행복이라는 보이지 않는 가치에 집중하여 유교 사상을 통해 그 해결책을 찾고자 하였다.

01 갑은 부정, 을은 긍정의 대답을 할 질문으로 옳은 것은?

> 갑: 과학의 발전과 인류의 복지 증진을 위해서는 과학 연구 활동의 자유가 보장되어야 해. 따라서 진리를 탐구하는 과학자는 연구 과정에서의 도덕규범만 준수하면 돼.
> 을: 과학자는 진리 탐구의 과정에서 당연히 그런 도덕규범을 지켜야 해. 아울러 그는 자신의 자유로운 과학 연구 활동의 결과로 초래될 수 있는 사회적 영향도 고려해야만 해.
> 갑: 과학자의 연구 결과가 어떻게 활용되고, 그것이 사회에 어떤 결과를 가져올지는 과학자가 관여할 문제가 아니야. 핵분열을 연구하는 것과 그것을 활용하여 원자 폭탄을 만드는 것은 서로 다른 문제야.
> 을: 아니야. 어떤 과학자는 자신의 연구가 원자 폭탄의 제조로 이어지지 않도록 노력했어. 과학자는 자신의 연구가 인류의 복지에 미칠 영향도 고려해야 해.

① 과학 연구의 결과는 사회에 영향을 끼치는가?
② 과학 연구 활동의 자유는 인류의 복지와 무관한가?
③ 과학 연구는 참과 거짓의 탐구를 목적으로 삼는가?
④ 과학자는 연구 과정에서 도덕규범을 지켜야 하는가?
⑤ 과학자는 연구 결과 활용에 대한 책임 의식을 지녀야 하는가?

출제 단원

01 과학 기술과 윤리

출제 개념

과학 기술의 본질과 윤리

풀이

일부 과학자들은 과학에서는 가치 중립이 불가피하고, 그 결과에 대해 도덕적 책임을 물을 수 없다고 주장하며 과학 기술이 가치의 문제와 무관한 사실의 영역이라고 강조한다. 그러나 대부분의 과학자들은 과학 기술이 가치 중립적이라고 말하기는 어렵고, 그 결과의 책임에서 자유로울 수 없다고 말한다.

오답 피하기

갑은 과학에서 가치 중립이 불가피하다는 입장이고, 을은 과학 기술의 결과에 책임을 져야 한다는 입장이다. 따라서 갑이 부정, 을이 긍정적으로 대답할 질문은 연구 결과 활용에 대한 책임 의식을 묻는 ⑤번이 정답이다. ①, ②, ③, ④는 책임 의식과는 거리가 멀다.

02 다음 글은 신문 사설이다. ㉠에 들어갈 제목으로 가장 적절한 것은?

> ○○일보   ○○○○년 ○월 ○일
>
> ㉠
>
> 오늘날과 같은 정보 사회에서 정보는 물이나 전기와 같이 인간이 생활하는 데 가장 필수적인 요소이다. 우리가 물이나 전기 없이 며칠을 견디는 것은 상당히 고통스러운 일이다. 그래서 수도나 전기 요금을 감당하기 어려운 사람에게 수도와 전기를 끊어 버리는 일은 비인도적인 처사로 여겨진다. 이와 마찬가지로 정보 소외 계층은 정보를 소유하지 못하여 상당한 고통을 느낄 것이며, 그들은 정보 사회에서 경쟁력을 확보하지 못하여 사회적 약자로 머물게 될 것이다. …(중략)… 인간은 누구나 인간답게 살 수 있는 최소한의 권리를 가지고 있다. 그러므로 정부는 그러한 시민의 권리를 충족할 수 있는 방안을 마련해야 할 것이다.

① 정보 사유화를 강화하여 새로운 정보의 산출에 힘써야 한다.
② 정보 사회에서의 정보 격차를 완화하기 위해 노력해야 한다.
③ 정보 공유화로 인해 발생한 책임의 분산 문제를 해결해야 한다.
④ 국가의 독점적 정보 관리로부터 시민의 사생활을 보호해야 한다.
⑤ 정보 소외 계층에 대한 복지 정책이 역차별을 초래해서는 안 된다.

출제 단원

02 정보 사회와 윤리

출제 개념

정보 통신 기술의 발전과 사회 변화

풀이

신문 사설의 내용을 보면 오늘날 정보 사회에서 정보는 물이나 전기와 같이 인간이 생활하는 데 없어서는 안 되는 필수품이 되었다는 점을 강조한다. 따라서 모든 인간이 인간답게 살 수 있는 최소한의 권리를 보장받기 위해서는 정보 소외 계층이 정보를 보유하지 못함으로써 사회적 약자로 전락하게 해서는 안 된다는 점을 주장하고 있다.

오답 피하기

정보 소외 계층이 처하게 될 고통과 어려움이 예상되므로 그들의 최소한의 권리를 보장받기 위해 정보 격차를 완화하려는 노력이 필요하다는 ②번이 정답이다. ⑤번의 역차별에 대한 내용은 나타나 있지 않다.

03 (가)의 갑, 을, 병 사상가들의 입장을 (나) 그림으로 표현할 때, A~D에 해당하는 적절한 진술만을 |보기|에서 있는 대로 고른 것은?

(가)	갑: 동물을 잔인하게 다루는 것은 인간의 자기 자신에 대한 의무와 배치된다. 왜냐하면 이는 인간의 도덕성을 실현하는 데 방해가 되기 때문이다. 을: 고통이나 쾌락을 느낄 수 있는 능력은 한 존재자가 이익 관심을 갖는다고 말할 수 있기 위한 필요충분조건이다. 병: 인간은 자기가 도울 수 있는 모든 생명체를 도와주고 어떤 생명체에도 해를 끼치지 않을 때만 진정으로 윤리적이다.
(나)	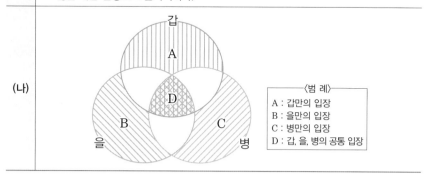 〈범례〉 A : 갑만의 입장 B : 을만의 입장 C : 병만의 입장 D : 갑, 을, 병의 공통 입장

┌ 보기 ┐
ㄱ. A: 동물 학대 금지는 간접적으로만 인간의 의무에 속한다.
ㄴ. B: 인간과 동물을 도덕적 관점에서 동등하게 고려해야 한다.
ㄷ. C: 식물은 내재적 가치를 지니므로 도덕적 존중의 대상이다.
ㄹ. D: 인간은 도덕적으로 존중받을 만한 가치 있는 존재이다.

① ㄱ, ㄷ　　　② ㄴ, ㄹ　　　③ ㄱ, ㄴ, ㄹ　　　④ ㄱ, ㄷ, ㄹ　　　⑤ ㄴ, ㄷ, ㄹ

출제 단원
03. 자연과 윤리

출제 개념
자연을 바라보는 관점

풀이
갑은 온건한 인간 중심주의에 해당하는 칸트이다. 을은 동물 중심주의에 해당하는 싱어이고, 병은 생명 중심주의에 해당하는 슈바이처이다.

오답 피하기
ㄴ의 인간과 동물을 도덕적 관점에서 동등하게 고려해야 한다는 내용은 싱어만이 아니라, 그보다 더 넓은 범위까지 포괄하고 있는 슈바이처에도 해당되므로 싱어와 슈바이처의 공통 입장이다. 정답은 ④번이다.

---

04 (가), (나) 사상의 입장에 대한 설명으로 가장 적절한 것은?

(가)	본래의 마음[心]을 완전히 발휘할 수 있다면 그 본성[性]이 무엇인지 알 수 있다. 본성이 무엇인지 알 수 있다면 하늘이 무엇인지[天命]도 알 수 있다.
(나)	사람은 땅을 법칙으로 삼고 땅은 하늘을 법칙으로 삼는다. 하늘은 도(道)를 법칙으로 삼고 도는 자연(自然)을 법칙으로 삼는다.

① (가)는 하늘이 인간 이외의 만물에 대해서만 관심을 가진다고 본다.
② (나)는 하늘이 부여한 도덕적인 가치가 만물 속에 내재한다고 본다.
③ (가)는 (나)와 달리 하늘이 만물에 법칙을 주는 최고 존재라고 본다.
④ (나)는 (가)와 달리 하늘이 만물 위에 존재하는 절대 원리라고 본다.
⑤ (가), (나)는 하늘이 만물의 운명을 주재하는 인격적 존재라고 본다.

출제 단원
03. 자연과 윤리

출제 개념
유교와 도가의 자연에 대한 관점

풀이
(가)는 인간의 본성이 하늘로부터 부여받은 것이라고 보아 '천성이 곧 인성'이라고 주장하는 유교 사상이다. (나)는 '도는 자연을 법칙으로 삼는다.'라고 주장하고 있으므로 무위자연(無爲自然)의 도를 강조한 도가 사상이다.

오답 피하기
도가에서는 하늘은 인간, 또는 다른 존재에 관심을 갖지 않는 자연 그 자체일 뿐이라고 본다. 이에 반해 유교에서는 하늘이 인간을 포함한 만물에 법칙을 부여하는 절대적인 최고 존재라고 본다. 따라서 정답은 ③번이다.

V

문화와 윤리

학습 계획표

- 자신의 일정에 맞게 계획을 세워 보고, 실제 학습한 날짜를 적어 봅시다.
- 학습을 마무리한 후 스스로 얼마나 학습 목표를 달성했는지 점검해 봅시다.

단원 01 예술과 대중문화 윤리

	쪽수	계획일	완료일	목표 달성도
Day 25 핵심 정리, 자료 뜯어보기	136~139쪽	월 일	월 일	☆☆☆☆☆
Day 26 개념 익히기, 내신 유형 다지기, 주관식·서술형 잡기	140~143쪽	월 일	월 일	☆☆☆☆☆

단원 02 의식주 윤리와 윤리적 소비

	쪽수	계획일	완료일	목표 달성도
Day 27 핵심 정리, 자료 뜯어보기	144~147쪽	월 일	월 일	☆☆☆☆☆
Day 28 개념 익히기, 내신 유형 다지기, 주관식·서술형 잡기	148~151쪽	월 일	월 일	☆☆☆☆☆

단원 03 다문화 사회의 윤리

	쪽수	계획일	완료일	목표 달성도
Day 29 핵심 정리, 자료 뜯어보기	152~155쪽	월 일	월 일	☆☆☆☆☆
Day 30 개념 익히기, 내신 유형 다지기, 주관식·서술형 잡기	156~159쪽	월 일	월 일	☆☆☆☆☆

	쪽수	계획일	완료일	목표 달성도
영역 마무리하기, 수능 유형 익히기	160~165쪽	월 일	월 일	☆☆☆☆☆

단원 01 예술과 대중문화 윤리

단원 흐름 읽기

예술과 윤리에 관한 입장
· 심미주의: 예술은 미적 가치만을 추구
· 도덕주의: 예술은 미적 가치와 도덕적 가치 추구

→ 예술의 대중화
→ 예술의 상업화

→ 대중문화의 윤리적 문제
→ 선정성 문제
→ 폭력성 문제
→ 자본 종속 문제

1 미적 가치와 윤리적 가치

1. 예술의 의미

(1) 아름다움 등의 미적 가치를 추구하는 것으로, 활동과 산물을 아우름.

(2) 인간은 예술을 통해 삶의 의미를 탐색하고 미적 가치를 추구함. → 유희적 존재❶

❶ 유희적 존재
문화와 예술을 창조하며 다양한 놀이를 적극적으로 추구하는 존재

2. 미적 가치와 윤리적 가치

(1) 예술과 윤리의 관계를 보는 관점

구분	심미주의	도덕주의
입장	예술은 미적 가치만을 추구해야 한다는 입장	예술은 도덕적 가치와 미적 가치를 함께 추구해야 한다는 입장
예술관	예술의 자율성, 독창성을 강조해 순수 예술론을 지지함.	예술의 사회적 영향력을 강조해 참여 예술론을 지지함.
관련 사상가	와일드❷: "예술은 도덕이 미칠 수 있는 영역 밖에 있다. 예술의 눈은 아름답고 불멸하며 끊임없이 변화하는 것에 고정되어 있기 때문이다."	플라톤: "우리는 아름다운 작품에서 시각과 청각의 부딪힘을 통해 아름다운 말과의 닮음과 조화에 이끌린다." 자료 1

❷ 와일드(Wilde, O., 1854~1900)
아일랜드의 시인·소설가·극작가. 저서로 "행복한 왕자", "도리언 그레이의 초상" 등이 있음.

(2) 동양에서 바라본 예술과 윤리의 관계 "인간은 시(詩)로써 일어나고, 예(禮)로써 바로 서고, 음악(樂)으로써 완성된다." → 시, 예, 악이 인간됨의 형성에 있어 기본적인 교양이 된다는 의미임.

3. 예술의 대중화와 상업화

(1) 등장 배경 현대 사회에 접어들어 주관주의❸가 주목을 받게 되었고, 현대 예술의 영역에 키치❹와 패러디, 기성품 등이 등장하면서 예술의 대중화와 상업화가 급속도로 이루어짐.

(2) 예술의 대중화 예술에 대한 절대적 기준과 권위주의적 사고에서 벗어나 예술의 향유 계층이 일반 대중으로 넓어짐.

(3) 예술의 상업화 예술의 대중화와 함께 일어난 모습으로, 예술 작품에 상품 가치가 매겨지고 거래됨. 자료 2

① 긍정적 영향: 소비자는 시장에서 문화 상품을 구매할 수 있고, 창작자는 이윤을 보장받을 수 있으므로 고급 예술과 대중 예술이 함께 발전할 수 있음.

② 부정적 영향: 예술이 상품으로 취급받게 되며 고유한 가치를 상실함. 예술이 표준화되고 획일화되어 다양성을 잃는 결과가 나타남.

❸ 미에 대한 객관주의와 주관주의

객관주의	·아름다움은 대상에 내재해 있는 객관적인 성질임. ·대상 자체가 가진 아름다움으로 인해 우리는 미적 쾌감을 느끼게 됨. ·아름다움은 그 대상에 독립적으로 존재함.
주관주의	·아름다움은 개인의 주관에 따라 다름. ·아름다움은 주관 속에서 생겨나는 감정의 산물임. ·아름다움은 대상을 관찰하는 관찰자의 마음속에 일어나는 현상

❹ 키치(kitsch)
진품을 모방하여 헐값에 파는 그림을 일컬음. 순수 예술을 훼손하였다는 비판과 대중의 욕구를 충족시켰다는 평가를 받음.

자료 1 　플라톤의 예술관

"우리로서는 오직 시인들에 대해서만 감시하며, 그들로 하여금 좋은 성격의 상을 자신들의 시 속에 새겨 넣도록 강요하거나, 아니면 우리 곁에서 시를 짓지 못하도록 할 것인가? 그래서 우리의 수호자들이 마치 나쁜 풀밭에서 그렇게 하듯이 나쁨의 상들 속에서 양육됨으로써 매일같이 조금씩 여러 군데에서 뜯어 먹다 보니 결국에는 많은 것을 뜯어 먹게 되어, 자신들의 마음 안에 자신들도 모르는 사이에 하나의 큰 나쁜 것을 형성하는 일이 없도록 말일세. 오히려 우리는 아름답고 우아한 것의 성질을 천부적으로 추적할 수 있는 그런 장인들을 찾아야만 하지 않겠는가? 그래서 젊은이들이 마치 건강에 좋은 곳에서 거주함으로써 그렇게 되듯이 아름다운 작품들에서 뭔가가, 마치 좋은 곳에서 건강을 실어다 주는 산들바람처럼, 그들의 시각과 청각에 부딪쳐 오게 되어 어릴 적부터 자신들도 모르는 사이에 아름다운 말과 닮음과 친근함 그리고 조화로 이끌릴 걸세."

– 플라톤, "국가"–

◎ **자료 분석**　플라톤은 젊은이들이 시와 같은 예술 작품들을 통해 도덕적 가치관을 함양해야 한다고 주장한다. 그는 시와 예술은 도덕에 의해 불가피하게 검열을 받아야 하며, 청소년이나 시민으로 하여금 선의 이데아를 지향하게 하는 한에서만 그 존재 의미가 있다고 보았다. 특히 아테네의 재건을 위해 교육 과정의 쇄신은 무엇보다 중요하였으며, 그 기초가 되는 것이 시와 예술을 통한 교육이라고 본 것이다.

뜯어보기 포인트
플라톤이 주장한 도덕주의 예술관을 기억하자.

Q1 플라톤의 예술에 대한 입장으로 적절하지 <u>않은</u> 것은?
① 예술은 도덕적 가치를 추구해야 한다.
② 예술 작품에 도덕적 검열이 필요하다.
③ 예술은 사회적 영향력을 가지고 있다.
④ 예술은 인간의 도덕성 함양에 기여한다.
⑤ 예술은 아름다움을 추구해서는 안 된다.

자료 2 　19세기 유럽에서의 예술의 상업화

에드윈 랜드시어에게 예술이란 부를 구가할 수 있는 가장 세련된 상품이었다. 능숙한 회화 기술을 가지고 있었던 에드윈은 19세기 중반 이후 유럽에 퍼진 예술의 상업화 경향에 적절히 부응하여 손쉽게 부와 명성을 거머쥐었다. 그는 신흥 부유층과 대지주의 저택을 돌아다니면서 어린아이들의 초상화나 가문 대대로 전해진 혈통 좋은 애완동물을 그려 주며 돈을 벌었다. 1873년에 사망한 그는 약 30만 파운드에 달하는 막대한 유산을 남겼는데, 거의 대부분 그림을 팔아서 챙긴 돈이었다. 그는 이렇게 말했다.

"만일 사람들이 그림에 대해 나만큼의 지식이라도 갖고 있었다면 내 그림 따위는 사지 않을 것이다." ……

다양한 측면에서의 예술의 타락이 이때부터 시작되었다. 앞서 얘기한 상업화의 경향은 두말할 것도 없는데 비단 이와 같은 상업적인 이윤 추구로만 예술이 타락한 것은 아니었다. 예술의 양식과 그 내용의 혁신이라는 예술가의 기본 덕목도 아울러 이 시기에 이르러 마멸되기 시작한 것이다.

– 정윤수, "문화예술 백과사전"–

◎ **자료 분석**　19세기에는 예술이 상업적인 가치를 지닌 하나의 상품으로 인식되었다. 이는 당시 대중들에게 예술을 전파하는 역할을 하기도 했지만, 자본에 예술이 종속되게 하는 결과 또한 낳았다.

뜯어보기 포인트
예술의 상업화, 대중화의 의의와 그 문제점을 이해하자.

Q2 예술의 상업화가 대중들에게 끼친 긍정적인 영향은 무엇인가?

🔑 Q1 ⑤ / Q2 일반 대중이 예술을 접할 기회를 늘려 주어 예술의 대중화에 기여하였다.

2 대중문화의 윤리적 문제

1. 대중문화의 등장

(1) 대중문화의 의미와 등장 배경

　① 의미: 특정 계층만이 아닌 사회 구성원 대다수가 향유하는 예술

　② 등장 배경: 여가 시간의 증대와 산업화 이후 대중 매체의 보급으로 대중이 소비의 주체로 등장, 대중문화가 주류 문화로 형성됨.

(2) 대중문화의 영향

　① 긍정적 영향: 다수의 대중이 문화와 예술 향유

　② 부정적 영향: 문화의 상품화를 통한 이윤 극대화를 추구하여 자본 논리❺에 지배될 수 있음.

2. 대중문화의 선정성❻과 폭력성 문제

(1) 대중문화의 선정성　대중문화의 공급자는 일반 대중의 주목을 끌고 소비를 촉진하기 위해 더 자극적이고 선정적인 요소를 작품에 사용하는 경우가 많음. → 사람들이 비윤리적인 요소에 무감각해질 수 있는 문제점이 있음. 자료 3

(2) 대중문화의 폭력성　대중문화는 소비자들의 만족감을 위해 작품에 폭력적 요소를 삽입하는 경우가 있음. 하지만 이런 요소를 어떻게 바라볼지에 대해서는 논란이 있음.

　① 대중문화의 폭력성을 긍정적으로 보는 입장: 개인의 표현 욕구와 분노를 대신해서 해소시켜 줄 수 있으므로 현실의 폭력을 줄이는 데에 도움을 줄 수 있음.

　② 대중문화의 폭력성을 부정적으로 보는 입장

　　• 폭력을 대중들에게 학습시킴으로써 폭력을 학습하도록 만들어 더 많은 폭력을 발생시킬 수 있음.

　　• 청소년을 비롯한 소비자들의 인격 함양에 악영향을 끼칠 수 있음.

(3) 대중문화의 수용 태도　대중문화의 선정성과 폭력성을 비판적으로 바라볼 수 있는 자세 필요

3. 대중문화의 자본 종속 문제

(1) 배경　예술이 상업화되어 대중의 수요를 충족시키고 더 많은 이윤을 창출하기 위해 자본에 의해 기계적으로 생산되며 발생하게 됨.

(2) 대중문화의 자본 종속으로 인한 문제

　① 예술에 담기는 예술적 정신과 가치보다는 단순히 이윤만을 추구하는 점에서 문제가 발생할 수 있음. 자료 4

　② 대량 생산으로 인해 대중문화에서 다양성, 자율성은 퇴색하고 문화의 획일화를 초래할 수 있음.

　③ 대중의 지성과 판단력의 마비로 이어져 대중이 문화에 예속되는 현상을 낳고, 다양한 문화의 발전을 저해할 수 있음.

(3) 우리의 자세　자본은 분명 대중문화에 있어 필요하지만, 대중문화와 자본 간의 적절한 관계가 무엇인지 심사숙고하고 항상 비판적으로 바라봐야 함.

---

❺ 자본 논리
도덕성이나 윤리 의식보다 경제적 이익을 우선시하여 의사 결정하는 것

❻ 선정성
어떤 감정이나 욕정을 북돋워 일으키는 성질

자료 3 대중문화의 선정성

대중문화에서 성(sex)은 대중의 시선을 장악하는 중요한 요소이다. 대중문화물은 일종의 상품으로서 대중의 관심과 구매력에 의존한다. 성은 대중문화물에서 쉽게 차용할 수 있고, 대중의 호기심을 자극하며, 내면의 성적 욕구와 욕망을 충족할 수 있다. 따라서 대중문화를 생산하는 제작자 입장에서는 간편하게 만든 지적 소구의 문화물과 이전에는 없었던 전혀 새로운 문화물을 생산하는 시도를 하게 된다. 전자의 입장으로 제작된 문화물은 기존의 고전들을 간결하고 짧게 정리한 문고판이나 일상적인 사건과 사고를 다룬 신문들과 흥미로운 사안의 이야기들을 소개하는 소형 잡지들이었다. 후자는 남녀의 연애나 성적이거나 에로틱한 관계를 다룬 대중 소설이었다. 가장 빈번하게 다루는 주제와 내용은 남녀의 애정과 연애에 관한 것들로 성적이며 에로틱한 재현들이 더욱 선정적으로 제시된다.

– 백선기, "대중문화론" –

◉ **자료 분석** 대중문화가 어떻게 선정성을 띠게 되었는지를 설명하는 글이다. 대중문화는 대중의 호기심을 자극할 수 있고, 욕망 충족의 수단으로써 성을 이용하여 대중의 욕구를 자극하여 더 많은 대중문화물이 소비되는 것을 유도하여 선정성을 띠게 되었다.

뜯어보기 포인트
대중문화의 선정성으로 나타난 문제점을 탐구해 보자.

Q3 대중문화의 선정성으로 나타날 수 있는 문제점으로 적절한 것은?

① 폭력성이 증가한다.
② 분노를 해소할 수 있다.
③ 문화의 획일화를 조장한다.
④ 대중문화가 자본에 종속될 수 있다.
⑤ 대중이 윤리에 무감각해지고, 인격을 해칠 수 있다.

자료 4 아도르노가 말한 '문화 산업'

'문화 산업'이라는 용어는 하버마스가 "세계에서 가장 어두운 책"이라고 평했던 "계몽의 변증법"에서 등장한다. 프랑크푸르트 학파의 대표적 학자인 테오도르 아도르노와 막스 호르크하이머의 공동 저술인 이 책은 1947년에 처음 출판되었다.

이 책에서 아도르노는 후기 자본주의 시대의 대중문화(popular culture)와 구분하기 위해 문화 산업(culture industry)라는 새로운 용어를 고안하였다. 왜냐하면 대중문화라는 용어를 쓸 경우 '대중 스스로에 의해 자발적으로 생겨난 문화'라는 뉘앙스를 가질 수 있음을 염려했기 때문이다. 즉 아도르노는 '문화 산업'이라는 용어를 통해 오늘날의 문화가 철저하게 이윤을 추구하는 비즈니스가 되었음을 강조하고자 했던 것이다.

– 김평수, "문화 산업의 기초 이론" –

◉ **자료 분석** 아도르노는 대중문화가 다수의 대중이 원해서 만들어진다기보다는, 철저히 이윤을 추구하는 상업성의 측면을 띤다는 의미에서 '문화 산업'이라는 용어를 만들어 냈다.

뜯어보기 포인트
아도르노가 말한 대중문화의 상업성 문제에 대해 이해하자.

Q4 제시문의 하버마스가 '문화 산업'이라는 용어를 만들어 낸 이유는 무엇인가?

▣ **Q3** ⑤ / **Q4** 대중문화가 상업화되며 예술적인 가치가 아닌 이윤을 추구하는 상업적인 측면을 띠게 되었다는 것을 강조하기 위해서이다.

01 다음과 같이 예술을 보는 관점을 쓰시오.

> 예술가가 다른 사람의 욕구를 만족시키려는 순간, 그는 예술가이기를 포기한 것이며, 예술가에게는 윤리적 공감은 독창성을 잃게 하는 것이므로 필요 없다.

---

02 다음 빈칸에 들어갈 알맞은 말을 쓰시오.

(1) (　　　　)은(는) 예술이 인간의 도덕성 함양에 기여해야 한다고 주장하는 입장이다.

(2) 예술의 (　　　　)(으)로 인해 예술을 많은 사람이 즐길 수 있게 되었다.

(3) 예술의 (　　　　)(으)로 인해 예술 작품에 상품 가치가 매겨지고 거래되었다.

(4) 아도르노는 대중문화가 상업 자본의 영향을 받아 만들어진다는 의미로 (　　　　)(이)라는 용어를 만들어 냈다.

03 다음 내용이 맞으면 ○표, 틀리면 ×표를 하시오.

(1) 예술은 감정의 순화, 심리적 안정감 부여 등의 역할을 함으로써 우리의 삶을 풍요롭게 한다. (　　　)

(2) 예술의 대중화는 예술 작품이 상품처럼 사고팔아 이윤을 얻는 도구처럼 여겨지는 현상을 일컫는다. (　　　)

(3) 예술의 상업화는 대중의 취향을 반영한 다양한 예술 분야가 발전하는 긍정적인 영향과 예술의 본질이 왜곡되고 획일화되는 부정적인 영향을 동시에 갖고 있다. (　　　)

04 예술과 윤리에 대한 입장을 바르게 연결하시오.

(1) 도덕주의 •

(2) 심미주의 •

　• ㉠ 예술은 예술 그 자체나 예술적 아름다움을 추구해야 한다는 입장

　• ㉡ 예술은 인간의 올바른 도덕적 품성 함양을 목적으로 해야 한다는 입장

05 다음과 같은 주장을 펼친 사상가의 이름을 쓰시오.

> 좋은 음악이 되기 위해서는 노랫말이 훌륭한 덕을 지닌 사람의 용기와 절제를 모방해야 하고, 나아가 선율과 리듬의 형식이 그러한 내용을 적절히 반영해야 한다.

---

06 예술이 윤리적 가치와는 별개로 아름다움만을 추구해야 한다고 주장하는 사상가를 |보기|에서 모두 고르시오.

┌ 보기 ├
• 와일드　　• 플라톤　　• 스핑건　　• 톨스토이

---

07 다음 빈칸에 들어갈 대중문화의 문제점을 쓰시오.

> 대중문화의 (　　　　)(으)로 인해 대중문화의 다양성과 자율성은 퇴색하고 획일적 상품의 생산과 소비가 주를 이루게 된다. 이것이 심해져 대중의 지성과 판단력을 마비시키고, 더 이상 자율성과 독창성을 발휘할 수 없게 한다면 다양성을 통한 문화 발전에 심각한 문제가 될 수 있다.

01 다음과 같은 관점을 가진 사상가의 주장으로 옳은 것은?

> 인간은 시(詩)로써 일어나고, 예(禮)로써 바로 서고, 음악(樂)으로써 완성된다.

① 예술과 윤리는 분리되어야 한다.
② 예술은 표현의 자유가 가장 중요하다.
③ 예술은 윤리의 완성에 이바지할 수 있다.
④ 예술은 가치 판단의 문제에서 벗어나야 한다.
⑤ 예술은 주관적 감상자의 수용 태도가 중요하다.

02 다음 주장에 부합하는 진술로 적절하지 **않은** 것은?

> 예술 작품을 통한 미적 체험은 무뎌지기 쉬운 인간의 감수성을 풍부하게 하며, 상상력을 자극한다. 이를 통해 우리는 이기적 욕구를 극복하고 다른 사람의 삶에 참여할 수 있는 계기를 마련할 수 있다. 따라서 우리는 예술과 도덕의 고유성을 인정하면서도 예술과 도덕이 상호 보완적 관계가 될 수 있도록 노력해야 한다.

① 미(美)는 도덕적 선(善)의 상징이다.
② 예술은 인간의 도덕성에 영향을 끼친다.
③ 예술은 가치 판단의 문제에서 벗어나야 한다.
④ 예술은 미적 가치와 함께 윤리적 가치도 실현되어야 한다.
⑤ 예술 작품의 가치는 도덕적 가치에 의해 영향을 받는다.

03 다음을 주장한 사상가들의 공통적인 입장으로 옳은 것은?

> • 선을 추구하는 예술이 참된 예술이다. – 톨스토이 –
> • 사람을 가르치는 데 있어 반드시 음악으로 하는 것이 또한 마땅치 않겠는가. 성인의 도도 음악이 아니면 시행되지 못하고, 제왕의 정치도 음악이 아니면 성공하지 못하고, 천지 만물의 정도 음악이 아니면 조화되지 않는다. – 정약용 –

① 예술은 윤리와 구분되어야 한다.
② 예술은 사회와 일정한 거리를 유지해야 한다.
③ 예술은 도덕적 교훈과 사회적 영향력을 가진다.
④ 예술은 인간의 타락을 초래하므로 경계해야 한다.
⑤ 선(善)은 미(美)의 상징이므로 미의 실현에 이바지할 수 있다.

04 다음과 같은 견해를 가진 사람이 지지할 주장으로 옳지 **않은** 것은?

> 세상에 도덕적인 책이나 비도덕적인 책은 없다. 책은 잘 쓰여 있거나 아니면 형편없이 쓰여 있거나 둘 중 하나일 뿐이다. 예술가는 그 어떤 것이든 표현할 수 있다. 예술가에게 악덕과 미덕은 예술을 위한 소재일 뿐이다.

① 예술을 위한 예술을 추구해야 한다.
② 예술 작품은 미적 가치만을 추구해야 한다.
③ 예술가는 윤리적인 고려를 할 필요가 없다.
④ 예술가에게 표현의 자유를 보장해 주어야 한다.
⑤ 예술은 사회 발전과 질서 유지에 기여해야 한다.

05 다음 사례를 통해 알 수 있는 현대 예술의 특징으로 옳은 것은?

▲ 앤디 워홀, '캠벨 수프 통조림(1962)'

> 워홀은 실크 스크린 기법으로 캠벨 스프 통조림, 코카콜라 등 대중적인 상품이나 엘비스 프레슬리, 마오쩌둥 등의 유명 인사들의 이미지를 제작했다.

① 예술 작품 사이의 경계가 뚜렷해지고 있다.
② 예술 작품의 인문 교양적 가치가 증대되었다.
③ 유용성을 강조함으로써 고급문화가 발전되었다.
④ 상업적 가치에 의한 예술의 평가는 약화되고 있다.
⑤ 대중도 예술에 쉽게 접근할 수 있는 계기를 제공했다.

06 현대 예술의 특징으로 적절하지 <u>않은</u> 것은?

① 대중이 예술을 향유하는 주체가 된다.
② 일상과 예술의 기준이 허물어지고 있다.
③ 예술 장르 간의 경계가 모호해지고 있다.
④ 획일적인 소재만이 예술로 표현되고 있다.
⑤ 경제적 이익을 목적으로 하는 예술이 생겨나고 있다.

07 다음 사례에 공통적으로 나타난 개념으로 적절한 것은?

> • 워홀은 자신을 사업 미술가라고 하였고, 자신의 작업실을 공장으로 표현하였다.
> • 아도르노는 예술이 철저하게 이윤을 추구하는 비즈니스가 되었다는 점에서 '문화 산업'이라는 말을 만들었다.

① 예술의 상업화　　② 예술의 대중화
③ 절대적 도덕주의　　④ 대중문화의 폭력성
⑤ 대중문화의 선정성

08 다음을 주장한 사상가의 입장으로 옳은 것은?

> 대중문화를 만들어 내는 대중 매체는 극소수 독점 자본가들의 소유 아래 있으며, 그들은 단지 이윤 추구를 위해 대중문화라는 이름으로 문화와 예술을 상품화한다. 이러한 문화 산업은 예술을 흉내 내는 것일 뿐이며 규격화된 획일성으로 예술을 재생산하여 왜곡함으로써 예술의 진지성을 해친다. 문화 산업의 본질은 대중의 요구에 부응하는 것이 아니라 오히려 대중들의 요구와 반응을 조작하여 그들을 기만하는 데 있다.

① 문화 산업으로 인해 예술이 획일화되었다.
② 예술의 상업화로 예술의 본질 실현이 용이해졌다.
③ 소비자들은 자신의 요구와 반응으로 대중 예술을 통제할 수 있다.
④ 대중 매체를 통해 소비자들은 다양한 미적 체험이 가능해졌다.
⑤ 문화 산업이 성장하며 대중들의 사회 비판 의식도 강화되었다.

09 표는 예술의 상업화가 우리에게 미친 영향을 나타낸 것이다. ㉠에 들어갈 내용으로 적절하지 <u>않은</u> 것은?

긍정적 영향	대중이 예술에 접근할 수 있는 기회 확장
부정적 영향	• 예술성 훼손 및 예술 작품의 교양적 가치 배제 • _____㉠_____

① 예술의 자율성이 훼손된다.
② 작가 정신보다 대중성이 중시된다.
③ 특수 계층의 예술적 취향이 강조된다.
④ 선정적이고 외설적인 표현이 증가된다.
⑤ 예술 작품도 하나의 상품으로 취급된다.

10 다음을 주장한 사상가가 긍정의 대답을 할 질문으로 가장 적절한 것은?

> 음악으로 민심을 선도할 수 있고 사람을 감동시킬 수 있으며, 풍속을 변화시킬 수 있다. 그러므로 선왕이 예악(禮樂)으로 인도하면 백성이 화목해진다.

① 예술을 위한 예술을 추구해야 하는가?
② 예술 분야의 독립성을 확립해야 하는가?
③ 예술은 도덕적 가치를 고려해야 하는가?
④ 예술은 인격 형성에 영향을 끼치지 못하는가?
⑤ 예술의 미와 도덕적 선을 무관한 것으로 보아야 하는가?

11 다음 제시문에서 강조하는 내용으로 가장 적절한 것은?

> 가장 예술적인 것이야말로 상업화되고 대중화되어야 하며, 예술의 가치는 돈으로 환산될 수 있어야 한다. 왜냐하면 문화적 취향이 다양한 대중이 예술을 소비함으로써 다양한 분야의 예술이 발전할 수 있기 때문이다.

① 예술품에는 작가 정신이 담겨야 한다.
② 예술품은 특정 계층만이 소비해야 한다.
③ 예술의 상업화가 예술의 발전을 촉진한다.
④ 예술의 상업화는 예술의 본질을 왜곡시킨다.
⑤ 예술품은 상품적 가치만으로는 판단할 수 없다

주관식

01 빈칸 ㉠, ㉡에 들어갈 말을 각각 쓰시오.

> 예술과 윤리의 관계에 대한 관점은 심미주의와 도덕주의로 나눌 수 있다. 심미주의는 예술을 위한 예술을 주장하며, 예술은 윤리에 대한 고려 없이 (㉠)의 구현을 목적으로 해야 한다고 본다. 반면 도덕주의는 예술의 사회성을 강조하며, 예술이 아름다움과 함께 (㉡)을(를) 추구해야 한다고 본다.

주관식

02 대중문화의 선정성과 관련하여 다음 빈칸에 들어갈 말을 쓰시오.

> 자유로운 사회 분위기에 따라 예술가들은 과거와 달리 좀 더 과감하게 성(性)에 관해 표현하기 시작하였다. 그러나 인간의 성에 대한 노골적 표현은 우려할 점이 많다. 그래서 그와 같은 표현물은 예술이 아니라 ( )(으)로 규정해 통제해야 한다.

주관식

03 현대 예술의 흐름과 관련하여 빈칸 ㉠, ㉡에 들어갈 말을 각각 쓰시오.

> 보편적 이론이나 권위주의적인 사상의 해체를 주장하는 현대 사상의 흐름인 (㉠)의 영향으로, 팝아트와 같은 형식을 통해 대중을 예술 향유의 주체로 끌어올리는 예술의 대중화와 예술의 상품적 가치에 주목하는 예술의 (㉡) 현상이 일어났다.

주관식

04 예술의 상업화와 관련하여 다음 빈칸에 들어갈 알맞은 말을 쓰시오.

> 아도르노는 "계몽의 변증법"에서 오늘날의 대중문화가 철저하게 자본주의적 이윤을 추구하는 상업의 경향을 띠고, 대중을 억압한다는 의미에서 대중문화와 구별되는 단어인 ( )을(를) 사용하였다.

서술형

05 예술이 우리 삶에 주는 의미를 서술하시오.

서술형

06 예술의 상업화로 인해 나타날 수 있는 문제점을 두 가지 서술하시오.

서술형

07 대중문화의 선정성과 폭력성으로 인한 윤리적 문제점을 서술하시오.

단원 02 의식주 윤리와 윤리적 소비

```
의식주의 윤리 ─┬─ 의복 문화와 윤리적 문제
              ├─ 음식 문화와 윤리적 문제
              └─ 주거 문화와 윤리적 문제

윤리적 소비문화 ─┬─ 착한 소비
                └─ 녹색 소비
```

1 의식주의 윤리

1. 의식주 생활과 윤리적 문제

(1) **인간의 행위** 인간의 행위는 의무적 행위, 금지된 행위, 허용 가능한 행위, 칭송받을 만한 행위로 구분 지을 수 있음. 행위들이 어디에 속하는지 구분하는 데 세심한 윤리적 고려가 필요함.

(2) **의식주 생활**

① 개인의 삶에 가장 기본이 되는 생활임.

② 의식주 문제는 타인과 사회에 미치는 영향을 고려한다면 윤리적 문제로 볼 수 있음.

2. 의복 문화와 윤리적 문제

(1) **의복의 의의** 신체 보호, 개성 표현, 직위·시대·사회 분위기 반영, 집단의 가치나 공동체의 성격을 드러내는 등 의복에도 사회와 관련된 규범이 담겨 있음.

(2) **의복과 관련한 윤리적 문제** 자료 1

① 과도한 유행 추구❶: 유행에 무비판적으로 동조하거나 기업의 판매 전략에 휘둘릴 수 있음.

② 명품 선호 현상: 과소비와 사치 풍조 조장

3. 음식 문화와 윤리적 문제

(1) **식사의 의의** 생명 유지 및 건강 보전 등의 원동력이 됨. 우리의 식욕을 만족시켜 줄 수 있음.

(2) **음식과 관련한 윤리적 문제** 자료 2

식품 안전성 문제	인체에 해로운 첨가제나 이윤 극대화를 위한 부정 식품❷ 사용
환경 문제	음식물 쓰레기와 화학 비료 등으로 인해 환경 오염 발생
동물 복지 문제	과도한 육류 소비, 대규모 공장식 사육 및 도축으로 인한 문제 발생
음식 불평등 문제	저소득 국가의 인권 문제, 국가 간 빈부 격차 심화 등의 윤리적 문제 발생

4. 주거 문화와 윤리적 문제

(1) **주거의 의의**❸ 삶의 기본 터전, 휴식과 평화로운 삶을 위한 필수 조건

(2) **주거 문화의 윤리적 문제** 집을 투자의 대상이나 과시용으로 여기는 경향, 공동 주택의 폐쇄성 등

---

❶ **패스트 패션(fast fashion)**
최신 유행을 즉각 반영한 디자인, 비교적 저렴한 가격, 빠른 상품 회전율로 승부하는 패션 또는 패션 사업을 말함. 패스트 패션은 막대한 물량의 생산과 공급, 값싼 원단과 저렴한 인건비에 기반하고 있음.

❷ **부정 식품**
식품 위생법에 어긋나는 재료나 방식으로 만들어진 식품

❸ **하이데거의 주거의 의의**
하이데거는 집의 본질적 의미 상실을 '고향의 상실'이라고 비판하며 내적 공간으로서의 집을 강조함.

자료 1 베블렌 효과와 밴드왜건 효과

　자본주의 사회에서는 일반적으로 수요와 공급의 원리에 의해 가격이 결정된다고 믿어진다. 그러나 상층 계급이 주로 소비하는 럭셔리 산업에서는 수요와 공급 원리보다는 판매 상품이 더 고급임을 강조할수록 수요가 증가하며 상품의 가격이 상승한다. 이런 상층 계급의 과시적 소비 현상을 경제학자 소스타인 베블렌의 이름을 따 '베블렌 효과'라고 부른다. 베블렌은 이런 사치 품목은 상품의 효용 가치가 아닌, 상품을 통해 자신의 재력을 과시하려는 심리로 인해 소비되는 경우가 많다고 주장한다.

　반면, 단순히 그 상품이 유행한다는 이유만으로 그 상품을 점점 더 소비하게 되는 현상을 '밴드왜건 효과'라고 부른다. 밴드왜건이라는 단어는 미국에서 정치인의 선거 운동을 위해 동원되던 마차에서 유래되었다. 대중들이 자신의 생각이 아닌 단순한 유행을 따르는 것이 마치 선거 운동의 밴드왜건을 따르는 군중들을 보는 것 같아 붙여진 이름인 것이다. 베블렌 효과와 밴드왜건 효과는 모두 자본주의에서 비롯된 문제로 여겨진다.

◉ **자료 분석**　베블렌 효과는 자신의 재력을 과시하기 위해 재화를 소비하는 문화라면, 밴드왜건 효과는 단순히 유행을 따르려는 심리에서 재화를 소비하는 문화이다. 이 문화들은 모두 자본주의적 소비의 문제점으로 지적되고 있다.

뜯어보기 포인트
베블렌 효과와 밴드왜건 효과가 어떤 소비 양상을 나타내는 말인지 알아보자.

Q1 다음과 같은 현상을 무엇이라고 하는지 쓰시오.

대중이 자신의 생각을 기준으로 재화를 소비하지 않고 그저 유행한다는 이유로 그 재화를 소비하려는 현상

자료 2 죽음의 밥상

　이 세상에서 인간이 벌이는 일 중에 농업만큼 이 지구에 큰 영향을 미치는 일은 없다. 우리가 먹을거리를 구입하는 일은 거대한 글로벌 산업 시스템에 동참하는 일이다. 미국인들은 매년 1조 달러 이상을 식비로 사용한다. 우리는 모두 식품의 소비자들이며, 우리 모두 어느 정도는 식품 업체들이 유발하는 공해와 연관이 있다. 60억 명의 인구에 미치는 영향 말고도, 식품 산업은 매년 500억 이상의 인간이 아닌 육지 동물들에게 직접적인 영향을 주고 있다. 그들 중 다수는 전 생애를 구속받고 있으며, 계획에 따라 태어나 공장의 부품과 같이 살다가 살육되는 길을 가고 있다. 여기에 더해 수십 억 마리의 물고기가, 그리고 다른 해양 생물들이 바다에서 떠내어져, 사람이 먹을 수 있도록 토막 나고 있다. 화학 물질과 호르몬제는 강과 바다에 흐르고, 조류 독감과 같은 병이 번진다. 농업은 거의 모든 생명에 손을 뻗고 있다. 이 모든 것은, 다름 아닌 우리가 내린 먹을거리 선택으로 빚어진 일이다. 더 나은 선택은 가능하다.

– 피터 싱어, "죽음의 밥상"–

◉ **자료 분석**　피터 싱어는 식품 산업이 지구 환경과 동물들에게 끼치는 영향을 밝히며, 동물권을 보호하기 위해 더 나은 음식 소비문화를 만들어야 한다고 주장한다.

뜯어보기 포인트
피터 싱어가 음식 소비문화를 바라보는 관점에 대해 이해하자.

Q2 음식 소비문화와 관련하여 피터 싱어의 입장으로 옳지 않은 것은?

① 음식 소비문화를 바꿀 필요가 있다.
② 식품 산업은 동물들을 부당하게 착취한다.
③ 식품 소비문화는 지구 환경에 큰 영향을 미친다.
④ 인간과 동물의 이익을 평등하게 고려해야 한다.
⑤ 인류의 행복 증진을 위해 육류 소비를 장려해야 한다.

답 Q1 밴드왜건 효과 / Q2 ⑤

2 윤리적 소비문화

1. 현대의 소비문화

(1) **현대 소비문화의 양상** 소비를 많이 할수록 더 행복해진다고 믿는 물질 만능주의, 상품의 사용 가치보다 상품의 이미지, 상징을 소비하는 등 과시적 소비도 나타나고 있음.

(2) **소비의 긍정적 측면**

① 빈곤에서 벗어나 물질적으로 풍요로운 삶을 누릴 수 있음.

② 전통 사회의 계층적 소비에서 벗어나 소비 민주화를 이룰 수 있음.

③ 소유의 자유가 보장되고, 새로운 제품의 소비를 통해 생활 수준이 향상됨.

(3) **소비의 부정적 측면**

① 지나친 쾌락 추구로 인해 오히려 불행해질 수 있음.(쾌락의 역설)

② 물질 만능주의 및 과소비 등 비윤리적 소비문화 형성

③ 자원 고갈과 환경 파괴, 제3 세계❹ 노동자들의 인권 침해, 사회 계층 간 위화감 조성, 전 지구적 문제 발생 등

2. 윤리적 소비

(1) **윤리적 소비의 유래** 1840년대 근무 조건이 열악한 영국의 노동자들이 건강 위험에 직면하자, 협동조합❺을 중심으로 유해한 물질을 섞지 않는 식료품을 공동 구매해 노동자들에게 저렴하게 판매하면서 윤리적 소비가 등장함.

(2) **합리적 소비와 윤리적 소비**

① 합리적 소비

• 상품의 가격과 품질 등을 고려하여 그 상품을 소비할 때 얻게 되는 만족감을 따져 만족을 극대화하는 소비 행위

• 소비자의 자율적 선택권과 효용을 중시하는 소비

② 윤리적 소비

• 환경, 인권, 정의 등 보편적 가치를 고려하는 소비 행위 자료 3

• 도덕적 신념에 의한 의식적인 소비 형태

• 당장 경제적인 이익이 되지 않더라도 장기적인 차원에서 이웃을 고려하고, 자연환경까지 생각하는 관점의 소비 형태

(3) **윤리적 소비의 유형**

① 착한 소비: 아동 노동 금지, 건강한 작업 환경 조성 등 인류의 인권 향상을 고려하는 소비

② 녹색 소비: 지구촌 환경 문제를 생각하고 미래 세대까지 배려하는 소비

(3) **일상생활 속에서의 윤리적 소비** 자료 4

① 환경 마크나 공정 무역 인증 마크❻가 부착된 제품 구입하기

② 건전한 소비를 실천하는 태도(예 소비자 불매 운동: 환경 오염, 노동 착취 등 윤리적 문제를 발생시킨 기업에 대항해 소비자들이 함께 해당 기업의 상품을 구매하지 않는 운동. 선택의 강요로 인해 잃은 소비자 주권을 되찾을 수 있다는 의의가 있음.)

❹ 제3 세계
제2 차 세계 대전 후, 아시아·아프리카·라틴 아메리카의 개발 도상국을 이르는 말

❺ 협동조합
경제적으로 약소한 처지에 있는 소비자, 농·어민, 중소기업자 등이 각자의 생활이나 사업의 개선을 위하여 만든 협력 조직

❻ 공정 무역 인증 마크

공정 무역 인증 마크는 1988년 국제 공정 무역 기구(FLO)에서 만듦. 공정 무역은 생산−유통−소비의 윤리적 가치를 회복하기 위해 구매자와 생산자가 최저 가격이 아닌 공정 가격으로 노동력과 상품을 구매함으로써 국제 무역의 구조적 불평등을 해소하려는 대안 무역임.

자료 3 정당한 노동의 대가를 생각하는 공정 무역

　　대표적인 착한 소비로 손꼽히는 공정 무역은 1950~1960년대 유럽에서 시작된 소비자 운동이다. 즉 생산자 간 직거래, 공정한 가격, 정당한 노동, 친환경 등을 전제로 한 무역을 일컫는다. 우리가 소비하는 5,000원짜리 커피 한 잔의 원가가 1,000원도 되지 않는다면, 커피콩을 수확하는 생산국 주민들의 일당이 고작 몇백 원이라면, 그 중간의 엄청난 마진은 과연 어디에 어떻게 쓰이는지 궁금하지 않을 수 없다. 유럽 공정 무역 협회에 따르면 노동자들의 수익이 커피 가격의 5%일 경우, 커피 회사와 무역 조직이 얻는 수익은 그 14배에 달한다. 결국 커피콩 생산자들은 아무리 열심히 일해도 빈곤층에서 벗어나기 어렵다. 커피뿐 아니다. 초콜릿, 수공예품, 잡화 등 저임금을 기반으로 제3 세계에서 생산하는 물건 대부분은 노동력 착취의 부산물이다. 공정 무역은 이렇게 불합리한 현실에 해결책을 제시한다. 공정 무역을 통하면 소비자와 생산자가 직거래를 함으로써 중간 유통 과정에서 드는 비용을 줄일 수 있다. 당연히 소비자는 저렴한 가격에 제품을 구매할 수 있고, 생산자에게는 정당한 노동의 대가가 돌아간다. 즉, 소비자는 구매 행위를 통해 생산자의 자립을 도울 수 있는 것이다.

- 빅이슈, 2016년 12월 호 -

◉ **자료 분석**　공정 무역은 대표적인 윤리적 소비 운동의 사례이다. 공정 무역은 무역 회사 등의 무역 조직이 수익을 독점하는 경제 체제를 비판하며 노동자에게 공정한 대가를 지불해 재화의 평등을 실현하고자 하는 운동이다.

뜯어보기 포인트
공정 무역과 같은 윤리적 소비 운동 의의를 생각해 보자.

Q3 윤리적 소비의 예로 적절하지 <u>않은</u> 것은?

① 과소비
② 착한 소비
③ 녹색 소비
④ 공정 무역
⑤ 소비자 불매 운동

자료 4 사회적 잡지 '두리번'과 '빅이슈'

　　청소년에게 유익한 읽을거리를 제공하기 위한 목적으로 발간되고 있는 '두리번(Do Reburn)'은 '꿈을 이루기 위해 다시 열정을 불태워 보라.'라는 의미를 담고 있다. '눈을 크게 뜨고 주변을 살펴 관심거리와 적성을 찾아 보라.'라는 중의적인 의미도 있다. 두리번은 한국 사회적 기업 진흥원의 사회적 기업가 육성 사업 과정을 통해 태어난 사회적 기업 '감지덕지'가 발간하는 잡지이다. 청소년이 미래를 주도적으로 설계할 수 있도록 돕는다는 목적으로 시작된 두리번은 청소년의 진로, 문화 등 이슈를 흥미롭게 다룬다.

　　1991년 영국에서 처음 창간된 대중문화 잡지 '빅이슈'는 2010년 우리나라에 진출했다. 노숙인의 자활을 지원하는 비영리 민간 단체 '거리의 천사들'이 사회적 기업 빅이슈 코리아를 설립해, 노숙인의 자활을 돕고 있다. '빅이슈'는 권당 5,000원에 판매되고 있는데, 이 중 2,500원이 노숙인 판매원에게 돌아간다.

- 문화일보, 2015. 2. 23. -

◉ **자료 분석**　단순한 이윤 추구만이 아닌 기업의 사회적 역할을 생각하는 잡지인 '두리번'과 '빅이슈'를 소개하는 글이다. 이런 사회적 기업들을 통해 기업이 사회에 어떤 역할과 의무를 다해야 하는지를 성찰할 수 있게 한다.

뜯어보기 포인트
사회적 기업의 의미와 사회적 기업의 상품 구매의 의의를 알아보자.

Q4 취약 계층에게 사회 서비스 또는 일자리를 제공하여 지역 주민의 삶의 질을 높이는 등의 사회적 목적을 추구하는 기업을 무엇이라고 하는가?

📄 Q3 ① / Q4 사회적 기업

01 밑줄 친 '이 소비'에 해당하는 소비 형태를 쓰시오.

> '이 소비'는 평화, 인권, 사회 정의, 환경 등 인류의 보편 가치를 중시하며, 이를 소비 생활에 실천하는 것으로 '녹색 소비', '착한 소비' 등이 이에 속한다. 녹색 소비란 친환경적이고 지속 가능한 소비 생활을 추구하는 소비 생활을 말한다. 착한 소비란 가난한 생산자에게 공정 임금을 지불하거나 아동 노동 금지 등을 통해 인권 가치를 고려하는 소비 생활을 말한다.

02 다음 빈칸에 들어갈 알맞은 말을 쓰시오.

(1) 인간은 의식주 생활을 통해 삶의 가장 기본적인 욕구를 만족시키지만 과소비 등의 현대 소비문화로 인해 (   )이(가) 나타났다.

(2) 사치품 등으로 자신의 우월성을 드러내려는 (   ) 소비는 계층 간 위화감을 조성할 수 있다.

(3) 육류 소비량을 충족하기 위한 공장식 사육 및 도축은 (   ) 문제를 가져왔다.

(4) (   ) 공간을 중심으로 가족 간에 평안을 얻고, 이웃들과 교류하면서 소속감과 유대감을 형성하고 안정된 삶을 누릴 수 있다.

(5) (   )(이)란 평화, 인권, 환경 등 인류의 보편적 가치를 중시하는 소비 생활을 뜻한다.

03 용어와 그 의미를 바르게 연결하시오.

(1) 합리적 소비 •

(2) 윤리적 소비 •

• ㉠ 경제적으로 최선의 상품을 선택하는 소비

• ㉡ 환경과 인권 등을 고려한 소비

04 다음 내용이 맞으면 ○표, 틀리면 ×표를 하시오.

(1) 패스트 패션은 최신 유행을 즉각 반영한 디자인의 의복을 비교적 저렴한 가격대로 공급해 상품 회전율이 빠른 의복 상품이다. (   )

(2) 싱어는 인류가 먹을 고기를 위해 동물을 학대하고 착취하는 것을 반대하였다. (   )

(3) 하이데거는 현대 주거 문화에서 현대인들이 고향과 하나된 삶을 산다고 주장하였다. (   )

(4) 공정 무역은 제3 세계 생산자의 경제적 자립과 지속 가능한 발전을 위해 생산자에게 보다 유리한 조건을 제공하는 무역 형태를 말한다. (   )

05 다음 내용이 설명하는 현상이 무엇인지 쓰시오.

> 선거 운동에 동원되던 마차에서 유래되어 명명된 효과로, 유명인이나 주변인들 사이에서 유행하는 제품이라는 이유 하나만으로 자신을 과시하거나 유행에 가담하기 위해 해당 상품을 소비하는 현상을 일컫는다.

06 자신의 생활 근거지로부터 가까운 지역에서 생산된 먹을거리를 소비하는 운동이 무엇인지 쓰시오.

07 '유한 계급론'을 주장한 경제학자의 이름에서 유래된 용어로, 상층 계급의 과시적 소비를 일컫는 말을 쓰시오.

08 하이데거가 현대 주거 문화에서 현대인이 본래적 의미로서의 주거 공간 상실을 주장하며 사용한 용어를 쓰시오.

01 갑, 을에 대한 설명으로 옳지 <u>않은</u> 것은?

> 갑: 유행은 자신만의 미적 감각과 가치관을 표현하는 것으로 개성 표현의 수단이라고 생각해.
> 을: 아니야. 나는 오히려 기업의 판매 전략에 무비판적으로 동조함으로써 몰개성화의 문제가 있다고 봐.

① 갑은 유행에 대해 긍정적인 입장을 취하고 있다.
② 갑은 유행은 자립심이 없고 의존적인 성향을 드러낸다고 본다.
③ 을은 유행에 따르는 것이 개성을 표현하는 것이라는 의견에 반대한다.
④ 을은 남과 같아지려는 욕구가 유행에 휩쓸릴 수 있음을 경고하고 있다.
⑤ 갑과 을은 유행의 차별화와 동질화의 양면성을 드러내고 있다.

02 다음 제시문의 입장으로 가장 적절한 것은?

> 물건은 살기 위해 필요한 만큼이면 족하다. 명품보다는 명품 인간이 되기 위해 노력하라. 명품 인간은 입고 먹고 쓰는 물건 모두를 명품으로 만든다. 게걸스러운 탐욕은 죄악이다. 사 모으기 위해서가 아니라 내가 가진 물건을 즐길 수 있어야 미덕이다. 물건은 시간이 담겨야 아름다워진다.

① 상품의 희소성을 통한 명품을 소비해야 한다.
② 명품은 사회 구성원의 개성을 철저히 반영한다.
③ 오래된 명품과 고가의 상품을 구별할 수 있어야 한다.
④ 명품 소비는 유행과는 구별되어 자신을 표현하는 수단이 되어야 한다.
⑤ 과시 소비를 피하고 자신의 시간과 의미를 담은 물건을 소비해야 한다.

03 다음 글을 통해 알 수 있는 식생활에서의 바람직한 자세로 적절한 것은?

> '발우'란 스님들이 사용하는 밥그릇을 말하며, '공양'이란 절에서 음식을 먹는 것을 말한다. 발우 공양을 할 때 사람들은 밥 앞에 마주 앉으며 그 밥의 연기적(緣起的) 근원을 생각한다. 즉 그것이 발우에 담겨져 오기까지의 연기적 순환, 그리고 그 안에 섞여진 피와 땀을 생각한다.

① 식생활 속에서도 연기의 법칙을 생각해야 한다.
② 가족 공동체의 윤리를 전 사회로 확장해야 한다.
③ 인간의 본성을 회복하는 음식 문화를 만들어야 한다.
④ 사적인 이익 추구가 궁극적으로 공익으로 연계됨을 이해한다.
⑤ 겸하(謙下)와 부쟁(不諍)의 정신으로 이해하고 배려해야 한다.

04 다음 자료를 토대로 음식의 윤리적 의미를 가장 잘 파악한 학생은?

> **햄버거 커넥션**
> 햄버거에 주로 사용되는 소고기 패티를 위해, 즉 현대인들의 엄청난 햄버거 소비를 위해 소를 키울 방대한 목초지를 조성한다. 목초지는 나무를 베고, 산을 불태워서 만들어진다. 소는 지구에서 생산되는 곡물의 1/3을 먹어 치우고, 이런 결과로 지구 반대편 사람들에게는 굶주림을, 지구에는 각종 이상 기후를 초래하게 된다.

① 미연: 유해한 음식은 생명권을 침해할 수 있어.
② 은호: 음식은 생명과 건강을 유지하는 원동력이야.
③ 상수: 음식은 사회나 생태계 차원과 관련되어 있어.
④ 일화: 유전자 변형 농산물의 안전성에 우려가 있어.
⑤ 동규: 음식물 쓰레기 처리 과정에서 환경 문제가 발생할 수 있어.

05 현대 음식 문화가 초래할 윤리적 문제로 적절하지 <u>않은</u> 것은?

① 동물 학대
② 음식물 쓰레기
③ 음식 정의 실현
④ 식품 안전성 문제
⑤ 음식 불평등 및 빈부 격차

06 다음 빈칸에 공통적으로 들어갈 용어에 대한 설명으로 옳지 <u>않은</u> 것은?

> • (   )은(는) 세계 안에 있는 우리의 일부이며 우리가 경험하는 최초의 세계이다.　－ 바슐라르 －
> • 인간은 미완성의 상태로 세계에 던져진 불안하고 외로운 존재이다. 그래서 인간은 세상과 구분해서 자신을 지켜 갈 수 있는 (   )에 살게 되면서 비로소 평화를 누리게 된다.　－ 하이데거 －

① 유대감과 소속감을 형성하게 해 준다.
② 삶의 질과 인간다움을 형성하는 토대가 된다.
③ 단순한 물리적 공간이 아니라, 삶의 기본 바탕이 된다.
④ 공간과 관계를 맺으며 참된 자신을 발견할 수 있는 공간이다.
⑤ 주거의 경제적 가치를 소홀히 하면 윤리적 문제가 발생한다.

07 다음 제시문이 주장하는 바로 가장 적절한 것은?

> 주거 공간이 지닌 신성성은 그곳의 각 부분을 담당하는 신(神)의 존재를 믿었던 신앙에서 잘 드러난다. 예를 들어 집을 대표하는 성주신, 아기의 잉태와 출산을 맡는 삼신, 불씨를 지켜 주고 살림을 관장하는 조왕신 등이 그렇다. 이처럼 집에 대한 신앙에는 당시 가정에서 가장 소중하게 여겼던 안전, 생명, 건강, 부에 대한 염원이 담겨 있다.

① 집은 경제적 이윤 추구에 충실한 공간이다.
② 집은 사적인 일과 관련 없는 공적인 공간이다.
③ 집을 상품적 가치만을 갖는 공간으로 봐야 한다.
④ 집에는 거주하는 사람들의 가치와 믿음이 담겨 있다.
⑤ 집은 신의 영역이며, 거주자는 주거 공간에서 배제된다.

08 다음에서 강조하는 소비의 자세로 옳지 <u>않은</u> 것은?

> '윤리적 소비'나 '지속 가능한 소비'는 소비자로서의 책임을 강조하는 개념이다. 소비자는 제품을 구입하기 위해 비용을 지불하고, 자신이 원하는 효용을 얻게 된다. 지금까지 대부분은 지불하는 재화와 교환되는 가치에 대해서 경제적인 고려가 주를 이루었으며, 가치나 효용이 쌓이는 과정에 대해서는 잘 모르거나 눈을 감았다. 그러나 이제는 생산−소비−폐기의 과정을 살피는 책임을 가지게 된 것이다. 내가 좋아하는 브랜드의 신발이 불법 아동 노동으로 생산된 것은 아닌지, 내가 산 물건이 환경을 불필요하게 오염시키면서 만들어진 것은 아닌지 소비자가 책임져야 한다는 것이다.

① 인권을 향상하는 공정한 소비
② 환경 문제 해결에 도움이 되는 소비
③ 정의로운 경제 체제를 구축하는 소비
④ 타인에게 자신의 부를 과시하는 소비
⑤ 함께 살아가는 세계를 고려하는 소비

09 다음을 주장한 사람의 입장으로 옳은 것은?

> 오늘날의 과잉 소비, 과시 소비 문제를 해결하기 위해서는 인류의 보편적 가치를 중심으로 사회적 책임을 다하는 소비 태도가 필요하다. 이는 상품이나 서비스를 구매할 때에 윤리적 가치를 고려하여 소비해야 한다는 것을 의미한다. 착한 소비, 공정 무역이야말로 앞으로 우리가 어떤 소비를 지향해야 하는지에 대해 바람직한 방향을 제시해 준다.

① 소비는 자신을 추구하는 수단이 되어야 한다.
② 지속 가능성보다는 효율성을 우선해야 한다.
③ 합리적이고 절약적인 소비만을 지향해야 한다.
④ 오직 소비 그 자체만을 추구하는 소비를 해야 한다.
⑤ 제3 세계 생산자들의 공동체와 경제적 자립을 돕는 상품을 구매하는 소비를 해야 한다.

주관식

01 빈칸 ㉠, ㉡에 들어갈 말을 각각 쓰시오.

> 과시적인 소비를 일컫는 용어로는 상류층의 재력 과시를 위해 품질에 대한 고려 없이 고가의 물건을 구입하는 (㉠)와(과) 남들이 한다는 이유만으로 유행을 쫓아 상품을 소비하는 (㉡)이(가) 있다.

주관식

02 다음 빈칸에 들어갈 알맞은 말을 쓰시오.

> ( ) 운동은 기계화, 표준화를 통해 양을 극대화한 패스트 푸드에 반대하며 나타난 운동으로, 이 운동은 음식에 담긴 지역적 특징과 지역 고유의 음식 문화 등을 보존하려는 운동을 뜻한다.

주관식

03 빈칸 ㉠, ㉡에 들어갈 말을 각각 쓰시오.

> 하이데거는 현대 과학 기술은 현대인들로 하여금 주거 공간의 실존적 의미인 (㉠)을(를) 잃고, 고유한 전통과 가치, 역사를 잃도록 만든다고 주장하였다. 하이데거는 이런 모습을 (㉡)(이)라고 비유하였다.

주관식

04 다음 빈칸에 들어갈 알맞은 말을 쓰시오.

> ( )은(는) 개발 도상국 생산자의 경제적 자립과 지속 가능한 발전을 위해 생산자에게 보다 유리한 무역 조건을 제공하는 무역 형태를 일컫는다.

서술형

05 의식주 문화가 우리에게 주는 의미를 서술하시오.

서술형

06 윤리적 음식 문화를 위해 소비자들이 실천할 수 있는 소비 운동에는 어떤 것이 있는지 서술하시오.

서술형

07 오늘날 급속한 도시화 과정에서 발생하는 주거 문화와 관련한 문제점을 서술하시오.

서술형

08 윤리적인 소비 방법의 사례를 두 가지 서술하시오.

단원 03 다문화 사회의 윤리

단원 흐름 읽기

다문화 사회를 보는 관점		종교의 기원과 본질	
동화주의		엘리아데	인간의 의식에 내재된 것
문화 다원주의		프로이트	심리적 필요에 의해 만들어진 것
다문화주의		뒤르켐	사회적 필요에 의해 만들어진 것

1 문화 다양성과 존중

1. 다문화 사회의 문화 다양성

(1) **다문화 사회** 다양한 문화가 공존하는 사회

(2) **다문화 사회에서의 갈등** 민족, 종교, 문화 차이 등으로 인한 갈등 발생 → 소수 문화에 대한 지원 정책, 개인의 다양성을 존중하고 관용을 실천하는 태도 필요

2. 문화 상대주의와 보편 윤리의 문제

(1) **문화 상대주의** 다양한 문화를 대할 때 각 문화의 고유성과 상대성을 인정하고 존중하는 태도 → 반대되는 개념으로 문화 절대주의❶가 있음.

(2) **극단적 문화 상대주의** 자료1

① 모든 관습과 전통, 문화가 상대적인 차이가 있으므로 보편 윤리❷에 어긋나더라도 바람직하다고 여기는 태도

② 윤리적으로 문제가 있는 문화를 옹호함으로써 보편 윤리를 퇴색시키고, 회의주의적 관점으로 이어질 수 있으므로 옳지 않음.

3. 다문화와 문화적 정체성

(1) **다문화 사회에서의 윤리적 문제** 다문화 사회에서는 다양한 문화를 얼마나 받아들이고 존중할지를 두고 여러 주장이 충돌함.

(2) **다문화 사회를 보는 관점** 자료2

동화주의	• 의미: 다양한 문화를 주류 문화 중심이나 단일한 새로운 문화를 중심으로 통합해야 한다는 관점 • 한계: 사회 구성원이 통일된 하나의 문화를 가질 수 있지만, 소수 문화권의 사람들이 무시당하고 차별받을 수 있다는 문제와 문화 다양성 훼손의 문제가 발생할 수 있음. • 대표 이론: 용광로 이론❸
문화 다원주의	• 의미: 주류 문화를 중심으로 하지만 다양한 비주류 문화를 허용하는 관점 • 한계: 소수 문화와 문화 정체성을 존중하지만, 주류 문화가 문화적 주체로서 존재해야 한다고 주장함. • 대표 이론: 국수–고명 이론
다문화주의	• 의미: 한 사회 안에서 다양한 문화를 평등하게 인정하여 이민자나 소수자의 문화를 존중하고 문화 간 갈등을 줄이는 데 기여하는 관점 • 한계: 전통적 관점에서 사회 통합을 이루기 어려움. • 대표 이론: 샐러드 볼 이론❹

(3) **다문화 사회를 대하는 바람직한 태도** 전통문화의 창조적 계승, 다른 문화의 주체적 수용, 화이부동❺의 자세, 다양한 문화의 존중 등

---

❶ 문화 절대주의
문화를 절대적인 기준으로 평가하고 우열을 가리는 태도나 관점으로, 고유한 특성이나 상대적 가치를 인정하지 않음.

❷ 보편 윤리
시대와 장소에 관계없이 옳은 것으로 받아들여지는 윤리 법칙으로 인간 존중, 자유와 책임, 민주주의, 연대 의식 등이 포함됨.

❸ 용광로 이론
여러 민족의 문화들이 그 사회의 지배적인 문화 안에서 변화를 일으키고, 서로에게 영향을 주어 새로운 문화를 만들어 나간다는 이론

❹ 샐러드 볼 이론
여러 민족의 고유한 문화가 각각 모여 하나의 새로운 문화를 만들어 간다는 이론

❺ 화이부동(和而不同)
남과 화목하게 지내지만 자기의 중심과 원칙을 잃지 않는 태도

자료 1 명예 살인 이야기

명예 살인은 이슬람권에서 전통을 훼손한 여성들을 상대로 자행되어 온 관습이다. 집안의 명예를 더럽혔다는 이유로 남편 등 가족 가운데 누군가가 해당 여성을 살해하는 것을 말한다. 살해한 가족은 붙잡혀도 가벼운 처벌만 받기 때문에 이슬람 국가들에서는 공공연하게 자행되어 왔다.

– 두산백과 –

◉ **자료 분석** 문화를 대할 때는 각 문화의 입장에서 그 사회의 고유성과 상대성을 인정하는 태도가 필요하다. '명예 살인'은 이러한 문화 상대주의를 부정하고 인류의 보편적 가치에 어긋나는 극단적 문화 상대주의적 입장으로, 바람직하지 않은 문화 이해의 태도이다.

뜯어보기 포인트

이슬람 문화인 '명예 살인'은 문화 극단적 문화 상대주의적 태도로 바람직하지 않은 태도임을 인식하자.

Q1 명예 살인을 허용하는 이슬람 문화권 사람들이 가져야 할 문화 이해 태도는 무엇인가?

자료 2 용광로 이론과 샐러드 볼 이론

다문화 사회는 크게 두 가지로 볼 수 있다. 그중 하나인 용광로 이론은 여러 민족의 고유한 문화들이 그 사회의 지배적인 문화 안에서 변화를 일으키고, 서로에게 영향을 주어서 새로운 문화를 만들어 나가는 것을 뜻한다. 비유하자면 당근, 양파 등과 같은 여러 문화들이 솥에 들어가서 그 고유의 맛이 다른 재료들과 섞이면서 변화한다는 것과 같다. 예를 들어 중국은 수많은 소수 민족이 있지만 국민의 대다수인 한족 중심 정책을 쓰면서 소수 민족 문화를 전체에 융화시키고 있다.

반면에 샐러드 볼 이론은 국가라는 큰 그릇 안에서 샐러드같이 여러 민족의 문화가 하나의 새로운 문화를 만들어 가는 것을 의미한다. 즉 각각의 민족이 가지고 있는 고유한 문화들은 국가라는 샐러드 안에서 각자의 고유한 맛을 가지고 샐러드의 맛을 만들어 나가는 것이다. 대표적인 국가가 미국이다. 세계 각국의 이민자들이 모여서 세운 나라인 미국은 그들이 각각 가지고 온 여러 가지 문화들이 섞여서 미국 특유의 문화를 만들어 내고 있다.

우리나라는 국가 정책적으로 용광로 이론 쪽으로 기울어져 있다. 하지만 다문화 사회 관련 시민 단체 등에서는 샐러드 볼 이론을 따라야 한다고 주장하고 있고, 많은 사람들이 이에 공감하고 있다. 그래서 점차 시간이 지나면 우리나라도 샐러드 볼 이론을 따르는 정책이 좀 더 많아질 것이라고 보는 시각이 많다.

– 김찬환 외, "시사 논술 개념사전" 중 수정 인용 –

◉ **자료 분석** 다문화 사회를 보는 관점은 크게 동화주의와 다문화주의로 구분할 수 있다. 동화주의를 대표하는 이론으로는 용광로 이론을 꼽을 수 있다. 용광로 이론은 마치 용광로가 여러 광석들을 녹이고 다시 굳혀 하나로 만드는 것처럼 여러 문화권의 사람들을 하나의 주류 문화로 편입시키려는 이론이다. 반면 다문화주의를 대표하는 이론으로는 샐러드 볼 이론을 꼽을 수 있다. 여러 민족 문화가 동등하게 공존하며 그 고유성을 유지하는 이론이다. 현재 우리나라는 정책적으로 용광로 이론을 따르고 있지만, 시민들의 샐러드 볼 이론을 지지하는 목소리도 커지고 있다.

뜯어보기 포인트

다문화 정책을 바라보는 다양한 이론을 알아보자.

Q2 서로 다른 문화들이 각자의 고유성을 유지하면서도 조화롭게 공존해야 한다고 주장하는 다문화 이론은 무엇인가?

① 용광로 이론
② 문화 다원주의
③ 샐러드 볼 이론
④ 국수–고명 이론
⑤ 차별적 배제 이론

📄 Q1 문화 상대주의 / Q2 ③

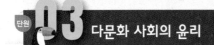

2 종교의 공존과 관용

1. 현대 사회와 종교

(1) 근대에 계몽주의❻와 과학주의가 강조되면서 종교가 사라질 것이라고 예상하기도 하였으나, 과학 기술의 발달과 종교는 현재에도 공존하고 있으며, 여전히 우리 삶에 영향력을 미치고 있음.

(2) **종교를 대하는 자세** 다문화, 다종교 사회에서 이웃 종교에 대한 이해는 종교 간 평화와 세계 평화를 위한 출발점이 될 수 있음.

2. 종교의 기원과 본질

(1) **종교의 기원** 인간은 유한하고 불완전한 존재이므로 초월적·절대적인 존재와 세계를 지향

(2) **종교의 본질** 종교는 사랑, 평화, 고통으로부터의 해방, 이타성, 행복 등을 추구하는 인간의 궁극적 삶의 지향을 담고 있음.

(3) **종교의 구성 요소** 교단, 의례와 일정한 형식, 경전과 교리 등

(4) **종교의 의의** 초자연적인 절대적 실재에 의존함으로써 삶의 궁극적 의미를 추구하는 인간의 문화 현상

(5) **종교에 대한 다양한 정의**

엘리아데❼	종교를 인간의 의식에 내재된 것으로 봄. 세속의 세계에서도 성스러운 것을 느낄 수 있다고 주장함. 자료 3
프로이트❽	종교를 단순히 심리적 필요에 의해 만들어진 것으로 이해함.
뒤르켐❾	종교를 사회 그 자체로 보고, 종교가 사회적 필요에 의해 만들어졌다고 주장함.
마르크스	인간이 종교를 만들고, 종교는 아직 그 자신을 발견하지 못하거나 자신을 상실한 사람들의 자의식이라고 주장함.

3. 종교와 윤리의 관계

(1) 종교는 황금률❿, 사랑의 실천 등의 덕목을 강조하는 점에서 보편 윤리⓫를 담고 있으며, 도덕적 선을 지향해 윤리적 행위에 동기를 부여함.

(2) 종교적 신념이 과도하여 일반 상식을 벗어날 경우 일탈적 모습을 보일 수 있음.

(3) 관점에 따라 종교를 윤리의 일부로 보기도 하고, 윤리와 종교를 동일한 것이나 별개의 것으로 보기도 함.

4. 종교 간 갈등 해결과 평화 공존의 길

(1) **종교 간 갈등의 근본적 원인** 다른 종교에 대한 배타적 태도, 특정 종교만을 신봉하며 다른 종교를 배척하거나 무신론적 측면에서 종교를 무시하고 폄하하기도 함.

(2) **종교 간 갈등 해결과 평화로운 세계를 위한 자세**

  ① 관용의 정신을 갖고, 다른 종교에 대한 무지와 편견에서 벗어나 서로 존중하는 풍토 조성

  ② 종교 간의 대화를 통해 서로를 올바르게 이해하고 사회 구성원 간의 협력을 통해 평화 공존의 길을 모색

---

❻ **계몽주의**
16~18세기 유럽에 일어난 사상으로 인간적이고 합리적인 사유를 제창하였고, 이성의 계몽을 통하여 인간 생활의 진보와 개선을 꾀하려 하였음.

❼ **엘리아데(Eliade, M., 1907~1986)**
루마니아의 종교학자. 대표 저서로 "성과 속"이 있음.

❽ **프로이트(Freud, S., 1856~1939)**
오스트리아의 심리학자·신경과 의사. 정신 분석학의 창시자로, 저서에 "꿈의 해석"이 있음.

❾ **뒤르켐(Durkheim, E., 1858~1917)**
프랑스의 사회학자. 종교를 사회학의 관점에서 바라보며, 종교는 사회 결속과 질서 유지의 기능을 수행하는 사회적 권위라고 봄.

❿ **황금률**
소극적 의미로 '자기가 하기 싫은 일을 남에게 시키지 마라.'라는 악행 금지의 원리에서, 적극적 의미로 '남에게 대접받고 싶은 대로 남을 대접하라.'라는 선행의 원리로 해석됨.

⓫ **동서양 종교에 나타난 보편 윤리**
• 유교: '부모를 공경하라.' → 효제에 기초한 인륜의 회복을 강조
• 기독교: '어려운 사람을 도와라.' → 이웃의 구제와 사랑의 실천 강조
• 불교: '탐욕을 가지지 말라.' → 수행을 통한 깨달음과 자비의 실천을 강조

자료 3 엘리아데의 종교관

마르케아 엘리아데는 루마니아에서 태어났으나, 생애의 대부분을 프랑스와 미국에서 보냈다. 아마도 엘리아데는 '성스러운 역사'로서의 신화를 연구하고 '성(聖)'과 '속(俗)'을 구분한, 세계 최고의 신화학자였을 것이다. 엘리아데에게 신화는 '초월적인 것이 우리의 세계로' 침투한 것에 대한 기록이다.

독실한 기독교 신자였던 엘리아데는 신화와 종교가 변하지 않는 인간 의식의 일부이며, 초월적이거나 무한한 것들에 관하여 생각하는 것이야말로 인간적인 일이라고 여겼다. 엘리아데는 신화의 심리학파와 신중하게 거리를 두었다. 한 예로 그는 '원형'이라는 단어를 사용할 때, 그 말이 융이 사용했던 원형이라는 말과 똑같은 의미를 갖는 것은 아니라는 점을 강조했다. 엘리아데는 '인간의 선천적 종교' 기능이 심리적 투사로 단순화되는 것을 몹시 염려했다. 그래서 그는 신화에 대한 심리학적 해석을 '은총으로부터의 또 다른 타락'이라고, 즉 에덴동산에서의 타락을 되풀이하는 것이라고 단정하기까지 했다.

엘리아데는 한 사회의 성사를 이해하지 않고는 결코 그 사회를 이해할 수 없다고 생각했다. 어떤 사회든 그 사회의 모든 제도와 도덕과 문화는 초월적인 것이 그 사회에 침투해 들어온 성스러운 역사에 전적으로 의존하고 있기 때문이라는 것이다.

엘리아데는 유사 신화들을 확산론으로 설명한다. 신화를 창출해 내는 문화의 중심지가 있다고 본 프로베니우스의 이론에서 특히 많은 영향을 받은 듯하다.

엘리아데는 의미의 문제에 관해서는 기독교가 인간의 본능적 욕구를 충분히 충족시킬 수 있는 신화적 이미지들을 완비하고 있다고 답변했다. 엘리아데는 기독교를 사회적 신화로 치부해 버리기보다는 기독교 신앙을 현대 사회의 관점에서 반드시 재검토해야 한다고 주장했다.

– J. F. 비얼레인, "세계의 유사 신화" –

● **자료 분석** 엘리아데는 성스러운 것과 속된 것이 명확히 구분되지만, 개별적으로 존재하지 않고, 일상 속에서 성스러운 것을 체험하고 접할 수 있다고 주장하였다. 그는 초월적 세계에 대해 생각하는 것이야말로 인간적인 일이라고 여겼으며, 어떤 사회라도 초월적인 존재에 관한 관념으로부터 영향을 받는다고 보았다.

뜯어보기 포인트
엘리아데가 종교를 어떻게 바라보는지 알아보자.

Q3 엘리아데의 종교관으로 옳은 것은?

① 종교는 환상이다.
② 종교는 심리적 필요에 의해 만들어진 것이다.
③ 종교는 사회적 필요에 의해 만들어진 산물이다.
④ 종교는 아직 그 자신을 발견하지 못하거나 자신을 상실한 사람들의 자의식이다.
⑤ 종교는 인간의 의식 구조에 내재된 것이며, 모든 종교는 근원적으로 일치한다.

Q3 ⑤

01 다음 글의 빈칸에 들어갈 사회 현상을 쓰시오.

> 오늘날 세계화의 흐름에 따라 정치, 경제, 사회, 문화 등 다양한 분야에서 국가 간 교류가 늘어났다. 이에 다른 나라로 이동하여 거주하는 사람들의 수가 증가하면서 한 국가 안에 다양한 인종과 문화적 배경이 다른 사람들이, 더 나아가 다른 문화가 공존하는 (   )(으)로 변화하고 있다.

02 다음 빈칸에 들어갈 알맞은 말을 쓰시오.

(1) 다양한 문화를 대할 때 각각의 문화가 지닌 고유성과 상대적 가치를 이해하고 존중하는 태도를 (   )(이)라고 부른다.

(2) 우리는 문화의 상대적 가치를 인정하고 존중하되 (   )의 관점에서 문화를 비판적으로 바라볼 수 있는 안목을 길러야 한다.

(3) 다양한 문화를 섞어 주류 문화 중심으로 통합하려는 다문화 이론은 (   )이다.

(4) (   )은(는) 일상 속에서도 성스러운 것을 경험할 수 있다고 주장하였다.

(5) 종교는 황금률과 같은 인간의 (   )을(를) 추구하는 점에서 윤리적인 측면을 발견할 수 있다.

03 서로 관련 있는 것끼리 바르게 연결하시오.

(1) 용광로 이론 •

(2) 국수-고명 이론 •

(3) 샐러드 볼 이론 •

• ㉠ 한 사회 안에서 다양한 문화를 평등하게 인정하는 입장

• ㉡ 다양한 문화를 주류 문화 중심으로 통합하거나, 새로운 문화로 통합하려는 입장

• ㉢ 주류 문화를 중심으로 비주류 문화를 허용해 줌으로써 문화의 다양성을 존중하는 입장

04 다음 내용이 맞으면 ○표, 틀리면 ×표를 하시오.

(1) 문화는 상대적이기 때문에 문화마다 윤리적 가치도 다르게 평가해야 한다. (   )

(2) 다문화 사회에서 여러 문화들이 평화롭게 공존하기 위해서는 사회 구성원들의 관용의 태도가 필요하다. (   )

(3) 모든 종교는 황금률 등 인간의 주관적 윤리에 기반한 사상이 나타난다. (   )

(4) 다른 종교에 대한 배타적 태도로 인해 종교 간 갈등이 발생한다. (   )

05 다음 빈칸에 들어갈 알맞은 말을 쓰시오.

> 많은 사람들이 자기가 믿지 않는 종교에는 너무나 무관심하다. 다른 종교에 대해서는 아주 일부만 알고 있으면서 모든 것을 다 아는 것처럼 여기거나, 다른 종교를 알아보려는 노력은 불필요하다고 생각하는 경우가 많다. 그리고 각자의 종교를 이해하지 못해 종교 간의 분쟁이 일어나기도 한다. 이러한 갈등을 해결하기 위해서 (   )에 기반하여 다른 종교에 대한 무지와 편견에서 벗어나 서로 존중하는 풍토를 조성해야 한다.

06 주류 문화를 중심으로 하되, 비주류 문화가 고유한 정체성을 유지할 수 있도록 하는 문화 다원주의를 대표하는 이론은 무엇인지 쓰시오.

07 종교를 사회학적 관점에서 바라보며, 종교를 사회적 질서 유지의 기능을 하는 사회적 권위로 본 사상가를 쓰시오.

01 갑은 긍정, 을은 부정의 대답을 할 질문으로 가장 적절한 것은?

> 갑: 여러 종류의 쇠를 용광로에 녹여서 새로운 것을 만들어 내듯이, 다양한 문화들이 섞여 서로 영향을 주고받으면서 새로운 문화를 형성해야 합니다.
> 을: 샐러드 볼에 담긴 야채는 각각 고유의 모습을 유지하면서 섞으면 맛있는 샐러드가 되는 것과 마찬가지로, 여러 인종, 여러 민족이 각자의 특성을 유지할 수 있어야 합니다.

① 문화는 우열에 따라 구분되어야 하는가?
② 이민족 간의 문화의 차이를 인정해야 하는가?
③ 문화 통합을 거쳐 새로운 문화를 창출해야 하는가?
④ 각 민족이 지닌 고유한 문화는 인정되어야 하는가?
⑤ 사회적 연대감이나 결속력이 부족하여 사회 통합을 이루기 어려운가?

02 다음 대화에서 갑에게 요구되는 바람직한 자세로 옳은 것은?

> 갑: 점심시간인데 왜 식사를 하지 않고 있습니까?
> 을: 죄송합니다. 라마단 기간 중에는 낮에 음식을 먹을 수가 없습니다.
> 갑: 여기는 한국이니까 그러한 의식은 지키지 않아도 됩니다. 식사를 해야 일을 제대로 할 수 있지 않을까요?
> 을: 그렇지만 ……

① 다문화주의의 한계 인식
② 문화 상대주의의 한계 인식
③ 타문화에 대한 존중의 자세
④ 용광로 이론과 동화주의 추구
⑤ 개인 윤리와 사회 제도와의 조화

03 다음 글에 나타난 문화적 관점을 |보기|에서 고른 것은?

> 자신이 속한 문화가 다른 집단의 문화보다 열등하다고 생각하고 다른 문화를 무조건 추종하는 태도이다. 자기보다 선진적인 문화를 이상적이라 여기고 동경하거나, 복잡한 현대 문명을 거부하고 자연 친화적 문화를 동경하는 견해들이다.

> **보기**
> ㄱ. 문화 국수주의 ㄴ. 문화 사대주의
> ㄷ. 자문화 중심주의 ㄹ. 타문화 중심주의

① ㄱ, ㄴ ② ㄱ, ㄹ ③ ㄴ, ㄷ
④ ㄴ, ㄹ ⑤ ㄷ, ㄹ

04 다음 글에서 강조하는 내용으로 가장 적절한 것은?

> '성(聖)'과 '속(俗)'을 논할 때 조심해야 할 것은 두 가지의 세계가 따로 존재한다는 그릇된 생각이다. '성'과 '속'이라는 표현은 하나의 세계를 바라보는 두 가지 국면과 두 가지 차원을 말하는 것이다. '성'과 '속'을 다른 두 개의 세계로 본다면 현대에는 인간이 과학과 기술로 자신의 세계를 좀 더 광범위하게 통제하고 조절할 수 있게 되었기 때문에 '성'의 세계란 미개한 사회의 인간에게만 가능하고 필요한 것이라는 결론이 나오게 된다.

① 세속적 진리는 종교적 진리보다 중요하다.
② 종교가 지닌 허구성을 철저히 극복해야 한다.
③ 과학을 활용함으로써 종교적 맹신을 타파해야 한다.
④ 성스러움은 세속의 세계와 분리되어 있음을 알아야 한다.
⑤ 인간은 삶의 참된 의미를 추구하며 초월성을 지향해야 한다.

05 다음과 같은 종교 문제의 직접적 원인으로 옳은 것은?

> • 스리랑카는 불교인 싱할라족과 힌두교인 타밀족 간의 분쟁 지역이다. 영국이 인도를 지배할 때 남인도의 타밀족을 스리랑카로 이주시킨 것에서 비롯되었다. 다수 불교계 싱할라족(74%) 정부의 차별 정책에 반발하여 소수 힌두계 타밀족(18%)은 분리 독립운동을 전개 중이다.
> • 발칸 분쟁은 세르비아계(그리스 정교), 알바니아계(이슬람교), 크로아티아계(구교) 사이의 갈등이 원인이라고 할 수 있다. 세르비아 민족주의를 명분으로 내걸고 크로아티아, 보스니아, 코소보 등에서 잇따라 전쟁을 일으키며 알바니아계, 크로아티아계의 인종 청소가 시작되었다.

① 종교와 윤리의 갈등
② 종교적 편견과 맹신
③ 종교와 정치의 괴리
④ 초월적 세계관의 대립
⑤ 세속적 삶과 종교적 삶의 괴리

06 다음 내용에서 추론할 수 있는 시사점으로 옳은 것은?

> 황금률은 이미 공자에게서 확인된 바 있다. 즉, "네가 원하지 않는 바를 다른 사람에게 행하지 마라." 아울러 유대교에서도 "다른 사람이 너에게 행하기를 원하지 않는 바 그것을 다른 사람에게 행하지 마라."라는 황금률이 확인되고 있으며, 기독교의 경우에도 확인되고 있다.

① 종교와 윤리는 상반된 개념이 아니다.
② 대부분의 종교는 예언적 성격을 가진다.
③ 종교 간의 화해를 위해 배려하는 자세가 요구된다.
④ 모든 종교는 각기 나름의 윤리 규범을 가지고 있다.
⑤ 종교마다 서로 공유할 수 있는 보편적 윤리 규범이 존재한다.

07 다음 강연의 핵심 내용으로 옳은 것은?

> 신은 선하며 완전한 지혜를 갖춘 존재입니다. 따라서 신이 우리에게 수많은 행위 중 어떤 행위만을 명령하는 것은 그 행위가 옳기 때문입니다. 신은 지혜롭기 때문에 정직함이 속임보다 낫다는 것을 알고 있으며, 그래서 신은 우리에게 정직하라고 명령하는 것입니다.

① 종교는 윤리와 무관하다.
② 신의 권위는 인간의 권위보다 우월하다.
③ 신의 의지와 도덕적 옳음은 항상 함께한다.
④ 도덕적 행위는 단지 신이 하라고 명령했기 때문에 옳다.
⑤ 도덕적 기준은 신의 의지와는 별개로 독립적으로 존재한다.

08 다음 글의 입장으로 가장 적절한 것은?

> 우리 시대의 시급한 과제는 세계의 종교적, 정치적 평화를 위하여 세계 고등 종교에 의해 공유되는 모든 윤리적 근본 원칙들을 밝혀내는 것입니다. 윤리를 통한 결속은 평화를 일구는 국제기구의 설립으로 이어질 수도 있을 것이고, 이 세계가 더 자유롭고 정의로우며 평화롭게 공존할 수 있도록 기여할 것입니다.

① 종교는 윤리적 이상 실현을 위한 수단이다.
② 보편 윤리가 있다면 종교는 불필요할 것이다.
③ 종교 간 갈등은 정치적 방법으로 해결해야 한다.
④ 보편적 원리를 지닌 하나의 세계 종교를 수립해야 한다.
⑤ 세계 종교들에 공통적으로 담긴 가치가 세속적 윤리의 기준이 될 수 있다.

주관식

01 다음 글의 빈칸에 들어갈 알맞은 말을 쓰시오.

> 우리나라는 국적을 초월한 인간관계와 다양한 문화가 어우러진 (   ) 사회로 접어들었다. 2015년 자료에 의하면, 국내 체류 외국인 수는 180만 명이 넘었고, 다문화 가정 수가 80만 명을 넘어섰으며, 결혼 이민 · 귀화자도 30만 명에 달한다.

주관식

02 밑줄 친 '이것'은 무엇인지 쓰시오.

> 이것은 다양한 문화를 대할 때 각각의 문화가 지닌 고유성과 상대적 가치를 이해하고 존중하는 태도이다. 세계화 및 다문화 시대를 맞아 문화적 차이에 따른 갈등을 예방하고, 서로 다른 다양한 문화의 공존을 도모하기 위해서는 이러한 태도가 필수적이다.

주관식

03 빈칸 ㉠~㉢에 들어갈 다문화 사회를 보는 관점을 각각 쓰시오.

> (㉠)은(는) 주류 문화를 중심으로 하나의 새로운 문화를 형성해야 한다는 입장이고, (㉡)은(는) 주류 문화를 중심으로 다양한 비주류 문화를 허용하는 입장이며, (㉢)은(는) 한 사회 안에서 다양한 문화를 평등하게 존중하고 인정하자는 입장이다.

주관식

04 다음 빈칸에 공통적으로 들어갈 알맞은 말을 쓰시오.

> • 다양한 문화는 관용의 태도를 바탕으로 존중해야 하지만, 먼저 (   )에 어긋나지 않는지 살펴봐야 한다.
> • 종교는 인간의 (   )을(를) 추구한다. 유교는 효제에 기초한 인륜의 회복을, 기독교는 이웃의 구제와 사랑의 실천을, 불교는 수행을 통한 깨달음과 자비의 실천을 강조한다. 모든 종교는 기본적으로 인간의 존엄성을 바탕으로 타인에 대한 배려와 사랑의 실천을 강조한다.

서술형

05 종교의 긍정적 기능을 두 가지 서술하시오.

서술형

06 종교 간 갈등을 해결하기 위해 가져야 할 태도에 대해 서술하시오.

01 다음의 입장에서 〈사례〉에 대한 견해로 옳지 **않은** 것은?

> • 서적에는 도덕적인 것도 부도덕적인 것도 없다. 잘 썼느냐 그렇지 않느냐가 문제이다.
> • 어떠한 예술가도 윤리적인 동정심을 지니고 있지 않다. 예술가에게 동정심이란 용서할 수 없는 매너리즘이다.

> 〈사례〉
> 현대 작곡가 존 케이지는 '4분 33초'라는 피아노곡을 만들었다. 이 작품의 연주를 위해 피아니스트는 정장을 하고 무대 위로 걸어 나가 피아노 앞에 앉는다. 그리고 건반 뚜껑을 열고서 정확히 4분 33초 동안 가만히 앉아 있는다. 그리고 다시 건반 뚜껑을 닫고서 일어나서 조용히 무대를 걸어 나온다. 연주는 마무리되었다.

① 예술은 도덕적 가치를 담고 있어야 한다.
② 예술은 사회적 요구로부터 자유로워야 한다.
③ 예술에 있어서 표현의 자유를 보장해야 한다.
④ 음악은 내용과 형식에서 모두 자유로워야 한다.
⑤ 예술에 대한 평가는 도덕적 가치로부터 분리되어야 한다.

02 다음을 주장한 서양 사상가의 예술관으로 옳은 것은?

> 시인이나 작가들이 모방을 할 경우에도, 이들에게 어울리는 것들을, 즉 용감하고 절제 있고 경건하며 자유인다운 사람들을, 그리고 이와 같은 모든 것을 바로 어릴 때부터 모방해야만 하네. 이들은 비굴한 짓을, 또한 그 밖에 그 어떤 창피스러운 짓도 모방하지 말아야 하며, 이런 것을 모방하는 데 있어서 능한 사람이 되어서도 아니 되네. 이는 모방으로 해서 이들이 바로 그렇게 되어 버리는 일이 없도록 하기 위해서일세.

① 예술 작품은 검열이 필요하다.
② 예술은 도덕적 평가로부터 자유로워야 한다.
③ 미와 선은 형식이 유사하므로 미는 선의 상징이다.
④ 미가 선의 상징이므로 선의 실현에 이바지해야 한다.
⑤ 예술은 그 자체나 예술적 아름다움을 추구해야 한다.

03 갑, 을 입장에 대한 설명으로 옳은 것만을 |보기|에서 있는 대로 고른 것은?

> 갑: 시인이나 작가들이 모방을 할 경우에도, 이들에게 어울리는 것들을, 즉 용감하고 절제 있고 경건하며 자유인다운 사람들을, 그리고 이와 같은 모든 것을 바로 어릴 때부터 모방해야만 하네. 이들은 비굴한 짓을, 또한 그 밖에 그 어떤 창피스러운 짓도 모방하지 말아야 하며, 이런 것을 모방하는 데 있어서 능한 사람이 되어서도 아니 되네.
> 을: 예술을 대하는 가장 지혜로운 태도는 시적 정열, 아름다움의 갈망 및 예술 그 자체를 위한 예술의 애호이다. 예술은 감상하는 순간에 수용되는 그 무엇 때문에 중시되어야 하지, 결코 어떤 가설적인 사후 효과 때문에 중시되어서는 안 된다.

> **| 보기 |**
> ㄱ. 갑은 예술가도 사회 구성원으로서 사회적 책임이 있다고 본다.
> ㄴ. 을은 예술 분야가 작품의 형식보다 내용에 관심을 둬야 한다고 본다.
> ㄷ. 갑은 을과 달리 예술이 미적 가치를 지녀서는 안 된다고 본다.
> ㄹ. 을은 갑과 달리 예술을 예술 이외의 가치로 평가하지 말아야 한다고 본다.

① ㄱ, ㄴ   ② ㄱ, ㄹ   ③ ㄷ, ㄹ
④ ㄱ, ㄴ, ㄷ   ⑤ ㄱ, ㄷ, ㄹ

04 다음에서 공통적으로 강조하는 내용으로 가장 적절한 것은?

> • 예술가는 창작을 통해 환상 세계와 현실 세계를 잇는다. 이러한 창작 활동을 통해 개인은 심리적 갈등과 좌절감으로부터 해방되어 고통을 경감시킬 수 있다.
> • 음악은 유쾌한 것이며 쾌감의 근원이다. 음악의 기쁨이 고통의 감정을 약화시키고 슬픔을 없애 준다.

① 예술은 정의로운 사회 구현에 기여한다.
② 예술은 유용성의 원리에 따라 평가된다.
③ 예술은 인간의 내재된 감정을 정화시켜 준다.
④ 예술은 감상자의 체험에 따라 가치가 결정된다.
⑤ 예술은 자유로운 활동으로 문화의 다양성을 촉진한다.

05 다음과 같은 예술관에 부합하는 설명으로 옳은 것은?

> 예술은 인간이 단순히 동물로서 생존하기 위해 필요한 조건들을 초월해서 인간을 위해 의미 있고 가치 있는 세계를 창조해 내려는 인간 본질적 요구에 의해서 생겨난 것이다. 다시 말해 예술은 사람다운 삶의 요구로부터 발생하는 정신 활동이다. 인간은 본성적으로 아름다운 것을 좋아한다. 인간이 예술 활동을 통하여 미적 가치를 추구하고자 하는 것은, 예술이 혼탁한 세계에 질서와 조화를 부여하여 인간의 정신을 순화시키고 고매한 인간성을 함양시킬 수 있기 때문이다.

① 예술은 도덕성의 상징이다.
② 미는 완전성, 균형 및 명료성을 내포하고 있다.
③ 예술은 현실적 제약을 뛰어넘는 자유를 추구한다.
④ 예술에서 윤리적 공감은 예술가의 독창성을 잃게 만든다.
⑤ 도덕은 예술적 자율성을 침해할 수 있고, 예술은 윤리의 독자성을 침해할 수 있다.

06 갑, 을의 입장에 대한 설명으로 가장 적절한 것은?

> 갑: 예술은 사회에 저항하는 힘을 가져야 한다. 그렇지 않으면 예술은 단순한 상품으로 전락한다. 고급 예술은 상품화되었다 하더라도 자율성을 주장하지만, 대중문화는 산업을 자처하며 대중을 기만하고 그들의 의식을 속박한다.
>
> 을: 예술은 삶의 일부를 형성한다. 경험으로서 예술 작품은 우리의 삶 속에 존재한다. 오늘날 미적인 것은 모든 삶의 영역 속으로 빨려 들어가고 있다. 삶 속에서도 대중 예술에서도 미적인 것의 구현은 가능하나.

① 갑: 문화 산업은 기존 질서를 옹호하고 사회를 몰개성화한다.
② 갑: 예술 본연의 목적은 일상적 삶의 고통을 잊게 하는 것이다.
③ 을: 대중 예술은 예술과 삶을 분리시킨다.
④ 을: 예술 작품은 삶 속에서 기능하지 않아야 미적 가치를 지닌다.
⑤ 갑, 을: 대중 예술은 감상자를 사유의 주체가 되도록 독려한다.

07 갑의 관점에서 아래의 예술 작품에 대한 평가로 옳은 것을 |보기|에서 고른 것은?

> 갑: 대중화되고 상업화된 예술은 문화 산업으로 전락했다. 문화 생산물이나 서비스가 상업적 · 경제적 전략하에서 하나의 상품으로 생산 · 판매되고 있다.

▲ 앤디 워홀, '캠벨 수프 통조림(1962)'

| 보기 |
> ㄱ. 현대 예술은 자본에 종속되어 획일화되었다.
> ㄴ. 대중문화는 예술 작품의 고유한 가치를 증대시킨다.
> ㄷ. 예술의 상업화는 대중의 취향에 따른 예술의 자율성이 확장된다.
> ㄹ. 현대 예술은 상업화의 영향으로 인한 표준화된 소비 양식일 뿐이다.

① ㄱ, ㄴ   ② ㄱ, ㄹ   ③ ㄴ, ㄷ
④ ㄴ, ㄹ   ⑤ ㄷ, ㄹ

08 다음의 운동이 지향하는 근본적인 문제 제기로 가장 적절한 것은?

> 슬로푸드(Slow Food) 운동은 대량 생산 · 규격화 · 산업화 · 기계화를 통한 맛이 표준화와 전지구적 미각의 동질화를 지양하고, 나라별 · 지역별 특성에 맞는 전통적이고 다양한 음식 · 식생활 문화를 계승 발전시킬 목적으로 1986년부터 이탈리아의 작은 마을에서 시작된 식생활 운동을 말한다.

① 과도한 육식 소비문화 반성
② 유해한 음식으로 부터의 건강 보호
③ 화학 비료나 농약을 배재한 친환경 농산물 사용
④ 과도한 식량 생산과 음식 소비로 인한 환경 오염 방지
⑤ 지역별 특성에 맞는 전통적이고 다양한 음식 및 식생활 문화 계승

09 갑은 긍정, 을은 부정의 대답을 할 질문으로 가장 적절한 것은?

> 갑: 명품 선택은 개인의 자유라고 본다. 개인은 자유롭게 상품을 선택하고 구입할 수 있다. 또한 우수한 품질과 희소성 때문에 명품을 선호할 수 있고, 이러한 기호는 단순한 자기 만족을 넘어 품위를 높여 주는 효과적인 표현 방식이다.
>
> 을: 명품 선호 현상은 사회에 부정적인 영향을 미친다. 명품 소비는 고가의 상품을 통해 자신을 타인에게 과시하려는 그릇된 욕망에 기인한 것으로 더 나아가 과소비와 사치 풍조를 조장하여 사회 계층 간 위화감을 야기할 수 있다.

① 과시욕은 그릇된 욕망인가?
② 명품 소비는 과소비를 조장하는가?
③ 명품 소비는 사회에 위화감을 조성하는가?
④ 명품 소비는 윤리적으로 허용되어야 하는가?
⑤ 명품 선호 현상은 품질과는 관계없는 가격 때문인가?

10 다음 글에 나타난 문제점을 해결하는 바람직한 자세를 |보기|에서 고른 것은?

> 소비의 시대인 오늘날에는 상품의 논리가 일반화되어 노동 과정이나 물질적 생산품뿐만 아니라 문화, 섹슈얼리티, 인간관계, 심지어 환상과 개인적 욕망까지도 지배하고 있다. 모든 것이 이 논리에 종속되어 있는데, 그것은 단순히 모든 기능과 욕구가 이윤에 의해 대상화되고 조작된다고 하는 의미에서뿐만 아니라 모든 것이 진열되어 구경거리가 된다는, 즉 이미지, 기호, 소비 가능한 모델로 환기되고 유발되고 편성된다는 보다 깊은 의미에서이다.

| 보기 |

ㄱ. 광고의 상업주의 문제점을 비판한다.
ㄴ. 존재 지향에서 소유 지향으로 나아간다.
ㄷ. 소비를 사회적 지위를 표시하는 기호로 이해한다.
ㄹ. 소비 대상의 본질적 가치를 중시하는 태도를 가진다.

① ㄱ, ㄴ   ② ㄱ, ㄷ   ③ ㄱ, ㄹ
④ ㄴ, ㄷ   ⑤ ㄷ, ㄹ

11 갑이 을에게 제기할 비판으로 적절하지 <u>않은</u> 것은?

> 갑: 현대 과학 기술은 모든 존재자들을 계산 가능한 에너지원으로 무자비하게 동원하고 지배함으로써 모든 존재자가 자신의 고유한 존재를 발현하면서도 서로 조화와 애정을 갖고 운영되었던 '고향'의 세계를 추방해 버렸다. 이 때문에 우리는 좁은 공간에 밀집한 도시의 아파트를 통해 주거의 참된 의미를 떠올리게 하는 고향의 의미를 더 이상 발견하기 어렵게 되었다.
>
> 을: 시장에서 개인은 경제적 이익을 자유롭게 추구할 수 있도록 경제적 자율성을 최대한 보장받아야 한다. 이것은 도시의 주거 공간에 대해서도 마찬가지이다. 따라서 주거 공간이 부를 증식하는 데 기여하도록 해야 한다.

① 주거의 과시적 기능을 간과하고 있다.
② 주거를 통해 실존을 회복해야 함을 간과하고 있다.
③ 주거 공간은 거주자와 밀접한 관계를 맺어야 함을 간과하고 있다.
④ 편리성과 효율성만을 강조하면 '고향의 상실'이 일어남을 간과하고 있다.
⑤ 주거 공간이 단순한 경제적 가치 이상의 가치를 지니고 있음을 간과하고 있다.

12 (가), (나)에 대한 설명으로 옳은 것은?

> (가) 자기의 문화만을 가장 우수한 것으로 믿고 자기 문화를 중심으로 타 문화를 부정적으로 평가하는 견해이다.
>
> (나) 다른 문화만을 가장 좋은 것으로 믿고 그것을 동경하거나 숭상하는 나머지 자기의 문화를 업신여기거나 낮게 평가하는 견해이다.

① (가)는 문화 상대주의 입장이다.
② (가)는 문화의 주체성을 상실할 우려가 있다.
③ (나)는 자문화 중심주의적 태도이다.
④ (나)는 자기 문화의 정체성을 지나치게 강조함으로써 발생한다.
⑤ (가), (나)는 모두 문화 절대주의 입장이다.

13 다음 입장에서 제시하는 종교에 대한 설명으로 옳지 <u>않은</u> 것은?

> 인간의 삶은 유한하다. 인간은 누구나 죽을 수밖에 없는 존재이지만 오래 살고 싶어 하고 영생을 동경한다. 인간은 불완전한 존재임을 자각하면서 인간의 능력을 초월하는 초월자를 믿고 의지하거나 자기에게 내재해 있는 성스러움을 계발하려 하기도 한다. 인간은 정도의 차이가 있을 뿐 기도하는 마음을 가지고 살아간다.

① 인간이 가지고 있는 보편적인 성향에 기인한다.
② 종교를 통해 자기 계발의 계기를 마련하기도 한다.
③ 모든 개인은 정도의 차이만 있을 뿐 신앙심을 가지고 있다.
④ 많은 사람에게 고통을 주고, 사회 혼란을 야기하기도 한다.
⑤ 인생의 궁극적 의미를 발견하고 마음의 평화와 행복을 추구한다.

14 다음 글에 나타난 종교와 윤리의 관계에 대한 설명으로 옳은 것은?

> 종교는 도덕적 삶과 불가분의 관계에 있다. 종교는 영원한 안식과 구원에 대해 해명해 줄 뿐 아니라 인간의 현세적 삶의 실천적 문제에 관해서도 해명할 수 있다. 모든 종교는 그 종교가 성취하려는 이상적인 도덕적 인간상을 제시한다. 어떤 종교에서는 도덕적 행위는 절대자에 이르려는 궁극적인 목적을 도와주는 단계 내지 수단이라고 여겨지기도 하지만, 종교들은 사랑과 자비를 가르치고 도덕적인 삶을 살 것을 가르친다.

① 종교는 절대적 이상을 추구하는 인간 윤리가 반영된다.
② 종교는 윤리적 지침을 제공한다는 점에서 윤리와 상통한다.
③ 종교는 절대 의존적 감정으로 세속의 윤리와 연결될 수 있다.
④ 종교는 진화론적 자연 선택의 산물로서 진화 윤리학과 상통한다.
⑤ 종교는 인간이 가지고 있는 궁극적 삶의 목표이므로 윤리와 일치한다.

15 다음을 통해서 알 수 있는 종교와 종교인에게 요구되는 바람직한 자세로 가장 적절한 것은?

> 이태석 신부는 "세상에서 가장 보잘것없는 사람에게 해 주는 것이 내게 해 주는 것과 다름없다."라고 말한 예수의 가르침에 따라 아무도 쉽게 다가가지 못했던 아프리카 남수단 톤즈에서 선교 생활을 시작했다. 교육을 받지 못하고 전쟁의 고통과 가난에 시달리던 톤즈의 아이들은 처음에는 굉장히 폭력적이고 충동적이었다. 그러나 이태석 신부는 그곳의 가난한 청소년들을 위해 학교를 짓고 음악을 가르쳐 주었다.

① 성(聖)과 속(俗)의 조화를 추구한다.
② 종교의 가르침을 윤리적으로 실천한다.
③ 종교 간의 대화와 협력의 자세를 가진다.
④ 건전한 종교에 대한 올바른 인식을 가진다.
⑤ 다른 종교에 대한 관용의 정신을 실천한다.

16 다음은 신문 사설이다. ㉠에 들어갈 제목으로 가장 적절한 것은?

> ○○ 신문 　　○○○○년 ○월 ○일
>
> **사설**
> (　　　㉠　　　)
>
> 인류의 역사에서 분쟁은 종교 간의 갈등에서 기인하는 경우가 많았다. 헌팅턴은 21세기의 분쟁도 종교 간의 갈등에 의해 발생할 것이라 예측하였다. 하지만 종교 간의 갈등은 극복할 수 없는 것인가? 그렇지 않다. 한스 큉에 따르면, 세계의 종교에는 윤리적 공통분모가 존재한다. 종교 간의 소통이 원활하게 이루어진다면 누구나 지킬 수 있는 가치와 규범을 발견할 수 있다. 세계의 종교가 소통을 통해 최소한의 공통된 가치와 규범, 즉 세계 윤리에 합의하고 실천한다면, 세계 평화가 구축될 것이다.

① 세계 평화를 위해 종교 간의 대화를 시작하자.
② 종교 교리들을 단일화하여 세계 윤리를 제정하자.
③ 종교 간의 위계를 확립하여 도덕적 위기를 극복하자.
④ 세속적 평화보다 개인 내면의 종교적 평화를 추구하자.
⑤ 어떤 것에도 흔들리지 않는 자기 종교에 대한 확신을 갖자.

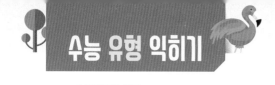

: 2018 수능

01 다음 서양 사상가의 입장을 |보기|에서 고른 것은?

> • 만약 즐거움을 위한 시가 훌륭한 법질서를 갖는 국가 안에 존재해야 할 이유가 있다면, 우리는 기꺼이 시를 받아들일 것이다. 시가 즐거움을 줄 뿐만 아니라 국가와 인간 생활에 이로운 것임이 밝혀진다면 우리에게도 분명 이득이 될 것이기 때문이다.
> • 시인이나 설화 작가들이 모방을 할 경우에는, 용감하고 절제 있고 경건하며 자유인다운 사람들을 모방해야만 한다. 반면에 그 어떤 창피스러운 것도 모방하지 말아야 하며, 이런 것을 모방하는 데 능한 사람들이 되어서도 안 된다.

> **보기**
> ㄱ. 예술은 선의 실현에 기여해야 한다.
> ㄴ. 예술은 진리를 왜곡한 경우 비판받아야 한다.
> ㄷ. 예술에서 미와 선의 내용은 유사할 필요가 없다.
> ㄹ. 예술은 사물의 실재보다 외관을 아름답게 모방해야 한다.

① ㄱ, ㄴ ② ㄱ, ㄷ ③ ㄴ, ㄷ ④ ㄴ, ㄹ ⑤ ㄷ, ㄹ

출제 단원
01 예술과 대중문화 윤리

출제 개념
도덕주의

풀이
제시문은 플라톤의 입장이다. 플라톤은 예술이 선한 것을 모방해 창작되어야 하고, 감상자의 도덕성 함양에 기여해야 한다고 보았다.
ㄱ. 플라톤은 도덕주의자로, 예술이 선의 실현에 기여해야 한다고 보았다. ㄴ. 플라톤은 예술이 진리를 왜곡하면 비판받아야 한다고 주장했다. 따라서 정답은 ㄱ, ㄷ으로 구성된 ①번이다.

: 2018 수능

02 다음 서양 사상가의 입장으로 가장 적절한 것은?

> 우리 시대의 인간은 고향을 잃고 지구상 어떤 곳에도 매여 있지 않은 영원한 망명자이다. 하지만 집은 이러한 위험과 희생의 공간인 외부 공간과 구분되는 안정과 평화의 공간이다. 인간은 자신의 중심점인 집을 스스로 만들어 그곳에 뿌리내리고 살 때 진정한 거주를 실현한다. 인간은 이러한 거주의 실현을 통해 단순히 공간을 점유하는 것이 아닌 거주자가 됨으로써 자신의 본질을 실현하고 온전한 의미에서 인간이 될 수 있다.

① 진정한 거주는 단순히 공간을 점유하는 행위로 국한된다.
② 인간은 진정한 거주를 실현하지 못하면 영원한 망명자이다.
③ 인간은 거주자가 됨으로써 자신의 본질을 실현할 수 없다.
④ 외부 공간은 위험과 희생이 아닌 안정과 평화의 공간이다.
⑤ 진정한 삶의 실현을 위해 거주 공간이 필요한 것은 아니다.

출제 단원
02 의식주 윤리와 윤리적 소비

출제 개념
하이데거의 주거 공간에 대한 입장

풀이
제시문은 하이데거의 주장이다. 하이데거는 실존주의적 관점에서 현대인이 거주 공간의 본래적 의미를 상실하고 공간으로부터 단절되며, 이런 단절을 극복하고 공간과의 관계를 다시 회복해야 한다고 보았다.
② 하이데거는 진정한 거주를 실현함으로써 실존을 회복하고 자기 자신을 실현할 수 있다고 보았다. 따라서 정답은 ②번이다.

03 (가), (나)의 입장을 |보기|에서 고른 것은?

> (가) 소비의 목적은 소비자의 만족감 충족이다. 소비자는 자신의 욕구와 상품에 대한 정보를 바탕으로 소득 범위 내에서 상품을 적절하게 선택하여 최소 비용으로 최대 만족을 얻을 수 있어야 한다.
>
> (나) 소비는 자신을 넘어 사회 및 환경에 이르기까지 영향을 미친다. 따라서 자신에게 돌아오는 직접적인 혜택만 생각하지 말고, 장기적 관점에서 사회와 자연에 미치는 영향도 고려하여 소비해야 한다.

┌ 보기 ┐
ㄱ. (가): 자율적 선택권과 최적의 효용은 소비의 필수적 요소이다.
ㄴ. (가): 개인적 선호보다 공공성을 상품 선택 기준으로 삼아야 한다.
ㄷ. (나): 생태적 영향을 고려한 지속 가능한 소비는 소비자의 의무이다.
ㄹ. (가), (나): 인권과 노동의 가치는 소비자가 고려할 사항이 아니다.

① ㄱ, ㄴ　　② ㄱ, ㄷ　　③ ㄴ, ㄷ　　④ ㄴ, ㄹ　　⑤ ㄷ, ㄹ

출제 단원
02 의식주 윤리와 윤리적 소비

출제 개념
합리적 소비와 윤리적 소비

풀이
(가)는 합리적 소비, (나)는 윤리적 소비이다. 합리적 소비는 단순히 자신에게 발생하는 편익만을 따지지만, 윤리적 소비는 보편적 윤리에 따르는 소비를 한다. ㄱ. 합리적 소비는 자율적 선택권과 효용을 최우선적으로 고려한다. ㄷ. 윤리적 소비는 효용뿐만 아니라, 환경, 인권 등 보편적인 가치에 상품이 부합하는지를 고려한다.

오답 피하기
ㄴ. 윤리적 소비는 공공성을 상품 선택의 기준으로 중요시한다. ㄹ. 윤리적 소비는 인권과 노동의 가치를 고려한 소비이다. 따라서 정답은 ②번이다.

04 (가), (나)의 입장으로 옳지 <u>않은</u> 것은?

> (가) 종교는 신앙을 통해 진리로 나아갈 수 있도록 하는 매혹적이고 신비한 감정의 체험이다. 세계는 신비로 가득하므로 인간 이성이 과학적으로 인식하는 틀 속에 가둘 수 없다. 방향을 잡기 어려운 현실에서 종교를 통해 삶의 의미와 목적을 추구해야 한다.
>
> (나) 과학은 사실에 토대하며 현상이 어떻게 일어나는지 그 원인을 찾고 반증 가능성에 대해 열린 자세를 취해야 한다. 물리적인 것 외에는 실재성이 이성적으로 증명될 수 없으므로, 객관적으로 입증 가능한 사실에 근거하여 진리를 추구해야 한다.

① (가): 인간은 종교적 체험을 통해 삶의 목적과 의미를 찾아야 한다.
② (가): 신앙 없이 이성만으로는 세계의 진리를 완전히 인식할 수 없다.
③ (나): 과학적 지식을 반증 가능성이 있는 것으로 인식할 필요가 있다.
④ (나): 인간은 실험과 관찰을 통해 실증적으로 대상을 탐구해야 한다.
⑤ (가), (나): 과학적 인식의 한계 내에서만 진리를 추구해야 한다.

출제 단원
03 다문화 사회의 윤리

출제 개념
종교와 과학의 관계

풀이
(가)는 인간은 종교를 통해서 삶의 의미와 목적을 추구하고, 인간 이성으로 인식 불가능한 세계가 있다고 주장한다. (나)는 모든 현상은 과학적으로 입증 가능한 사실에 근거하여 진리를 추구해야 하며, 이성을 넘어서는 세계는 없다고 주장한다. ⑤ (가)는 과학적 인식만으로 세계와 진리를 파악할 수 없다고 주장한다. 따라서 정답은 ⑤번이다.

VI 평화와 공존의 윤리

학습 계획표

- 자신의 일정에 맞게 계획을 세워보고, 실제 학습일을 적어 봅시다.
- 학습을 마무리한 후 스스로가 얼마나 학습 목표를 달성하였는지 점검해 봅시다.

단원 01 갈등 해결과 소통의 윤리	쪽수	계획일	완료일	목표 달성도
Day 31 핵심 정리, 자료 뜯어보기	168~171쪽	월 일	월 일	☆☆☆☆☆
Day 32 개념 익히기, 내신 유형 다지기, 주관식·서술형 잡기	172~175쪽	월 일	월 일	☆☆☆☆☆

단원 02 민족 통합의 윤리	쪽수	계획일	완료일	목표 달성도
Day 33 핵심 정리, 자료 뜯어보기	176~179쪽	월 일	월 일	☆☆☆☆☆
Day 34 개념 익히기, 내신 유형 다지기, 주관식·서술형 잡기	180~183쪽	월 일	월 일	☆☆☆☆☆

단원 03 지구촌 평화의 윤리	쪽수	계획일	완료일	목표 달성도
Day 35 핵심 정리, 자료 뜯어보기	184~187쪽	월 일	월 일	☆☆☆☆☆
Day 36 개념 익히기, 내신 유형 다지기, 주관식·서술형 잡기	188~191쪽	월 일	월 일	☆☆☆☆☆

	쪽수	계획일	완료일	목표 달성도
영역 마무리하기, 수능 유형 익히기	192~197쪽	월 일	월 일	☆☆☆☆☆

단원 **01** 갈등 해결과 소통의 윤리

단원 흐름 읽기

```
사회 갈등과        ─┬─ 사회 갈등의 원인과 종류        소통과 담론의   ─┬─ 하버마스의 담론 윤리
사회 통합          ├─ 사회 갈등의 효과              윤리           └─ 원효의 화쟁 사상
                  └─ 사회 갈등을 해결하기 위한 방법
```

1 사회 갈등과 사회 통합

1. 우리 사회에 당면한 다양한 사회 갈등

(1) 갈등과 사회 갈등의 의미

① 갈등: 칡과 등나무가 서로 얽히는 것과 같이, 개인이나 집단 사이에 목표나 이해관계가 달라 서로 적대시하거나 충돌함. 또는 그런 상태

② 사회 갈등: 현대 사회에서 추구하는 가치관이나 신념의 차이 등으로 인해 갈등의 양상이 개인적 차원을 넘어 사회적으로 심화되는 것 자료1

(2) 갈등의 원인

① 무한한 인간의 욕망에 비해 이를 충족시켜 줄 수 있는 자원이나 기회가 제한되어, 서로 다른 이해관계가 충돌하기 때문

② 정치적, 사회 및 경제적, 문화적 변화와 밀접한 관련이 있음.

- 정치적 변화: 권위주의❶ 체제의 종식,❷ 시민 사회의 자율성 확대, 집단적으로 다양한 이익이 표출됨.
- 경제적 변화: 자본주의적 생산 양식과 생활 방식 속에서 양극화와 경쟁이 심화됨.

(3) 사회 갈등의 종류 이념 갈등, 문화 갈등, 세대 갈등, 빈부 갈등, 노사 갈등, 지역 갈등, 남녀 갈등 등

2. 갈등의 긍정적인 효과

(1) 근본적인 갈등의 원인을 충분히 검토하고 해결하는 과정에서 사회가 더 나은 방향으로 나아갈 수 있음.

(2) 각 입장을 서로 이해하고 소통하는 계기를 마련해 줌.

3. 사회의 갈등을 해결하기 위한 방법

(1) 개인적 차원의 노력 상대방에 대한 역지사지❸의 자세로 자신과 다른 견해나 입장을 차별이 아닌 차이로 인식하고 수용하는 자세가 필요함. 자료2

(2) 사회적 차원의 노력 정당과 의회, 정부 역시 사회 갈등을 공적 영역으로 수렴하여 공식적인 논의와 제도화를 통해 해결을 위한 노력을 해야 함.

4. 사회 통합의 효과

(1) 갈등으로 인한 사회적 비용 절감, 서로 신뢰하고 상생하는 사회적 자본❹ 형성

(2) 시민 의식의 발달을 통해 공동체 의식 확대

❶ 권위주의
어떤 일에 있어 권위를 내세우거나 권위에 순종하는 태도

❷ 종식
한때 매우 성하던 현상이나 일이 끝나거나 없어짐.

❸ 역지사지(易地思之)
처지를 바꾸어서 생각하여 봄.

❹ 사회적 자본
사회 구성원이 공동의 문제를 해결하는 데 적극적으로 참여하는 조건이나 특성

자료 1 사회 갈등 지수

사회 갈등 지수란 ○○ 경제 연구소가 개발한 지수로, 전반적인 사회 갈등 수준을 나타내는 지수이다.

사회 갈등 지수 산출에는 소득 불균형 정도, 민주주의 성숙도, 정부 정책의 효율성(정부 효과성)이 지표로 사용된다. 세계은행이 측정하는 '정부 효과성 지수'와 민주주의 성숙도를 나타내는 '민주주의 지수'의 산술 평균값으로 소득의 불균형 관련 지표인 '지니 계수'를 나눠 산출한다. ○○ 경제 연구소는 미국 하버드대 대니 로드릭 경제학 교수의 '갈등의 경제 모형'을 바탕으로 이 지수를 개발했으며, 민주주의 성숙도와 정부 효과성이 낮을수록, 소득 불균형이 높을수록 갈등 지수가 높아진다.

한편, 2009년 6월 ○○ 경제 연구소가 발표한 "한국의 사회 갈등과 경제적 비용"이라는 보고서에 따르면 한국의 사회 갈등 지수가 0.71로 터키(1.20), 폴란드(0.76), 슬로바키아(0.72)에 이어 OECD 국가 중 네 번째로 높은 것으로 조사됐다. 이는 OECD 평균(0.44)에 비해서도 1.5배 정도 높은 수치이다.

◎ **자료 분석** 사회 갈등 지수는 사회가 얼마나 많은 갈등을 겪고 있는지를 나타낸다. 우리나라는 사회 갈등 지수가 OECD 국가들 중 4위를 차지할 정도로 높은 편이다. 이는 우리나라가 민주주의 성숙도와 정부 효과성이 낮으며, 소득 불균형이 높음을 나타내는 것으로, 사회 갈등을 해결하기 위한 개인적·사회적 노력이 요구된다.

뜯어보기 포인트
우리 사회에서 발생하는 갈등의 종류와 그 원인이 무엇인지 생각해 보자.

Q1 다음과 관련 있는 사회 갈등의 유형은?

> 입는 옷차림부터 표현 방식까지 모두 정반대인 아버지는 쉬는 동안 SNS를 통해 스트레스를 해소하는 수지를 한심하게 생각하신다.

① 이념 갈등
② 문화 갈등
③ 세대 갈등
④ 지역 갈등
⑤ 정치 갈등

자료 2 층간 소음 문제를 다독인 사과문

한 주민의 예의 바른 층간 소음 사과문이 화제에 올랐다. 최근 한 온라인 커뮤니티에는 '어느 주민의 층간 소음 사과문'이라는 제목의 글이 올라왔다. 해당 글에는 한 아파트 주민이 "아이 때문에 층간 소음이 나서 죄송하다."라는 내용의 사과문 사진이 담겨 있었다. 이 사과문을 쓴 주민은 자신이 602호에 살고 있으며 어린아이 2명을 키우고 있다고 소개했다. 이 주민은 "어린아이가 둘이라 여간 자제가 어려운 게 아니다."라며, "늘 이해해 주셔서 편하게 생활하고 있지만 죄송한 마음은 항상 갖고 있다."라고 말했다.

이어 그는 "더욱 아이들과 조심하도록 신경 쓰겠지만 혹시라도 너무 시끄럽다 생각되시면 그때는 오늘 아침처럼 인터폰으로 알려 주시면 더 조심하도록 하겠다."라고 밝혔다. 아울러 그는 '새해 인사로 준비했던 선물'이라며 "받아 주시면 제가 너무 감사할 것 같다. 새해 복 많이 받으세요."라고 전했다. 이 주민은 정중한 사과문과 함께 건강식품으로 추정되는 선물을 문고리에 걸어 두었다.

이 주민의 정중한 사과에 네티즌들은 "글까지 적어 미안한 맘을 전달하는 것은 훌륭하다는 생각이 든다.", "아이들이 좋은 부모를 만났다. 올바르게 자랄 것 같다.", "좀 시끄러워진다 한들 마음은 평온하겠다." 등과 같은 반응을 보였다.

– 조선일보, 2017. 6. 27. –

◎ **자료 분석** 신문 기사는 이웃 간의 층간 소음 문제를 원만히 해결한 사례를 나타낸다. 일상생활에서 일어나는 갈등을 해결하려면 상대방에 대한 역지사지의 자세로 배려하는 자세가 필요하다.

뜯어보기 포인트
일상생활에서 일어나는 갈등을 해결하기 위해서는 어떤 자세가 필요할지 생각해 보자.

Q2 일상생활에서 갈등을 해결하기 위해 필요한 자세는 무엇인가?

🔲 Q1 ③ / Q2 상대방의 입장을 역지사지의 마음으로 이해하고 배려한다.

2 소통과 담론의 윤리

1. 소통의 가치

(1) 소통의 의미와 필요성

① 소통의 의미: 언어와 생활 등 공통 기반을 통해 이루어진 관계 속에서 대화를 통해 당사자와 의미를 공유하는 것

② 소통이 필요한 이유: 사람들과 화합하여 궁극적으로 행복하기 위해서임.

③ 소통 과정에서 오해가 생기면 분열하기도 하고, 마음에 상처를 입기도 하므로 진정한 소통을 통해 마음의 치유와 사회적 화합을 이끌어야 함.

(2) 소통을 위한 자세

① 타인의 처지나 입장을 헤아리고 이해하려는 노력

② 타인의 처지나 입장에 대한 정서적인 공감

2. 담론 윤리

(1) 담론 윤리의 필요성

① 현대 다원주의❺ 사회에서 가치의 충돌로 인한 갈등 증가

② 갈등을 합리적으로 조정하고 해결하기 위해서는 서로 간의 이해가 필요함. → 담론❻ 윤리의 필요성 대두

(2) 하버마스❼의 담론 윤리 자료 3

① 공정한 담론 절차를 강조, 자유로운 대화를 통한 상호 합의가 필요함.

② 하버마스가 제시한 올바른 대화의 기준

- 서로 무슨 뜻인지 이해할 수 있어야 함.
- 그 내용이 참이어야 함.
- 상대방이 성실히 지킬 것을 믿을 수 있음.
- 말하는 사람들의 관계가 평등하고 수평적이어야 함.

③ 담론을 통해 이성적으로 보편화 가능한 도덕규범에 합의할 수 있고, 그 도덕규범에 따라 윤리적 문제를 바람직한 방향에서 해결할 수 있음.

④ 의의

- 현대 사회의 다양한 갈등을 해결하는 데 도움이 될 수 있음.
- 행정·경제 체제의 영향력이 과도하게 강화되어 시민 의사를 공적 의사 결정에 반영하지 못하는 문제를 해결하기 위해 소통을 위한 체계적 절차의 필요성을 알게 함.

(3) 원효의 화쟁 사상 자료 4

① 화쟁의 의미: '말다툼, 즉 논쟁을 조화시킨다.'라는 뜻

② 대립하거나 갈등하는 불교 이론들에 대해서 각 종파의 서로 다른 이론을 인정하면서도 더 높은 차원의 깨달음을 강조

③ 종파들 간의 이해와 진리를 위해서 소통하는 자세를 중시

❺ **다원주의**
개인이나 여러 집단이 기본으로 삼는 원칙이나 목적이 서로 다를 수 있음을 인정하는 태도

❻ **담론**
이야기를 주고받으며 논의함.

❼ **하버마스(Habermas, J., 1929~)**
독일의 사회학자·철학자. 칸트의 개인주의적 보편성의 원리를 변형하여 사회적 맥락 안에서 적용하였음.

자료 3 하버마스의 이상적인 담론의 조건

하버마스에 의하면 담론의 조건들을 충족시키는 형식적 속성들은 이상적 담론 상황의 속성들이다. 그는 '커뮤니케이션이 외부적인 우연적 작용들에 의해서뿐만 아니라 커뮤니케이션 구조 그 자체에서 생기는 강제에 의해서도 방해되지 않는' 담론 상황을 이상적이라고 명명한다. 하버마스는 4개의 근본 규범들을 도출한다.

(1) 모든 잠재적 담화 참여자들이 커뮤니케이션적 언어 행위를 할 수 있는 동일한 기회를 가짐으로써 항상 담화를 개최하고 찬반 발언과 질문과 대답을 통해 담화를 계속할 수 있어야 한다.

(2) 모든 담화 참여자들이 제안하고 설명하고 정당화하고 그 유효성 요청을 문제 삼고 논증하거나 반박할 수 있는 동일한 기회를 가짐으로써 어떠한 사전 의견도 계속 테마화와 비판에서 벗어나서는 안 된다.

(3) 담화에는 행위자로서 발화적 언어 행위를 할 수 있는, 즉 자신의 생각들, 느낌들 및 의도들을 표현할 수 있는 동일한 기회를 가진 화자에게만 허용되어야 한다.

(4) 담화에는 행위자로서 규제적 언어 행위를 할 수 있는, 즉 명령하고 거부하고 허용하고 금지하고 약속을 하고 취소하고 해명을 하고 요구를 할 수 있는 등의 동일한 기회를 가진 화자만 허용되어야 한다.

– 김상룡, "하버마스의 담화 개념" –

◎ **자료 분석** 제시문은 하버마스의 담론 윤리가 어떻게 담론의 조건들을 충족시켜야 하는지를 보여 준다. 하버마스는 이상적인 의사소통이 이루어지기 위해서는 돈이나 권력에 의한 왜곡이나 억압이 없어야 하고, 대화 당사자들이 이상적 담론의 조건을 지켜야 한다고 주장한다.

뜯어보기 포인트
하버마스의 담론 윤리에 대해 이해하자.

Q3 다음과 같은 윤리 사상을 주장한 사상가는 누구인가?

> 현대 사회의 다양한 문제를 해결하기 위한 공정한 담론 절차를 강조하면서 자유로운 대화를 통한 상호 합의가 있어야 한다.

① 밀 　　　② 맹자
③ 칸트 　　④ 하버마스
⑤ 매킨타이어

자료 4 원효의 화쟁 사상

화쟁(和諍), 글자 그대로 보면 "서로 다른 논쟁들을 화합시킨다."라는 말인데, "모순과 대립을 하나의 체계 속에서 다룬다."라는 뜻이죠. 특정한 교설이나 학설을 고집하지 않고 비판과 분석을 통해 보다 높은 가치를 이끌어 내는 사상입니다. '일(一)이란 십(十)에 포섭된 일(一)이다. 간략하게 일부분을 가지고 일(一)이라 하고 십(十)이라 하여 시작하는 문(門)을 삼지만, 하나에 포섭된 것은 십문(十門)이 마찬가지니 이른바 십(十)이라고 하는 것도 일(一)에 포섭되어 있는 것이다.'

이와 같은 화쟁의 논리를 원효는 갈대 구멍의 비유로 설명합니다. 서로 대립하는 각 주장들은 마치 갈대 구멍으로 하늘을 보고 서로 자기가 옳다고 다투는 것과 같다는 것입니다. 이 화쟁 사상은 원효로부터 시작되어 한국 불교의 전통으로 이어져 내려오게 되지요. 즉 고려 시대에 교종과 선종의 통합에까지 영향을 미치게 됩니다.

– 허훈, "보인다 윤리와 사상" –

◎ **자료 분석** 원효 대사는 화쟁 사상을 통해 불교의 수많은 종파의 화합과 조화를 추구하였다.

뜯어보기 포인트
원효가 제시한 화쟁의 의미와 그 의의를 생각해 보자.

Q4 원효의 화쟁 사상의 특징은 무엇인가?

📄 Q3 ④ / Q4 하나의 종파나 학설만을 고집하지 않고, 그것을 비판하고 검토하여 여러 종파를 화합시키고, 나아가 더 높은 가치를 이끌어 냈다.

01 다음 설명에 해당하는 한자 성어를 쓰시오.

'처지를 바꿔서 생각해 본다.'라는 뜻으로서, 개인적 차원의 갈등을 해결하기 위해 타인의 견해를 인정하고 그 입장에 서서 상대를 이해하려는 자세를 뜻한다.

02 다음 빈칸에 들어갈 알맞은 말을 쓰시오.

(1) 추구하는 (   )(이)나 신념의 차이 등으로 인해 현대 사회에서 갈등의 양상이 개인적 차원을 넘어 사회 갈등으로 심화되고 있다.

(2) 사회는 (   )을(를) 해결하는 과정에서 더 나은 방향으로 발전할 수 있다.

(3) (   )은(는) 대화를 통해 당사자와 의미를 공유하는 것으로, 타인의 처지나 입장을 헤아릴 수 있게 해 준다.

(4) (   )은(는) 담론 윤리를 내세워 시민의 의사를 공적인 영역에 반영하고자 하였다.

(5) 원효 대사는 (   ) 사상을 통해 여러 종파들 간의 이해와 진리를 위해서 소통하는 자세를 중시하였다.

03 다음 내용이 맞으면 ○표, 틀리면 ×표를 하시오.

(1) 갈등은 나쁜 것이므로 무조건 피해야 한다.　　(　)

(2) 갈등을 해결하기 위해서 정당, 의회, 정부 등의 정책적 노력이 필요하다.　　(　)

(3) 하버마스는 담론에 참여하는 사람들은 평등한 기회를 제공받아야 하고, 의사 표현에는 제한이 없어야 한다고 주장하였다.　　(　)

(4) 원효는 여러 종파와 학설들의 서로 다른 이론들을 인정하면서도 그 이론들을 서로 화합시키고, 더 나은 깨달음을 찾기 위해 노력하였다.　　(　)

04 다음과 같은 주장을 펼친 사상가의 이름을 쓰시오.

어떤 규범이 타당성을 갖기 위해서는 그 규범에 의해 영향을 받는 사람들이 합리적인 토론을 통해서 자유롭게 동의해야 합니다. 이를 위해 서로 다른 의견과 갈등, 폭력 등을 극복하기 위한 합리적인 의사소통이 필요합니다.

05 서로 관련 있는 것끼리 연결하시오.

(1) 세대 갈등 •
　　　　　　• ㉠ 기성 세대와 젊은 세대 간의 가치관의 차이로 인한 갈등

(2) 지역 갈등 •
　　　　　　• ㉡ 자기 지역에 쓰레기 소각장, 교도소 등의 혐오 시설이 들어오는 것을 반대하면서 생긴 갈등

06 종전의 인적, 물적 자원에 대응되는 개념으로, 사회 구성원이 공동의 문제를 해결하는 데 적극적으로 참여하는 조건이나 특성을 뜻하는 용어를 쓰시오.

01 다음 대화에 나타난 갈등의 유형으로 옳은 것은?

> 갑: 넌 왜 쉴 때마다 스마트폰만 들여다보니? 이제 좀 그만 스마트폰을 사용하렴.
> 을: 스마트폰 보는 것이 어때서요? 친구와 소통하는 창구로 스트레스 해소 중인데요. 아버지도 사용하시잖아요?
> 갑: 스마트폰으로 스트레스 해소가 된다니 정말 이해할 수 없구나.

① 세대 갈등
② 노사 갈등
③ 남녀 갈등
④ 지역 갈등
⑤ 이념 갈등

02 사회 갈등이 빈발하는 이유로 옳은 것만을 |보기|에서 있는 대로 고른 것은?

> **보기**
> ㄱ. 무한한 자원에 비해 인간의 욕망은 제한되어 있기 때문이다.
> ㄴ. 자본주의적 생활 방식 속에서 양극화와 경쟁이 심화되었기 때문이다.
> ㄷ. 이해관계가 상충하는 다양한 집단과 개인으로 사회가 구성되어 있기 때문이다.
> ㄹ. 시민 사회의 자율성이 확대되면서 집단적으로 다양한 이익이 표출될 환경이 조성되었기 때문이다.

① ㄱ, ㄴ
② ㄱ, ㄷ
③ ㄴ, ㄹ
④ ㄱ, ㄴ, ㄷ
⑤ ㄴ, ㄷ, ㄹ

03 다음 신문 기사에 대한 학생들의 대화 내용으로 적절하지 **않은** 것은?

> ○○ 신문   ○○○○년 ○월 ○일
>
> ○○ 아파트의 주민들은 주민 공청회를 통해 전국 처음으로 '공동 주택 층간 소음 관리 규칙'을 마련하고 시행에 나섰다. 동 대표와 입주민으로 구성된 층간 소음 조정 위원회는 5단계 조정 절차를 제시하였다. 이 위원회는 피해 상담이 접수되면 소음의 원인 분석과 피해 정도와 시설물 파손 등의 여부를 통해 현장 중재, 당사자 간 합의를 도와주는 역할을 할 예정이다. 이러한 활동을 통해 주민 간에 협력하는 문화를 형성할 수 있을 것이다.

① 갑: 갈등 조정을 위한 주민들의 자발적 노력이 필요해.
② 을: 층간 소음 문제는 절대 자발적으로 조정할 수 없는 심각한 문제야.
③ 병: 이러한 협의 과정을 통해 주민들은 역지사지의 자세를 지닐 수 있어.
④ 정: 이웃 간 도덕의식과 예절 의식의 함양은 이러한 문제 해결에 도움이 될 것 같네.
⑤ 무: 층간 소음 문제의 갈등 해결을 통해 진정한 의미의 이웃 공동체가 형성될 수 있겠어.

04 그림은 '담론의 절차적 규칙'에 대해 어떤 학생이 필기한 내용이다. ㉠~㉤ 중 옳지 **않은** 내용은?

> **담론의 절차적 규칙**
>
> ㉠ 말할 수 있고 행위 능력이 있는 사람들은 모두가 자유롭게 참여할 자격이 있다. ㉡ 자신의 주장과 개인의 개인적 희망과 소망을 표현할 수 있다. ㉢ 다른 사람의 주장에 대해 의문을 제기하거나 비판은 삼가야 한다. ㉣ 이런 권리를 행사할 때에는 어떠한 강요나 방해도 받아서는 안 된다. ㉤ 담론 참여자의 언어 행위는 진실성을 담고 있어야 한다.

① ㉠
② ㉡
③ ㉢
④ ㉣
⑤ ㉤

05 다음 글을 통해 알 수 있는 담론 윤리의 특징으로 옳지 않은 것은?

> 담론적 방법은 세 가지 기본적인 윤리학적 전제 위에 서 있다. 우선, 갈등을 폭력적으로 해결해서는 안 되며, 모든 관련된 당사자나 그들의 대변자들 간의 공동의 협의로 해결해야 한다. 둘째, 그러한 협의에 참여한 사람은 누구나 자신의 이해 관심을 방해받지 않고 주장할 권리가 있다. 끝으로, 협의에 참여한 사람은 누구나 자신의 고유한 이해 관심을 수사학이나 설득 기술을 사용하여 관철하려고 해서는 안 되며, 초주관성의 원리에 따라 자기의 고유한 이해 관심을 기꺼이 수정하려고 해야만 한다. 이것은 자신의 주관적인 소망 가운데 많은 것을 포기하여, 모두가 인정할 수 있는 상위의 목적 아래 수렴될 수 있어야 한다는 것을 의미한다. 따라서 공동의 이성적 의지 형성 과정에서 얻어진 객관적 목적들은 그것을 준수하는 것이 정당한 것으로 인정되는 보편적인 구속력이 있는 규범이다.

① 의사소통의 효율성을 실현하고자 한다.
② 의사소통의 기회는 평등하게 주어져야 한다.
③ 시민들의 의사소통을 통해 갈등을 해결하고자 한다.
④ 옳고 그름에 대한 판단의 정당성을 공적 담론에서 찾고자 한다.
⑤ 담론에 참여한 사람들은 누구나 제한 없이 자신의 의견을 주장할 수 있다.

06 다음 사례에 나타난 갈등의 유형으로 옳은 것은?

> A시 시청은 새로운 하수도 처리장을 짓기로 결정했다. 하수도 처리장의 부지로 B구와 C구를 두고 고민하던 A시 시장은 B구에 하수도 처리장을 짓기로 결정했다. 하지만 B구 주민들은 혐오 시설인 하수도 처리장이 자신들의 거주지에 들어오는 것을 반대했고, C구에 건설할 것을 요구하는 집회를 가졌고, 이로 인해 B구와 C구의 관계는 악화되었다.

① 지역 갈등   ② 세대 갈등
③ 이념 갈등   ④ 빈부 갈등
⑤ 노사 갈등

07 다음을 주장한 사상가의 입장으로 옳은 것은?

> 실제의 담론에서 의사소통의 합리성을 보장하기 위해 의사소통 과정에서 지켜야 할 규범은 다음과 같이 요약할 수 있다.
> 말할 수 있고 행위할 수 있는 능력이 있는 사람은 모두가 자유롭게 참여할 자격이 있고, 다른 사람의 주장에 대해 의문을 제기하고 비판할 수 있다.

① 논쟁 중 타당한 주장에 대해서는 비판할 수 없다.
② 도덕규범의 정당성은 개인의 판단으로 이루어진다.
③ 전문가 집단 내의 토론을 통해 사회 문제를 해결해야 한다.
④ 토론에 참여하는 사람들은 항상 자신의 주장을 관철해야 한다.
⑤ 합리적인 의사소통을 통해 보편 가능한 도덕규범에 합의할 수 있다.

08 다음 글의 빈칸에 들어갈 알맞은 말은?

> 담론을 통해 합의된 규범이 (   )이(가) 되기 위해서는 다음의 조건을 충족해야 한다. 모든 개인의 이해를 만족하기 위해서는 그 규범을 일반적으로 따를 때 발생할 수 있는 결과와 부작용을 모든 당사자가 수락할 수 있어야 한다. 그리고 이미 알고 있는 대안적 조절 가능성의 효과보다 결과의 부작용을 고려해야 한다.

① 담론의 보편화 원칙
② 담론의 긍극적 목적
③ 소통의 현실적 기능
④ 담론과 소통의 비교
⑤ 소통의 정의와 일반화

주관식

01 다음 빈칸에 공통적으로 들어갈 말을 쓰시오.

> 사회 갈등이 해결되고 사회 통합을 이룰 경우 갈등으로 인한 사회적 비용은 절감되며, 서로 신뢰하고 상생하는 (   )이(가) 형성될 수 있다. 이러한 (   )의 형성은 사회 구성원 간의 신뢰와 소통에 기반을 둔 시민 의식의 발달을 통해 공동체 의식을 함양하는 데 기여할 것이다.

주관식

02 다음 내용과 관련 있는 윤리 사상을 쓰시오.

> 어떤 규범이 타당성을 갖기 위해서는 그 규범에 의해 영향을 받는 사람들이 합리적인 토론을 통해서 자유롭게 동의해야 합니다. 이를 위해 서로 다른 의견과 갈등, 폭력 등을 극복하기 위한 합리적인 의사소통이 필요합니다.

주관식

03 다음과 같은 주장을 펼친 동양 사상가의 이름과 그 사상을 쓰시오.

> 참다운 모습이나 생성과 소멸의 모습은 모두 같으면서 다른 것에 불과하고, 결국 모든 종파의 주장은 다르면서도 같고, 같으면서도 다른 것이므로 다투거나 싸울 필요가 없습니다. 중요한 것은 부처의 깨달음을 실천하는 것입니다.

주관식

04 사회 갈등의 종류를 세 가지 이상 쓰시오.

서술형

05 갈등의 긍정적인 효과에 대하여 서술하시오.

서술형

06 사회 갈등을 해결하기 위한 사회적 차원의 노력을 서술하시오.

서술형

07 갈등의 양상이 개인적 차원을 넘어 사회 갈등으로 심화되는 이유를 현대 사회의 정치적·사회적·경제적 변화와 관련하여 서술하시오.

단원 흐름 읽기

바람직한 통일을 위한 노력
• 점진적이고 평화적인 방법 모색
• 자유, 인권 등 보편적 가치 구현
• 내부적·국제적 통일 기반 조성

├ 분단 비용
├ 평화 비용
└ 통일 비용

통일 한국의 미래상

├ 정치 영역 민주주의 발전
├ 경제 영역 경제 번영
├ 문화 영역 문화 교류
└ 사회 영역 인권의 보장

1 통일 문제를 둘러싼 쟁점

1. 바람직한 통일을 위해 해결할 문제

(1) 통일의 필요성

① 통일은 인권과 평화라는 인류의 보편적 가치를 실현한다는 의미를 지닌 윤리적 문제임.

② 한반도의 평화 정착과 우리 민족의 재도약을 위한 발판이 됨.

③ 지구촌의 안녕과 번영을 이루기 위해서임.

(2) 통일을 위해 해결해야 할 문제들

① 통일에 대해 무관심하거나 통일을 우리와 무관하다고 생각함.

② 급진적 사회 변화에 대한 막연한 두려움.

③ 통일에 소요될 비용에 부담을 느낌.

④ 평화의 정착을 위해 북핵 문제의 해결 노력이 필요함.

2. 바람직한 통일을 위한 노력

합의에 의한 점진적 평화 통일	대화를 통해 한반도의 비핵화를 실현할 수 있도록 노력하는 자세 필요
보편적 가치❶ 구현	개인의 자유와 인권 등 보편적인 가치 구현, 북한 주민의 인권 문제 개선 노력
내부적·국제적 통일 기반 조성	내부적 통일 기반뿐만 아니라 국제적 통일 기반도 함께 조성해 나가야 함.

❶ 보편적 가치
인간의 존엄성, 자유, 평등 등과 같이 시대와 장소를 초월하여 언제나 존중되어야 할 가치

3. 통일 비용과 분단 비용 [자료 1]

분단 비용	분단으로 인한 대립과 갈등으로 지출되는 유·무형의 비용
평화 비용	통일 이전에 한반도의 평화를 유지하고 정착하기 위해 드는 비용
통일 비용	통일 이후 남북한 체제가 통합하는 데 소요되는 비용, 통일 편익❷을 증진시키는 투자적 성격의 비용

❷ 통일 편익
통일이 가져다 줄 경제적·비경제적 보상과 혜택의 총체

4. 통일을 위한 노력 [자료 2]

(1) 이질성으로 인한 갈등을 줄이기 위해 남북한의 공통점을 바탕으로 민족적 동질성을 회복해야 함.

(2) 남북 경제 협력과 대북 지원 등을 통한 평화 비용의 중요성을 이해해야 함.

(3) 이산가족의 고통을 이해하고, 통일의 과정에서 존재할 갈등을 해소하기 위해 노력해야 함.

자료 1 분단 비용, 통일 비용, 통일 편익

분단 비용	통일 비용	통일 편익
• 의미: 분단 상태가 지속됨으로써 발생하는 경제적·경제 외적 비용의 총체 • 경제적 비용: 국방비 지출, 외교 비용, 이념 교육 비용 등 • 경제 외적 비용: 전쟁 가능성에 대한 공포, 이산가족 고통, 국토의 불균형 발전 등	• 의미: 통일에 수반되는 경제적·경제 외적 비용의 총체 • 제도 통합 비용: 정치·행정 제도, 금융·화폐 통합 비용 등 • 위기 관리 비용: 치안, 인도적 차원의 긴급 구호, 실업 등 초기 사회 문제 처리 비용 • 경제적 투자 비용: 인프라, 생산 시설 구축 비용 등	• 의미: 통일로 인해 얻게 되는 경제적·비경제적 보상과 혜택 • 경제적 편익: 새로운 성장 동력 제공, 경제 발전, 국민 생활 공간 확대 등 • 비경제적 편익: 북한 주민의 인간다운 삶 보장, 이산가족 문제 해결, 안보 불안 해소, 민족 문화 회복, 동북아·세계 평화 기여 등

◎ **자료 분석** 분단 비용은 분단 상황이 지속됨으로써 발생하는 경제적·경제 외적 비용으로, 통일이 되면 거의 소멸된다. 통일 비용은 제도 통합 비용, 위기 관리 비용, 그리고 경제적 투자 비용 등 통일에 따르는 경제적·경제 외적 비용의 총체로 정의되며, 일정한 기간을 전제로 하는 한시적 비용이다. 통일 편익은 통일로 인해 얻게 되는 경제적·비경제적 보상과 혜택의 총체로서, 통일 이후 영구적으로 지속되는 특징을 가지고 있다.

뜯어보기 포인트

분단 비용, 통일 비용, 통일 편익의 의미에 대해 정리하자.

Q1 남북 통일로 얻게 되는 보상과 혜택으로 옳지 <u>않은</u> 것은?

① 경제 발전
② 민족 문화 회복
③ 안보 불안 해소
④ 국방비 지출의 증가
⑤ 새로운 성장 동력 제공

자료 2 남북 기본 합의서

제1장 남북 화해
　　제1조 남과 북은 서로 상대방의 체제를 인정하고 존중한다. ……
제2장 남북 불가침
　　제9조 남과 북은 상대방에 대하여 무력을 사용하지 않으며 상대방을 무력으로 침략하지 아니한다. ……
제3장 남북 교류·협력
　　제13조 남과 북은 민족 경제의 통일적이며 균형적인 발전과 민족 전체의 복리 향상을 도모하기 위하여 자원의 공동 개발, 민족 내부 교류로서의 물자 교류, 합작 투자 등 경제 교류와 협력을 실시한다. ……
제4장 수정 및 발효
　　제24조 이 합의서는 쌍방의 합의에 의하여 수정·보충할 수 있다. ……

◎ **자료 분석** 남북 기본 합의서는 남북한 각각의 내부 절차를 걸쳐 발효된 것으로서, 남북한 사이의 기본 규범의 성격을 지닌다. 서문과 함께 제1장 남북 화해, 제2장 남북 불가침, 제3장 남북 교류·협력, 제4장 수정 및 발효 등 총 4장 25개 조로 구성되어 있으며, 통일을 한민족의 공동 번영을 위한 과정으로 전제하고 남북 관계 개선과 평화 통일을 향한 기본 틀을 제시하였다.

뜯어보기 포인트

평화적 통일을 위해 남과 북이 다양한 영역에서 어떤 교류를 했는지 정리해 보자.

Q2 남북 관계 개선과 평화 통일을 향한 기본 틀을 제시한 합의서는?

① 7·7 선언
② 남북 기본 합의서
③ 7·4 남북 공동 선언
④ 평화 통일 구상 선언
⑤ 6·15 남북 공동 선언

답 Q1 ④ / Q2 ②

2 통일이 지향해야 할 가치

1. 통일을 준비하는 과정

(1) 독일 통일의 사례

① 독일은 적극적 의지를 가지고 통일을 반대하는 주변 국가를 설득하였음.

② 동서독 내부적으로도 대화와 소통을 통해 통일의 여건을 함께 다져 나감으로써 평화적 통일을 이룸.

③ 갑작스럽게 이루어진 통합 이후 여러 갈등이 존재하기도 하였음.

(2) 독일 통일의 교훈

① 서로 다른 문화와 차이를 이해하는 문화 교류가 선행되어야 함.

② 흡수 통일❸이나 무력에 의한 통일보다 평화에 의한 통일을 지향해야 함.

③ 국제 사회와의 협력을 통해 평화적이고 민주적인 방안으로 통일을 이루어야 함.

(3) 통일을 위한 노력

① 개인적 노력

• 서로의 다름을 인정하고 공존하려는 자세

• 서로의 잘못된 점을 함께 개선하려는 노력

• 스스로 통일의 주체임을 인식하고 통일을 위해 할 수 있는 일을 고민해 봄.

② 국가적 노력

• 사회·문화적 교류를 통한 남북한의 이질성 극복

• 국제 사회와의 협력을 통해 평화적이고 민주적인 통일 방안 모색

• 남북한의 문화적 이질성을 줄이기 위한 교육 정책 실시

❸ 흡수 통일
체제가 다른 두 나라가 통일을 할 때, 한쪽의 체제에 다른 쪽의 체제를 완전히 맞추어 이루는 통일

2. 통일 한국의 미래상

(1) 통일 한국이 가져올 미래

① 인구와 국토의 증가로 경제의 규모가 커지고, 다양한 종류의 직업, 새로운 일자리가 창출됨.

② 막대한 국방비가 줄어듦에 따라 예산의 효율적인 운영이 가능함.

③ 다른 대륙과 나라를 육로로 통하게 됨으로써 물류 기지의 역할을 하게 됨.

④ 오랜 세월 동안 떨어져 지내 왔던 이산가족들의 아픔을 해소할 수 있음.

(2) 통일 한국의 미래상 자료 3

① 정치 영역: 민주주의의 발전이 이루어짐.

② 경제 영역: 새로운 직업과 일자리 창출 및 인프라❹ 구축으로 경제가 번영함.

③ 문화 영역: 북한 음식, 문화 등의 소개로 다양한 문화 융합❺의 사례가 이루어지며 보다 풍부한 문화 교류가 이루어짐, 열린 민족주의 지향 자료 4

④ 사회 영역: 전쟁의 위협에서 벗어나 남북한 주민들의 인권이 보장됨.

❹ 인프라
경제 활동의 기반을 형성하는 시설·제도 등으로서 사회적 생산 기반

❺ 문화 융합
둘 이상의 문화가 합쳐져 완전히 새로운 제3의 문화가 나타나는 일

자료 3 통일 한국의 미래상

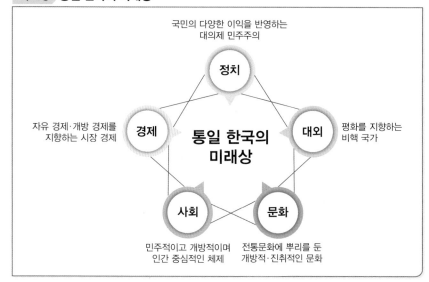

국민의 다양한 이익을 반영하는
대의제 민주주의

정치

자유 경제·개방 경제를
지향하는 시장 경제
경제

대외
평화를 지향하는
비핵 국가

**통일 한국의
미래상**

사회
민주적이고 개방적이며
인간 중심적인 체제

문화
전통문화에 뿌리를 둔
개방적·진취적인 문화

◎ **자료 분석** 통일 한국의 정치 체제는 국민의 선거에 의해 선출되는 의회와 복수 정당제를 갖춘 대의제 민주주의, 경제 체제는 고도의 경제 성장을 통해 국민 복지 증진에 상대적으로 우월한 체제임이 입증된 시장 경제 체제, 사회 체제는 정치, 경제 체제와 같이 민주적이고 개방적이며, 보편적 가치를 지향하는 사회, 문화적 측면에서는 인본주의로서 민족의 전통문화에 뿌리를 두는 개방적이고 진취적인 문화, 대외적으로는 인류 보편적 가치와 원칙을 존중하고 준수하며 평화를 지향하는 국가여야 한다.

뜯어보기 포인트

통일 한국이 지향해야 할 이상적인 모습에 대해 정리하자.

Q3 통일 한국의 미래상으로 적절하지 <u>않은</u> 것은?

① 사회주의
② 대의 민주주의
③ 시장 경제 체제
④ 개방적·진취적 문화
⑤ 인류의 보편적 가치 존중

자료 4 열린 민족주의

민족주의는 자민족의 번영과 발전을 기하고자 하는 이데올로기로 다소 배타적인 특징을 지니고 있으나, 열린 민족주의는 타민족과의 공존 공영 속에서 자민족의 발전을 모색하는 것을 의미한다. 따라서 통일을 지향하는 민족주의는 배타적이고 폐쇄적인 것이 아닌 다른 민족, 다른 집단과의 호혜적 교류와 평화 모색을 보장하는 열린 민족주의이다.

– 통일부, '2017 통일 문제 이해' –

◎ **자료 분석** 통일 한국이 지향해 나갈 기본 이념은 민족주의이다. 여기에서 말하는 민족주의는 다른 민족과의 공존 공영을 추구하는 '열린 민족주의'를 의미한다. 남북 통일의 정당성은 무엇보다 분단되어 있는 한민족의 정치적·문화적 공간을 통합시키는 통일된 민족 국가의 형성에 근거하고 있다. 또한 통일 한국의 민족주의는 우리 사회 내 다양한 소수 인종과 문화를 인정하고 공존하는 열린 민족주의를 지향한다.

뜯어보기 포인트

통일 한국이 지향해야 할 기본 이념인 열린 민족주의와 이와 상반되는 개념인 배타적 민족주의에 대해 정리해 보자.

Q4 통일 한국이 지향해야 할 기본 이념으로 옳은 것은?

① 전체주의
② 열린 민족주의
③ 닫힌 민족주의
④ 배타적 민족주의
⑤ 자민족 중심주의

📑 Q3 ① / Q4 ②

01 다음 빈칸에 들어갈 알맞은 말을 쓰시오.

(1) 통일을 위해 해결해야 할 문제들로는 통일에 대한 무관심과 두려움, 그리고 (   )에 대한 부담이 있다.

(2) 바람직한 통일을 이루기 위해서는 평화적인 통일 방법, 개인의 자유와 인권 등 (   )을(를) 구현해야 한다.

(3) 바람직한 통일을 이루기 위해서는 내부적 통일 기반 뿐만 아니라 (   ) 통일 기반도 함께 조성해 나가야 한다.

02 서로 관련 있는 것끼리 연결하시오.

(1) 분단 비용 •

• ㉠ 분단으로 인한 대립과 갈등으로 지출되는 유 · 무형의 비용

(2) 평화 비용 •

• ㉡ 통일 이전에 한반도의 평화를 유지하고 정착시키기 위해 드는 비용

03 다음 내용이 맞으면 ○표, 틀리면 ×표를 하시오.

(1) 평화적인 통일을 위해서는 서로 다른 문화와 차이를 이해하는 사회 · 문화적 교류가 선행되어야 한다.

(   )

(2) 평화적인 통일을 위해서는 국제 사회와의 협력을 통해 평화적이고 민주적인 방안으로 통일을 이루어야 한다.

(   )

(3) 통일을 이룩하기 위해서 서로의 다름을 인정하면서도 배척하지 않고 공존하려는 자세를 가져야 한다.

(   )

04 통일 이후 남북한 체제가 통합하는 데 소요되는 비용으로, 통일에 따른 편익을 증진시키는 투자적 성격의 비용을 쓰시오.

_____

05 빈칸 ㉠, ㉡에 들어갈 말을 각각 쓰시오.

통일을 이루는 방법에는 여러 가지가 있다. 독일과 같은 (㉠) 통일, 무력에 의한 통일, 그리고 합의에 의한 (㉡) 통일 등이 있다.

_____

06 민족의 주체성을 유지하면서 동시에 다른 민족의 문화와 삶의 양식을 포용하는 민족주의를 무엇이라고 하는지 쓰시오.

_____

01 다음 신문 기사에 나타난 통일의 필요성으로 가장 적절한 것은?

> ○○ 신문 ○○○○년 ○월 ○일
>
> 1985년 '남북 이산가족 고향 방문단 및 예술 공연단'의 교환 방문을 계기로 이산가족의 역사적 첫 상봉이 이루어졌다. 그러나 그 뒤 상봉이 이어지지 않다가 2000년 6 · 15 남북 정상 회담 이후 상봉이 재개되었다. 최근 2015년 10월 20일 제20차에 이르는 이산가족 대면 상봉이 이루어졌다.

① 많은 분단 비용을 줄여야 한다.
② 이산가족의 아픔을 해소해야 한다.
③ 고유한 민족 문화의 전통을 계승해야 한다.
④ 한반도가 지닌 지리적 이점을 활용해야 한다.
⑤ 군사적 대립을 줄여 국내 및 세계 평화에 기여해야 한다.

02 통일에 사용되는 비용에 대한 설명으로 가장 적절한 것은?

① 통일 비용에는 사회 · 문화적 통합 비용이 포함된다.
② 분단 비용의 예로 남북 경제 협력과 대북 지원비가 있다.
③ 평화 비용은 통일 비용을 절감하는 효과를 가져오지 않는다.
④ 분단 비용과 통일 비용은 바람직한 통일을 위해 증가되어야 한다.
⑤ 분단 비용과 평화 비용은 통일 비용과 달리 소멸되는 소모성 비용이다.

03 다음은 통일이 필요한 이유에 대한 설문 조사 결과이다. 이에 대한 해석으로 적절하지 **않은** 것은?

> • 질문: 통일이 필요한 이유가 무엇이라고 생각하십니까?
> • 조사 결과
>   1. 우리나라의 힘이 더 강해질 수 있으므로(26.6%)
>   2. 전쟁 위협 등 불안감 해소(25.0%)
>   3. 역사적으로 같은 민족이므로 (16.6%)
>   4. 이산가족 문제 해결(15.7%)
>   5. 군사비 등 분단에 따른 비용 절감(6.0%)

① 전쟁의 부재인 평화 유지를 통일의 이유로 본다.
② 분단 비용 절감을 통일의 가장 중요한 이유로 본다.
③ 이산가족의 고통을 해소하는 것을 중요한 통일의 이유로 본다.
④ 역사적으로 같은 민족이라는 점을 통일의 중요한 이유로 본다.
⑤ 민족의 역량을 결집하여 나라가 발전하는 것을 통일의 이유로 본다.

04 다음 대화에서 바람직한 통일을 이루기 위한 노력으로 적절하지 **않은** 설명을 한 학생은?

> 선생님: 바람직한 통일을 이루기 위한 노력을 말해 볼까요?
> 갑: 통일은 평화적으로 진행되어야 해요.
> 을: 그렇기 위해서는 대화를 통해 한반도의 비핵화를 실현하기 위해 노력하는 자세가 필요해요.
> 병: 개인의 자유와 인권 등의 보편적 가치를 구현하기 위한 방안을 고민해 보아야 해요.
> 정: 북한 주민의 인권 문제에 관심을 가지고 개선을 위한 노력을 전개해야 해요.
> 무: 통일은 남북한만의 문제이기 때문에 다른 나라와의 관계는 관심 갖지 않아도 돼요.

① 갑　　② 을　　③ 병　　④ 정　　⑤ 무

05 통일을 준비하는 과정에 대한 설명으로 적절하지 <u>않은</u> 것은?

① 국제 사회와 협력을 통해 민주적으로 진행한다.
② 갈등을 줄이기 위해 단기적·개혁적으로 진행한다.
③ 서로의 다름을 인정하고 공존하려는 자세를 갖는다.
④ 대화와 소통을 통해 평화적인 통일 방안을 마련한다.
⑤ 사회·문화적 교류를 통해 남북한의 이질성을 극복한다.

06 통일의 당위성으로 적절하지 <u>않은</u> 것은?

① 민족 정체성의 회복
② 이산가족의 고통 해소
③ 우리 민족의 우월성 중시
④ 민족 문화의 고유성과 다양성 발전
⑤ 한반도를 포함한 동북아시아와 지구촌 평화에 기여

07 밑줄 친 '이것'에 해당하는 것은?

실제로 통일은 상이한 체제와 제도 그리고 이질적인 주민의 삶을 통합하는 과정으로서, 여기에는 상당한 비용과 노력이 수반된다. 이것은 통일이 이러한 비용만 초래하는 것이 아니라 이를 상쇄하고도 남을 정도의 막대한 유·무형의 편익이 창출될 것이라는 예상에 근거해 통일의 필요성을 설명하는 개념이다.

① 분단 비용
② 통일 편익
③ 통일 비용
④ 제도 통합 비용
⑤ 위기 관리 비용

08 통일 한국의 미래상으로 옳은 것을 |보기|에서 고른 것은?

┌ **보기** ┐
ㄱ. 자문화 중심주의에 입각한 폐쇄적 체제
ㄴ. 국가의 평화를 수호하기 위한 핵 보유 국가
ㄷ. 자유 경제·개방 경제를 지향하는 시장 경제 체제
ㄹ. 국민의 다양한 이익을 반영하는 대의제 민주주의

① ㄱ, ㄴ   ② ㄱ, ㄷ   ③ ㄴ, ㄷ
④ ㄴ, ㄹ   ⑤ ㄷ, ㄹ

09 다음 주장의 근거가 되는 이념으로 가장 적절한 것은?

정치적 차원에서 통일 한국 수립은 분단이라는 왜곡된 역사를 바로잡고 근대적 민족 국가 수립을 완성한다는 의미를 지니고 있다. 통일로 완성될 근대적 민족 국가는 폐쇄적 민족주의나 자민족 중심주의를 추구하지 않고, 문화적 다양성을 존중해야 하며, 한반도 전 지역에서 자유와 평등, 인권 등 인류의 보편적 가치를 존중하는 민주주의 국가가 되어야 한다.

① 국수주의   ② 자본주의
③ 애국주의   ④ 열린 민족주의
⑤ 배타적 민족주의

10 밑줄 친 ㉠에 들어갈 내용으로 가장 적절한 것은?

통일의 필요성과 관련한 민족주의 논리란 한 민족이 한 국가를 이룬다는 근대적 단일 민족 국가의 개념적 토대 위에서 통일의 당위성을 확보하고자 하는 논리이다. 이러한 논리의 핵심적 주장인 '한 민족이기에 반드시 한 국가를 이루어야 한다.'라는 명제는 21세기 세계화 시대에 직면하면서 설득력이 약해지고 있다. 또한 _____㉠_____. 따라서 민족주의 논리는 통일을 위한 논리적 정당성을 충분히 설명해 주지 못한다.

① 이산가족들의 고통을 해소할 수 있다.
② 단일 민족으로서의 전통문화를 계승해야 한다.
③ 한 민족으로서 통일 한국만이 평화 실현에 기여한다.
④ 통일에 필요한 비용보다 통일로 얻는 이익이 더 크다.
⑤ 반세기가 넘는 분단의 시간 동안 남과 북의 사회에 상당한 이질성이 생성되었다.

주관식

01 빈칸 ㉠, ㉡에 들어갈 말을 각각 쓰시오.

> 남북한은 지난 60여 년간 서로 다른 정치 · 경제 체제 속에서 생활하였다. 한반도의 분단 때문에 남북한은 큰 비용을 소모하고 있다. 남북한 사이에 분단으로 인한 대결과 갈등으로 지출되는 유 · 무형의 비용인 (㉠)와(과), 통일 이전에 한반도의 평화를 유지하고 정착시키기 위해 드는 비용인 (㉡)이(가) 있다.

서술형

02 통일 한국의 긍정적인 모습을 두 가지 이상 서술하시오.

서술형

03 남북한의 공간 통합이 가지고 올 긍정적인 효과로는 어떤 점이 있을지 서술하시오.

서술형

04 통일 비용을 경감시키기 위한 방법을 두 가지 이상 서술하시오.

서술형

05 통일을 통해 얻게 되는 경제적 · 비경제적 이익을 각각 서술하시오.

(1) 경제적 이익:

(2) 비경제적 이익:

서술형

06 |보기|의 단어를 활용하여 통일의 필요성에 대해 서술하시오.

> ┌ 보기 ┐
> 평화 비용, 분단 비용, 통일 비용, 통일 편익

단원

03 지구촌 평화의 윤리

단원 흐름 읽기

| 평화의 종류 | — 소극적 평화 |
| | — 적극적 평화 |

| 세계화를 둘러싼 입장 | 긍정적 입장 경제적 효율성 증가, 문화적 교류 활발 등 |
| | 부정적 입장 강대국의 자본 독점, 문화의 획일화 등 |

| 해외 원조를 둘러싼 입장 | — 윤리적 의무 롤스, 싱어 |
| | — 자선의 영역 노직 |

1 국제 분쟁의 해결과 평화

1. 국제 사회의 다양한 분쟁

(1) **국제 분쟁이 발생하는 이유**

① 종교적 원리주의❶에 의한 갈등

② 배타적 민족주의❷

③ 자국의 이익 추구와 관련한 경제적 이유

④ 세계 시장 안에서 발생하는 구조적 빈곤 문제

⑤ 자원의 확보 및 영토 확장에 따른 분쟁

(2) **국제 분쟁의 특징** 다양한 정치·경제적·종교적 이해관계가 얽혀 복잡하게 드러나는 국제 분쟁을 이해하기 위해서는 그 원인을 다각적으로 살펴보아야 함.

(3) **국제 분쟁에 대한 우리의 태도**

① 국제 사회의 일원으로서 국제 분쟁에 관심을 가져야 함.

② 국제 분쟁으로 고통받는 사람들의 인권을 보호하고 도와줄 의무가 있다는 책임감을 가져야 함.

2. 평화와 공존을 위한 국제 사회의 노력

(1) **평화의 의의** 평화는 인류가 끊임없이 추구해 온 윤리적 가치이며, 평화로운 삶은 인류가 추구하는 궁극적인 지향점임. **자료 1**

(2) **갈퉁❸의 적극적 평화** 갈퉁은 평화를 소극적 평화와 적극적 평화로 구분, 인간의 존엄성, 삶의 질을 중시하는 적극적 평화의 실현만이 자유와 평등과 같은 보편적 가치를 보장할 수 있다고 주장 **자료 2**

| 소극적 평화 | 전쟁, 테러, 범죄, 폭행 등이 발생하지 않은 상태로서 전쟁이나 물리적 폭력과 같은 직접적 폭력이 사라진 상태 |
| 적극적 평화 | 직접적 폭력뿐만 아니라 구조적 폭력❹과 문화적 폭력❺ 등의 간접적 폭력까지 제거하여 인간다운 삶을 영위할 수 있도록 한 상태 |

(3) **평화의 실현**

① 평화 실현을 위한 국제적 노력: 국제 연합, 국경 없는 의사회, 유니세프 등 다양한 단체들이 평화를 위해 활동함.

② 평화 실현을 위한 우리의 노력: 세계 시민으로서 국제 평화에 관심을 가져야 함. 상호 이해를 위한 교류와 관용을 실천해야 함.

❶ **원리주의**
종교적 보수파, 종교 우익, 더 나아가 전투적인 종교 집단의 사상

❷ **민족주의**
민족의 독립과 통일을 가장 중시하는 사상

❸ **갈퉁(Galtung, J., 1930~)**
노르웨이의 평화학자. 대표 저서로는 "평화적 수단에 의한 평화"가 있음.

❹ **구조적 폭력**
인간의 잠재적 능력을 충분히 실현할 수 없는 상태, 그리고 그것을 사회·정치 구조로서 유지하는 것을 의미함.

❺ **문화적 폭력**
종교, 사상, 예술, 학문 등으로 폭력이 합법화되거나 일반적으로 용인되는 것

자료 1 DMZ 생태 평화 공원

DMZ 생태 평화 공원은 탐방 코스 2개 노선을 따라 조성되었으며, 제1코스 십자탑 탐방로와 제2코스 용양보 코스로 구성되어 있다. 제1코스인 십자탑 탐방로는 육군 제3보병사단에서 북한에 사랑과 평화가 전달되기를 기원하며 성재산 위에 설치한 십자탑을 전망 시설로 활용하여 남북한의 철책과 진지를 직접 볼 수 있는 곳으로 DMZ 내부의 자연환경과 한반도의 냉전 현실을 피부로 느낄 수 있는 곳이다. 제2코스인 용양보 코스는 6·25 전쟁 격전지의 한가운데 위치한 곳으로 현재에는 암정교와 금강산 전철의 도로 원표에서 전쟁의 흔적을 느낄 수 있으며, 용양보는 DMZ 통제 구역 내에 위치하여 국내에서도 찾아보기 어려운 아름다운 호수형 습지의 자연환경을 관찰할 수 있는 곳이다.

– 연합뉴스, 2016. 5. 21. 수정 인용 –

◎ **자료 분석** 생창리 DMZ 생태 평화 공원은 환경부, 국방부(육군 3사단)와 철원군이 공동 협약을 맺어 전쟁·평화·생태가 공존하는 DMZ의 상징적 메시지를 전하기 위해 조성된 곳이다. 휴전 후 지난 60여 년간 민간인에게 전혀 개방되지 않았던 원시 생태계가 방문객들이 직접 체험할 수 있도록 탐방 코스로 개발되어 국내뿐만 아니라 외국인들에게도 커다란 호응을 얻고 있다.

뜯어보기 포인트
DMZ 생태 평화 공원이 남북 관계에 어떤 긍정적인 변화를 줄 수 있을 것인지를 생각해 보자.

Q1 DMZ 생태 평화 공원이 조성된 지역은 어디인가?

① 철원
② 고성
③ 개성
④ 강화
⑤ 춘천

자료 2 평화적 수단에 의한 평화

갈퉁은 평화를 '전쟁 없는 상태'를 넘어 모든 종류의 '폭력 없는 상태'로 정의하면서, 평화는 직접적·물리적 폭력뿐만 아니라 사회적 불평등이나 차별 등과 같은 간접적·구조적 폭력까지 극복된 상태로 이해되어야 함을 강조했다. 갈퉁은 적극적 평화란 구조적 폭력이 없는 상태라고 주장했다.

갈퉁은 '직접적 폭력-구조적 폭력-문화적 폭력'의 삼각 구도의 접근을 통해 21세기 평화의 전망을 찾고 있다. 그는 평화적 수단으로 폭력을 감소시키는 평화 작업(peace work)의 모델을 제시하면서, 갈등을 비폭력적으로 해소시킬 수 있는 창조적 작업을 통한 '평화 만들기'의 다양한 대안 형태를 모색하였다. 따라서 그의 '평화적 수단에 의한 평화'(Peace by Peaceful Means)의 제창은 평화학의 새로운 지평을 열게 되었다.

◎ **자료 분석** 갈퉁이 주장한 '적극적 평화'란 단순히 전쟁이 없는 상태가 아니라 인간이 평화롭게 살 수 있는 상태까지 포함하는 적극성을 지닌 개념이다. 독일의 철학자 칸트가 말한 '영구 평화'는 '적극적 평화'가 완성된 최고 형태라고 말할 수 있을 것이다.

뜯어보기 포인트
갈퉁이 주장한 '평화적 수단에 의한 평화'가 '폭력 없는 상태'라는 평화 개념과 어떻게 연결되는지를 생각해 보자.

Q2 갈퉁이 적극적 평화를 위해 제거해야 할 폭력으로 본 것이 <u>아닌</u> 것은?

① 직접적 폭력
② 간접적 폭력
③ 구조적 폭력
④ 문화적 폭력
⑤ 절대적 폭력

📋 Q1 ① / Q2 ⑤

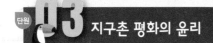

2 국제 사회에 대한 책임과 기여

1. 세계화를 둘러싼 윤리적 쟁점 자료 3

(1) **세계화의 의미** 국제 사회의 상호 의존성이 증가하고 세계 전체가 긴밀하게 연결된 사회 체계로 통합되어 가는 현상

(2) **세계화의 긍정적 영향** 경제적 효율성 증가, 문화적 다양성 제고, 서로 다른 다양한 문화의 공존

(3) **세계화로 인한 문제점**
- ① 정치적 측면: 특정 국가의 권리와 보편적 인권의 충돌 가능성 커짐, 영역과 자원 확보를 위한 국가 간 분쟁이 빈번해짐.
- ② 경제적 측면: 국가 간의 빈부 격차 심화, 선진국이 시장과 자본을 독점하여 약소국이 경제적으로 종속될 수 있음.
- ③ 사회·문화적 측면: 지역적 특색이 있는 문화가 상실될 수 있음, 사회·문화적 차이에 의한 갈등이 빈번해짐.

(4) **세계화에 대한 우리의 태도**
- ① 한 국가의 시민이자 세계 시민으로서, 세계 시민주의❻ 관점에서 보편적 규범과 윤리 마련
- ② 인류는 하나의 생태적 연결망이므로 지구촌 문제를 함께 해결해 나가야 한다는 인식

2. 국제 정의와 국가 간의 빈부 격차

(1) **국제 정의 실현의 필요성** 국가 간 상호 의존성 증대로 국제 사회에서 정의의 실현은 필수적이며, 국제 정의 실현을 위한 노력이 요구됨. → 국제 정의는 인권, 생명, 인간 존엄의 보편적 윤리 가치 실현을 위해 필요

(2) **국제 정의 실현을 위한 노력**
- ① 형사적 정의: 범죄의 가해자를 정당하게 처벌함으로써 실현 → 국제 형사 재판소❼, 국제 형사 경찰 기구❽를 통해 실현
- ② 분배적 정의: 재화의 공정한 분배를 통해 실현 → 선진국이 빈곤 국가에게 경제적 지원 및 기술 이전 등 공적 개발 원조❾를 통해 실현

3. 해외 원조에 대한 윤리적 쟁점

(1) **해외 원조의 필요성** 빈곤의 원인은 사회 또는 지구 공동체의 구조적 체계 때문 → 인간으로서의 최소한의 경제적 조건 보장을 위한 해외 원조 필요

(2) **해외 원조를 둘러싼 입장** 자선의 영역(노직❿), 윤리적 의무(싱어, 롤스⓫) 자료 4

(3) 우리나라는 세계 최초로 원조 수혜국에서 공여국⓬이 되었으므로, 원조에 대한 보답과 정의 실현 차원에서 해외 원조를 마땅히 하는 것이 바람직함.

---

❻ **세계 시민주의**
세계의 전 인류를 하나의 동포로 생각하고 전 세계를 고향으로 보는 사상

❼ **국제 형사 재판소**
인간의 존엄과 가치 등 국제 정의를 실현하기 위해 설립되었으며, 집단 살해죄 등을 자행한 개인의 처벌을 주로 담당하는 기구

❽ **국제 형사 경찰 기구**
세계 각국의 경찰이 국제 범죄를 방지하고 진압에 협력하기 위해 만든 국제 조직

❾ **공적 개발 원조**
정부 개발 원조라고도 하며, 증여, 차관, 배상, 기술 원조 등의 형태를 취함.

❿ **해외 원조를 보는 노직의 입장**
개인은 정당하게 취득한 재산에 대해 배타적 소유권을 지님. 따라서 해외 원조의 경우에도 개인의 자유로운 선택의 영역이며, 원조의 문제는 자선으로 이해해야 함.

⓫ **해외 원조를 보는 싱어와 롤스의 입장**

싱어	모든 사람의 고통을 감소시키고 쾌락을 증진시키는 것은 윤리적 의무이므로 해외 원조는 의무이며, 세계 시민주의 관점에서 전 지구적 차원의 분배가 필요함.
롤스	빈곤의 문제는 정치·사회 제도의 결함 때문이므로, 기본적인 정치적 권리가 보장되는 '질서 정연한 사회'를 만들도록 도와주어야 함.

⓬ **공여**
어떤 물건이나 이익 따위를 상대편에게 돌아가도록 함.

자료 3 세계화에 대한 긍정론과 부정론

세계화에 대한 긍정론은 세계화가 단일한 지구적 시장과 경쟁 원칙을 강화함으로써 인류에게 발전을 가져온다고 본다. 이들은 세계화의 결과에 대해서 낙관하고 있는데, 많은 국가들이 상호 교역에서 비교 우위를 가지게 됨으로써 세계화는 결국 세계 사회의 번영을 가져온다고 주장한다.

세계화에 대한 부정론은 다시 두 가지 견해로 나누어 볼 수 있는데, 세계화가 낳고 있는 부정적 결과를 주목하는 시각이 하나라면, 사회 운동을 통해 인간적인 세계화가 가능하다는 시각이 다른 하나이다. 전자의 시각이 현재 진행 중인 세계화가 초국적 자본에 의한 세계 경제의 지배와 그에 따른 지구적 수준에서의 불평등을 강화시키고 있다는 점을 강조한다면, 후자의 시각은 환경 · 평화 · 여성 · 인권 등의 반(反)세계화 운동을 포함한 인간적인 세계화를 만들기 위한 대안 제시에 주력하고 있다. 한편 제3의 시각으로서 세계화를 긍정적 측면과 부정적 측면을 모두 갖고 있는 양면적인 과정으로 파악하는 절충론이 있다.

◉ **자료 분석** 세계화는 긍정적 측면과 부정적 측면을 모두 갖는 양면적인 특징이 있다. 세계화는 지구적 불평등을 강화시키는 위기인 동시에 경제 · 문화적 삶을 향상시킬 수 있는 새로운 기회라고 할 수 있다.

뜯어보기 포인트
세계화가 한국 사회에 미치는 긍정적 영향과 부정적 영향을 생각해 보자.

Q3 세계화에 대한 부정론에 해당하는 것을 모두 고르면?
① 경제적 향상
② 문화적 발전
③ 세계 사회의 번영
④ 문화 상품의 획일화
⑤ 국가 간 불평등 심화

자료 4 롤스가 보는 해외 원조

질서 정연한 나라가 고통을 겪는 사회를 위해 원조의 의무를 수행할 경우 다음과 같은 목적으로 이루어져야 한다. 즉 원조의 목적은 고통을 겪는 사회가 자신의 문제들을 합당하게, 합리적으로 관리할 수 있도록 도와주어 결과적으로 그 사회가 질서 정연한 만민의 사회가 되도록 하는 것이다. 이러한 목표가 성취된 후에는 비록 여전히 빈곤하다고 할지라도 더 이상 원조할 필요가 없다. 원조의 궁극적인 목적은 고통을 겪는 사회에 자유와 평등을 확립하는 것이다. ……

천연자원과 부가 빈약한 사회라 할지라도 만약 그들의 종교적 · 도덕적 신념들과 문화를 떠받쳐 주는 그 사회의 정치적 평등, 법, 재산, 계급 구조가 자유적 사회나 적정 수준의 사회를 유지하게 하는 것이라면 질서 정연해질 수 있다.

◉ **자료 분석** 존 롤스가 "만민법"에서 해외 원조에 대한 그의 견해를 피력한 글이다. 그에 따르면, 원조의 목적은 경제적 지원 그 자체보다는 정치 · 사회 제도의 결함을 없애서 '질서 정연한 사회'를 만드는 데 있다.

뜯어보기 포인트
롤스가 주장한 '질서 정연한 사회'란 어떤 상태를 말하는 것인지 생각해 보자.

Q4 롤스는 원조의 목적을 어떤 사회를 만들기 위한 것이라고 했는가?
① 질서 정연한 사회
② 국방이 튼튼한 사회
③ 사람들이 순수한 사회
④ 경제가 풍요로운 사회
⑤ 평등하게 잘 사는 사회

📋 Q3 ④, ⑤ / Q4 ①

01 다음 내용이 맞으면 ○표, 틀리면 ×표를 하시오.

(1) 국제 분쟁은 대부분 단일한 이해관계에 의해 발생한다. ( )

(2) 현재를 살아가는 우리는 국제 사회의 일원이므로 전세계에서 발생하는 국제 분쟁에 관심을 가져야 한다. ( )

(3) 우리는 국제 분쟁으로 인해 고통받는 사람들의 인권을 고려하여 그들을 도와줄 의무가 있다는 책임감을 가져야 한다. ( )

(4) 국제 형사 재판소, 국제 형사 경찰 기구, 공적 개발 원조 등을 통해 국제 정의를 실현하기 위한 노력이 계속되고 있다. ( )

02 빈칸 ㉠, ㉡에 들어갈 말을 각각 쓰시오.

> 갈퉁은 평화를 (㉠) 평화와 (㉡) 평화로 구분하였다. (㉡) 평화란 직접적 폭력뿐만 아니라 구조적 폭력과 문화적 폭력 등의 간접적 폭력까지 제거한 상태를 말한다.

03 다음 빈칸에 공통적으로 들어갈 알맞은 말을 쓰시오.

> • 다양한 국적의 음식점의 보편화, 세계 경제 흐름에 따른 우리나라 경제 흐름의 변화, 다국적 기업 등 우리는 이미 다방면에 걸쳐 민족과 국가 간의 경계가 사라지고 있는 ( ) 시대에 살아가고 있다.
> • ( )이(가) 진행되면서 자본의 힘이 더욱 막강해졌고, 국가의 주권은 약해지고 있다.

04 서로 관련 있는 것끼리 바르게 연결하시오.

(1) 형사적 정의 •   • ㉠ 재화의 공정한 분배를 통해 실현됨.

(2) 분배적 정의 •   • ㉡ 범죄의 가해자를 정당하게 처벌함으로써 실현됨.

05 표는 해외 원조에 대한 사상가의 입장을 정리한 것이다. 빈칸 ㉠, ㉡에 들어갈 말을 각각 쓰시오.

(㉠)	빈곤의 문제는 물질적 자원의 부족에 의한 것이 아니라 정치·사회 제도의 결함 때문이므로, 기본적인 정치적 권리가 보장되는 '질서 정연한 사회'를 만들도록 도와주어야 한다고 주장
노직	해외 원조의 경우에도 개인의 자유로운 선택의 영역이며, 원조의 문제는 의무가 아닌 (㉡)(으)로 이해해야 한다고 주장

06 해외 원조에 대해 다음과 같은 주장을 한 사상가를 쓰시오.

> 모든 사람의 고통을 감소시키고 쾌락을 증진하는 것이 윤리적 의무입니다. 도움을 줄 수 있는 사람은 도움을 받는 사람의 민족, 인종, 국가에 관계없이 그들의 고통을 줄여 주기 위해 노력해야 합니다. 약소국에 대한 해외 원조는 의무이며, 세계 시민주의 관점에서 전 지구적 차원의 분배가 필요합니다.

01 다음 대화에서 밑줄 친 '정의'의 의미로 가장 적절한 것은?

> 갑: 시리아 내전으로 약 100만여 명의 난민이 발생하고 있어.
> 을: 맞아. 또 그 지역에서는 인권 유린이 심각한 상태야.
> 갑: 이 지역에 대해 <u>정의</u>의 실현이 시급해 보여.

① 지구촌 차원의 분배가 공정해야 한다.
② 기아로 고통받는 사람들을 구제해야 한다.
③ 반인도주의적 행위에 대해 처벌해야 한다.
④ 강대국이 약소국을 지배하는 체제를 만든다.
⑤ 자유 무역의 실현으로 인류의 이익을 극대화한다.

02 국제 분쟁에 대한 설명으로 옳지 **않은** 것은?

① 국제 분쟁을 이해하기 위해서는 그 원인을 단순하게 좁혀서 살펴보아야 한다.
② 국제 분쟁으로 인해 고통받는 사람들을 도와줄 의무가 있다는 책임감을 갖는다.
③ 냉전 종식 후 국가 간의 대규모 전쟁은 줄었지만, 여전히 수많은 내전이 지속되고 있다.
④ 국제 분쟁은 기본적으로 다양한 정치·경제적, 종교적 이해관계가 얽혀 복잡하게 드러난다.
⑤ 우리는 국제 사회의 일원이므로 전 세계에서 발생하고 있는 국제 분쟁에 관심을 가져야 한다.

03 갈퉁이 주장하는 적극적 평화에 대한 설명으로 옳은 것은?

① 문화적 차원의 폭력까지 사라져야 달성된다.
② 직접적 폭력도 목적을 달성하는 수단으로 용인된다.
③ 물리적·직접적 폭력을 제거해야 비로소 달성된다.
④ 국가 간 전쟁과 무력 충돌이 없으면 달성될 수 있다.
⑤ 테러나 빈곤에 의한 위협이 사라질 때 실현될 수 있다.

04 밑줄 친 ㉠에 들어갈 내용으로 가장 적절한 것은?

> 갑: 저개발국 사람들이 생산한 커피나 초콜릿에 정당한 가격을 매겨 수입하는 공정 무역이 최근 활발해지고 있대. 다국적 기업이 값싼 노동력을 이용해 자기 기업의 이익만 추구하는 것은 옳지 않은 것 같아.
> 을: 맞아. 세계화 시대에 다른 국가에 살고 있는 사람의 권리도 생각해야 해. 따라서 ____㉠____

① 국가 간 경제적 교류를 축소하기 위해 노력해야 해.
② 선진국이 중심이 된 자유 무역이 보다 확대되어야 해.
③ 시장의 원리를 전제로 한 자원과 이익이 배분되어야 해.
④ 다국적 기업의 활동이 모든 국가에 이익이 됨을 알아야 해.
⑤ 상호성을 바탕으로 불평등한 부의 분배 문제를 해결해야 해.

05 적극적 평화를 실현하기 위하여 제거해야 할 폭력 중 다음 글에서 설명하는 것은?

> 인간의 잠재적 능력을 충분히 실현할 수 없는 상태, 그리고 그것을 사회·정치 구조로서 유지하는 것을 의미한다.

① 직접적 폭력
② 간접적 폭력
③ 구조적 폭력
④ 문화적 폭력
⑤ 절대적 폭력

06 갑에 비해 을이 강조하는 내용으로 가장 적절한 것은?

> 갑: 우리는 물에 빠져 죽게 된 아이를 구할 때 이것저것 따지지 않는다. 자신의 옷이 젖게 되더라도 아이가 겪는 고통에 상응하는 만큼의 도덕적 가치가 희생되지 않는다면 당연히 아이를 구해야 한다.
> 을: 질서 정연한 사회의 만민은 고통받는 사회가 인권을 보장하고 민주적 질서를 보장할 수 있도록 원조해야 한다. 고통받는 사회의 문제는 제도적 한계이므로, 원조의 목적은 제도적 여건을 갖출 수 있도록 하는 것에 한정되어야 한다.

① 인류 전체의 행복 증진을 위해 원조를 시행해야 한다.
② 해외에 대한 원조는 의무적 차원에서 이루어져야 한다.
③ 자국의 국제적 위상을 위해 원조가 시행되어야 한다.
④ 국가보다 개인에 초점을 맞추어 원조가 이루어져야 한다.
⑤ 빈곤 문제를 해결하기 위해서 사회 제도의 개선이 중시되어야 한다.

07 다음과 같은 노력을 통해서 실현되는 국제 정의로 적절한 것은?

> • 국제 형사 재판소를 상설화하여 반인도적 범죄의 가해자와 집단을 처벌한다.
> • 국제 형사 경찰 기구를 통하여 국제 범죄 수사에 공조한다.

① 형사적 정의
② 분배적 정의
③ 형식적 정의
④ 사실적 정의
⑤ 보편적 정의

08 다음은 해외 원조에 대한 노직의 주장이다. 빈칸에 들어갈 말로 옳은 것은?

> 개인은 정당하게 취득한 재산에 대해 다른 개인이나 국가가 결코 침해할 수 없는 배타적 소유권을 지닙니다. 따라서 해외 원조의 경우에도 개인의 자유로운 선택의 영역이며, 원조의 문제는 의무가 아닌 (   )(으)로 이해해야 합니다.

① 자유
② 선택
③ 책임
④ 자선
⑤ 강요

주관식

01 빈칸 ㉠, ㉡에 들어갈 말을 각각 쓰시오.

> 국제 연합은 억압과 차별, 민족 간 분쟁, 종교 간 갈등과 같은 집단 간 분쟁을 해소하기 위해 (㉠), 군비 축소, (㉡) 등의 활동을 하고 있다.

_____

서술형

04 국제 사회에서 정의의 실현이 필수적인 이유를 서술하시오.

_____

서술형

02 세계화가 확산되면서 발생한 문제점을 두 가지 이상 서술하시오.

_____

주관식

05 다음은 해외 원조에 대한 싱어의 입장이다. 빈칸 ㉠~㉢에 들어갈 말을 각각 쓰시오.

> 모든 사람의 (㉠)을(를) 감소시키고 (㉡)을(를) 증진시키는 것이 윤리적 의무입니다. 도움을 줄 수 있는 사람은 도움을 받는 사람의 민족, 인종, 국가에 관계없이 그들의 고통을 줄여 주기 위해 노력해야 합니다. 약소국에 대한 해외 원조는 (㉢)이며, 세계 시민주의 관점에서 전 지구적 차원의 분배가 필요합니다.

_____

서술형

03 다음 사상가의 입장에서 해외 원조가 의무인지, 자선인지 구분하고, 구분한 이유를 서술하시오.

> 개인은 정당하게 취득한 재산에 대해 다른 개인이나 국가가 결코 침해할 수 없는 배타적인 소유권을 지닌다. 따라서 해외 원조의 경우도 개인의 자유로운 선택의 영역이다.

_____

서술형

06 우리나라가 특히 해외 원조를 실천해야 하는 이유를 서술하시오.

_____

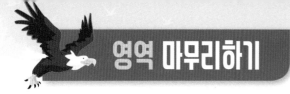
01 (가)~(다)의 갈등 상황에 대한 설명으로 옳은 것은?

> (가) 노인 기초 연금 지급액을 늘리는 정책을 둘러싸고 갈등이 지속되는 상황
> (나) 빈부 격차를 줄일 목적으로 시행될 부유세 도입 정책에 대해 갈등이 지속되는 상황
> (다) 환경 단체의 반대에도 불구하고 골프장 건설을 강행하려는 업체로 인해 갈등이 지속되는 상황

① (가)의 갈등 상황은 문화 갈등의 사례이다.
② (나)의 갈등은 주로 개인 간의 갈등 상황이다.
③ (다)는 사회 구조적 갈등 상황에 대한 문제 인식이 선행되어야 한다.
④ (가), (나)의 갈등 상황은 갈등을 발생하는 주체가 기본적으로 동일하다.
⑤ (가), (나), (다)의 갈등의 해결 방안은 양극화 해소에서 찾아야 한다.

02 다음의 사례를 통해 알 수 있는 사실로 거리가 먼 것은?

> 경남 진주시와 서울시가 '유등 축제 모방' 논란으로 촉발된 갈등을 없애고 상생 주춧돌을 마련했다. 갈등의 계기는 서울시가 서울 등(燈) 축제를 연례행사로 만들자 진주시와 진주 지역 시민 단체들이 "진주시의 유등 축제를 모방한 축제를 중단하라."라고 요구한 데서 시작됐다.
> 이후 진주시와 서울시는 양측의 공동 발전 방안을 위한 협력서를 채택하는 등 상호 화합의 길을 찾았다. 두 도시는 그동안 5차례에 걸쳐 축제 명칭 변경 및 내용의 차별화 등에 대한 협의를 진행하였다. 더불어 지자체 단체장의 상호 방문으로 신뢰 회복을 통해 앞으로 두 도시 간의 합의 정신을 이어 나갈 것으로 보인다.

① 갈등에는 긍정적인 효과도 있다.
② 갈등은 지역 발전에 기여하는 소통의 계기가 되었다.
③ 갈등의 원인을 충분하게 검토하는 것이 선행되어야 한다.
④ 갈등을 해결하기 위해서는 양측의 적극적인 노력이 필요하다.
⑤ 갈등은 일단 회피하고, 좋은 해결을 위해서는 양보와 타협이 필요하다.

03 사회 갈등을 해결하는 방법과 관련하여 (가), (나)에 대한 해석으로 적절하지 않은 것은?

> (가) 다원주의 사회에서 다양성의 가치를 이해하고 대화하려는 태도가 필요하다. 갈등은 소통이 부족하여 상대방을 오해하는 데에서 비롯되는 경우가 많다.
> (나) 상호 소통을 할 수 있는 합리적 절차의 확립을 마련해야 한다. 다양한 이해 당사자 간의 협상과 합의를 통해 문제를 해결할 수 있도록 합리적인 절차와 공정한 운영이 보장되어야 한다.

① (가)는 개인적 차원의 갈등 해결 방법이다.
② (가)는 다른 것과 틀린 것을 구분하여, 가치 상대주의 관점에서 접근해야 함을 강조한다.
③ (나)는 사회적 차원의 갈등 해결 방법이다.
④ (나)는 정당과 의회, 정부 차원의 공적 기구를 통한 정책적 노력이 요구됨을 강조한다.
⑤ (가), (나)의 방법을 통해 갈등이 해결되면, 사회적 비용은 감소하고 사회적 자본은 증가하게 된다.

04 층간 소음 문제에 대한 해결 방법에 대한 다음 주장을 비판하는 진술의 근거로 옳지 않은 것은?

> 이웃사촌이라는 말이 무색할 정도로 층간 소음에 따른 주민 갈등이 심각한 사회 문제로 나타나고 있다. 공동 주택 층간 소음의 범위와 기준에 관한 규칙을 정해 분쟁을 해결하려 하지만, 층간 소음 문제를 완전히 해결하는 것은 여전히 쉽지 않다. 민원이 워낙 많다 보니 현장 진단을 받기도 어렵고, 현장 진단이 이루어진다고 하더라도 층간 소음을 유발하는 주민에게 벌금이나 과태료를 부과할 수 있는 강제 규정이 마련되어 있지 않기 때문이다.

① 벌금과 과태료 부과의 기준이 모호하다.
② 제도적 접근보다 개인적·문화적 접근이 효과적이다.
③ 벌금과 과태료 없이 층간 소음 문제를 해결한 사례도 많다.
④ 강력한 법적 조치 없이 개인에게 해결 방안을 전가할 수 없다.
⑤ 주민 갈등의 심각성에 비추어 현장 진단을 받을 수 있는 공신력 있는 기관이 현실적으로 부족하다.

05 다음을 주장한 사상가에 대한 설명으로 옳지 <u>않은</u> 것은?

> 어떤 규범이 타당성을 가지기 위해서는 그 규범에 의해 영향을 받는 사람들이 합리적인 토론을 통해서 자유롭게 동의해야 한다. 이를 위해서는 서로 다른 의견과 갈등, 폭력 등을 극복하기 위한 합리적인 의사소통이 필요하다.

① 자유로운 대화를 통한 합의 구조를 강조한다.
② 담론은 배려와 공감적 상황에 대한 이해를 강조한다.
③ 대화 관계자가 평등하고 수평적인 관계에 있어야 함을 강조한다.
④ 담론을 통해 보편 가능한 도덕규범에 합의할 수 있다고 보았다.
⑤ 행정 · 경제 체제의 영향력이 과도하게 강화되어 소통의 체계적인 절차의 필요성을 강조한다.

06 다음에 제시된 내용에 대한 설명으로 옳지 <u>않은</u> 것은?

> • 이해 가능성: 서로 무슨 뜻인지 이해할 수 있어야 한다.
> • 진리성: 대화 당사자들의 말하는 내용이 참이어야 한다.
> • 정당성: 대화 당사자들은 논쟁의 절차를 준수하여 정당성을 확보해야 한다.
> • 진실성: 대화 당사자들은 기만하거나 속이려는 의도 없이 말하는 바를 진실하게 표현해야 한다.

① 하버마스 담론 윤리의 이상적인 담론의 조건이다.
② 현대 사회의 다양한 갈등을 해결하는 데 도움이 된다.
③ 의사소통의 효율성을 높이기 위해서는 상호 존중의 자세가 필요하다.
④ 대화의 결과를 개인이 수용하기 위해서는 합리적인 의사소통의 과정이 필수적이다.
⑤ 개인의 주관적인 도덕 판단만으로는 규범이 성립될 수 없으므로 대화가 필요하다고 주장한다.

07 다음을 주장한 사상가와 그 사상을 바르게 짝지은 것은?

> 불교의 여러 교설 간의 대립을 해소하기 위해 제시하였다. 여러 교설은 모두 부처의 가르침에서 비롯된 것이며, 그것이 지향하는 바는 모두 깨달음이라는 점에서 한마음이다. 특수하고 상대적인 각자의 입장에서 벗어나 대승적으로 융합해야 함을 강조한다.

	사상가	사상
①	원효	화쟁 사상
②	원효	돈오점수(頓悟漸修)
③	지눌	정혜쌍수(定慧雙修)
④	지눌	교관겸수(敎觀兼修)
⑤	의천	내외겸전(內外兼全)

08 밑줄 친 ㉠에 해당하는 것을 |보기|에서 고른 것은?

> ㉠통일 비용이란 통일 이후 통일에 수반되는 경제적 · 비경제적 비용의 총체를 의미하며, 남북 간의 격차를 해소하고 이질적인 요소를 통합하는 데 소요되는 비용이다.

| 보기 |
ㄱ. 제도 통합 비용
ㄴ. 위기 관리 비용
ㄷ. 군사 유지 비용
ㄹ. 이산가족의 고통

① ㄱ, ㄴ   ② ㄱ, ㄷ   ③ ㄴ, ㄷ
④ ㄴ, ㄹ   ⑤ ㄷ, ㄹ

09 ㉠, ㉡에 들어갈 명칭을 바르게 연결한 것은?

> 한반도 분단 때문에 남북한은 큰 비용을 소모하고 있다. 남북한 사이의 갈등과 대결로 인해 지출되는 유·무형의 비용인 (㉠), 현재 평화 상태를 유지하고 발전하여 통일로 나아갈 기반을 마련하기 위한 (㉡)이 그것이다.

	㉠	㉡
①	분단 비용	평화 비용
②	분단 비용	통일 비용
③	평화 비용	분단 비용
④	통일 비용	평화 비용
⑤	통일 비용	분단 비용

10 다음 글의 ㉠에 들어갈 제목으로 가장 적절한 것은?

> 제목: _____㉠_____
>
> 남북한의 진정한 통합을 위해서는 먼저 남북한 사람들 간의 이해와 화해 그리고 서로 간의 신뢰 회복이 중요하다. 이를 위해 우리는 남과 북을 나누어 차별하지 않고 서로 다름을 수용하여 존중하는 삶의 자세를 지녀야 한다.

① 국제 사회에 대비한 외형적 통일의 중요성
② 남북한 문화적 갈등을 줄이기 위해 필요한 자세
③ 북한 주민의 경제적 자립을 위한 국제 사회의 원조
④ 남한의 주류 문화에 북한의 문화를 통합시키는 방안
⑤ 남북한의 정치·경제의 발전을 통해 이룬 진정한 통합

11 갑, 을의 입장에 대한 옳은 설명만을 |보기|에서 있는 대로 고른 것은?

> 갑: 통일은 이익과 손해를 떠나 인도주의적 차원과 민족을 위해 반드시 이루어야 되는 과제야.
> 을: 현실적으로 통일에 있어 비용과 편익의 문제를 다루어야 하며, 이를 통해 통일 여부를 고려해야 해.

> **보기**
> ㄱ. 갑: 통일의 필요성을 당위적 관점에서 본다.
> ㄴ. 을: 민족 전통성 계승 차원에서 통일을 해야 한다고 본다.
> ㄷ. 을: 효용성을 바탕으로 통일에 관한 논의가 필요함을 주장한다.
> ㄹ. 갑, 을: 통일의 긍정적인 효과가 전제되어야만 통일의 필요성을 정당화할 수 있다고 본다.

① ㄱ, ㄷ   ② ㄱ, ㄹ   ③ ㄴ, ㄹ
④ ㄱ, ㄴ, ㄷ   ⑤ ㄴ, ㄷ, ㄹ

12 다음 대화에서 옳은 설명을 하고 있는 사람을 모두 고른 것은?

> 갑: 통일 한국은 민주적이고 개방적이며 인간 중심적인 체제가 되어야 해.
> 을: 그렇지. 그것과 함께 다른 민족의 문화와 사상을 무조건적으로 수용해야 해.
> 병: 그러면 우리의 문화가 훼손되지 않을까? 그래서 우리의 전통문화를 지키기 위해 다른 민족의 문화와 사상을 제한할 필요가 있는 거야.
> 정: 나는 통일 한국의 문화는 인간의 가치를 존중하는 문화가 되어야 한다고 생각해.

① 갑, 을   ② 갑, 병   ③ 갑, 정
④ 을, 병   ⑤ 을, 정

13 다음 글을 통해 우리나라의 분단 상황을 극복하는 데 얻을 수 있는 시사점으로 가장 적절한 것은?

> 서독 지역 사람들 68%는 통일 뒤에도 옛 동독 지역을 한 번도 여행하지 않았거나 거의 여행하지 않았다. 옛 서독 지역을 한 번도 여행하지 않았거나 거의 여행하지 않은 동독인도 29%에 달한다. 서독 사람은 부담해야 할 통일 비용에 대해 불만이 많았고, 동독 지역 사람들은 자신이 통일 독일 사회에서 2등 시민으로 취급받는다며 불평하고 있다.

① 남북한의 차이를 없애 동일한 문화를 정착시켜야 한다.
② 남북한의 사회·문화적 통합을 위한 노력이 선행되어야 한다.
③ 남북한의 통일은 법적, 제도적 통합으로 완성됨을 알아야 한다.
④ 남북한의 정치·군사적 통합이 통일에서 우선적으로 해결되어야 한다.
⑤ 남북한 주민들의 최소한의 생계유지를 보장하기 위한 제도 완성이 가장 중요하다.

14 바람직한 통일을 위한 노력으로 가장 적절한 것은?

① 갈등을 최소한으로 줄이기 위해 북한을 남한으로 흡수해야 한다.
② 민족 공동체 회복과 국제적 평화를 위해 무력 통일을 지향해야 한다.
③ 개인의 자유와 인권과 같은 보편적 가치를 구현하기 위해 노력해야 한다.
④ 경제적·문화적 우위에 있는 남한의 결정에 따라 통일이 이루어져야 한다.
⑤ 내부적 통일 기반을 형성하여 외부의 개입 없이 남한과 북한만의 협상으로 통일을 이루어야 한다.

15 다음 글의 빈칸 ㉠, ㉡에 들어갈 말을 바르게 연결한 것은?

> 갈퉁은 평화를 (㉠)와 (㉡)로 구분하고, (㉡) 실현을 위해 노력해야 한다고 주장하였다. 인간 존엄성, 삶의 질을 중시하는 (㉡)의 실현만이 자유와 평등과 같은 보편적 가치를 보장할 수 있다고 보았기 때문이다.

	㉠	㉡
①	적극적 평화	소극적 평화
②	적극적 평화	구조적 평화
③	소극적 평화	적극적 평화
④	소극적 평화	구조적 평화
⑤	구조적 평화	적극적 평화

16 해외 원조에 대해 밑줄 친 '자선의 입장'을 가진 대표적 사상가는 누구인가?

> 해외 원조는 의무의 영역인가, 자선의 영역인가? 해외 원조를 부유한 개인이나 국가가 자율적으로 선택할 문제라고 보는 자선의 입장과, 윤리적 의무로 규정하는 입장이 있다.

① 노직   ② 칸트
③ 싱어   ④ 롤스
⑤ 벤담

2018 수능

01 (가), (나)의 입장으로 가장 적절한 것은?

> (가) 어떤 행위는 타당한 행위 규칙에 일치하면 옳고, 그 규칙을 위반하면 그르다. 행위 규칙의 타당성을 결정하는 척도는 유용성이다. 윤리적 의사 결정은 더 큰 유용성을 산출하는 규칙에 근거해야 한다.
>
> (나) 어떤 행위 규범은 관련된 모든 당사자들이 자유롭고 평등한 담론을 통해 동의할 수 있는 것이어야 정당화될 수 있다. 규범적으로 정당한 실천적 담론은 의사소통의 일반적 전제 조건들에 근거해야 한다.

① (가): 어떤 규칙이 최대 유용성을 산출하는지는 알 수 없다.
② (가): 유용성의 원리는 행위 규칙이 아니라 개별 행위에 적용된다.
③ (나): 모든 당사자들은 보편화 가능한 행위 규범에 합의할 수 있다.
④ (나): 담론의 참여자들은 서로의 주장을 비판해서는 안 된다.
⑤ (가), (나): 결과에 대한 고려 없이 규칙이나 규범의 타당성을 판단해야 한다.

출제 단원
01 갈등 해결과 소통의 윤리

출제 개념
하버마스의 담론 윤리

풀이
(가)는 규칙 공리주의의 입장이고, (나)는 하버마스의 담론 윤리의 입장이다. 규칙 공리주의의 입장에서는 행위 규칙의 유용성의 증감에 따라 행위의 정당성을 입증할 수 있다고 보며, 담론 윤리의 입장에서는 의사소통의 합리성을 실현하기 위해 이해 가능성, 정당성, 진리성, 진실성이라는 이상적 담화 조건을 제시한다. 이상적인 담론 조건에서 보편 가능한 행위 규범에 합의할 수 있다고 하였으므로 정답은 ③번이다.

오답 피하기
① 규칙 공리주의는 규칙이 최대 유용성을 산출할 수 있다고 본다. ② 행위 공리주의에 대한 설명이다. ④ 담론의 참여자는 서로의 주장을 비판할 수 있다. ⑤ 공리주의의 경우 결과에 대한 유용성을 고려해야 한다.

2014 수능

02 다음 사례를 통해 우리나라의 분단 상황을 극복하는 데 있어 얻을 수 있는 시사점으로 가장 적절한 것은?

> 갑작스럽게 통일이 이루어진 이후, 동서독 주민들은 통일 이전의 상이한 체제에서 비롯된 사고방식과 정서의 차이로 심각한 갈등을 겪었다. 서독인은 동독인을 가난하고 게으르다는 의미인 '오씨(Ossi)'로, 동독인은 서독인을 거만하고 잘났다는 의미인 '베씨(Wessi)'로 부르는 현상이 나타났다.

① 남북한의 조속한 통합을 위해 외형적인 통일을 강조해야 한다.
② 국제적 합의를 통해 남북통일에 대한 공감대를 형성해야 한다.
③ 정치, 군사적 방식을 통해 하나의 민족 공동체를 수립해야 한다.
④ 동북아 다자 안보를 토대로 한반도 평화 체제를 구축해야 한다.
⑤ 사회 · 문화적 교류의 확대를 통해 남북한의 이질성을 줄여야 한다.

출제 단원
02 민족 통합의 윤리

출제 개념
독일 통일에서 얻을 수 있는 교훈

풀이
제시문은 독일 통일 이후에 사회 · 문화적 이질성으로 인해 갈등이 있음을 보여 준다. 따라서 우리나라의 분단 상황을 극복하는 데 있어 사회 · 문화적 교류의 확대를 통해 남북한 간 이질성을 줄이는 노력이 필요함을 보여 준다. 따라서 정답은 ⑤번이다.

오답 피하기
① 남북한의 통일은 합의에 의한 점진적 평화 통일을 지향해야 한다. ②, ④ 내부적 통일 기반뿐만 아니라 국제적 통일 기반도 함께 조성해 나가야 한다. ③ 독일의 통일 과정에서 미흡한 문화적 교류 때문에 나타난 문제점을 제시하고 있다.

03 해외 원조에 대한 갑, 을 사상가의 입장으로 옳지 **않은** 것은?

> 갑: 원조는 만인이 공정하게 분담해야 할 전 지구적 의무이다. 기본적 욕구를 충족하고
> 남는 소득이 있으면 소득의 1%를 기부하여 세계의 빈민을 도와야 한다.
> 을: 원조는 차등의 원칙을 국제 사회에 적용하는 것이 아니다. 원조의 의무는 고통받는
> 사회들이 만민의 사회의 충분한 구성원이 되도록 돕는 역할을 한다.

① 갑: 큰 희생 없이 타국의 빈민을 도울 수 있다면 도와야 한다.
② 갑: 인류 전체가 공리 증진을 위해 원조의 의무를 실천해야 한다.
③ 을: 고통받는 사회가 질서 정연한 사회가 되도록 원조해야 한다.
④ 을: 국제 사회의 최소 수혜자에게 가장 유리하도록 원조해야 한다.
⑤ 갑, 을: 해외 원조는 자선이 아닌 당위적 차원에서 실시해야 한다.

출제 단원

03 지구촌 평화의 윤리

출제 개념

해외 원조에 대한 입장

풀이

갑은 싱어이고, 을은 롤스이다. 싱어는 자신에게 큰 희생이 따르지 않는다면 빈민을 도와주어야 한다고 주장하며, 공리주의적 입장에서 인류의 복지를 위해 원조를 해야 한다고 주장한다. 롤스는 원조의 목적은 고통받는 사회가 '질서 정연한 사회'에 이르도록 하는 것이라고 주장한다. 싱어와 롤스는 모두 원조를 도덕적 의무로 여겼다.
④ 롤스는 차등의 원칙을 국제 사회에 적용하는 것에 반대한다. 따라서 정답은 ④번이다.

04 갑, 을의 입장에 대한 설명으로 가장 적절한 것은?

> 갑: 세계화 시대에 국가 간 장벽이 약화된다고 하더라도 인간 생활의 기본 단위는 민족
> 이야. 우리는 언어, 역사, 혈통 등에 기초한 동질성을 바탕으로 민족의 정체성을 확
> 립하고 우리 민족의 이익을 최우선적으로 추구해야 해.
> 을: 세계화 시대에 우리는 인류 공동의 위험인 테러와 빈곤 문제 등에 직면해 있어. 이
> 를 극복하기 위해 인간의 존엄성과 인권 존중이라는 인류 공동체의 보편적 가치를
> 토대로 인종과 국가의 구별을 넘어서 관용과 협력의 정신을 추구해야 해.

① 갑은 민족의 객관적 요소를 바탕으로 민족적 일체감을 중시한다.
② 을은 민족 구성원과 국가가 하나의 운명 공동체임을 강조한다.
③ 갑은 타민족에 대한 개방적 태도를, 을은 포용적 태도를 강조한다.
④ 갑은 인류 문화의 보편성을, 을은 민족 문화의 특수성을 추구한다.
⑤ 갑, 을은 민족의식에 기초한 열린 공동체 의식을 강조한다.

출제 단원

03 지구촌 평화의 윤리

출제 개념

세계화와 세계 시민주의

풀이

갑은 우리 민족의 이익을 최우선적으로 추구하는 자민족 중심주의의 입장, 을은 인류 공동체의 보편적 가치를 토대로 인종과 국가의 구별을 넘어서 관용과 협력의 정신을 추구할 것을 강조하고 있으므로 세계 시민 의식을 강조하고 있다.
갑은 언어, 역사, 혈통 등 민족의 객관적 구성 요소를 바탕으로 민족의 정체성 확립이라는 민족적 일체감을 중시하고 있으므로 정답은 ①번이다.

MEMO

고등학교 생활과 윤리
자습서

정답과 해설

금성출판사

I 현대의 삶과 실천 윤리

주제 01 현대 생활과 실천 윤리

1단계 개념 익히기
12쪽

01 (1) 윤리학 (2) 실천 윤리 (3) 기술 (4) 윤리적 쟁점 02 메타 윤리학 03 (1) ○ (2) × (3) ○ 04 (1) ㄱ (2) ㄹ (3) ㄷ 05 환경, 생명 06 평화 윤리 07 환경 윤리

2단계 내신 유형 다지기
13~14쪽

01 ② 02 ② 03 ② 04 ⑤ 05 ③ 06 ⑤ 07 ③
08 ⑤ 09 ① 10 ②

01 ② 실천 윤리학(응용 윤리학)은 이론 윤리학을 바탕으로 인접 학문과의 상호 협력을 통해 다양한 분야에서 발생하는 도덕 문제에 적용하여 그 해결책을 모색하고자 한다.
| 오답 피하기 |
①은 메타 윤리학, ③, ④는 이론 윤리학, ⑤는 기술 윤리학에 대한 설명이다.

02 ② 현대 생활에 등장한 복잡한 윤리 문제는 이론 윤리를 강화함으로써 해결되는 것이 아니라 이론 윤리를 바탕으로 인접 학문의 도움을 받아 실천 윤리를 통해 해결책을 모색할 수 있다.

03 ② 제시된 질문들은 문화 윤리의 영역에서 핵심 주제로 삼고 있는 내용들이다.

04 ⑤ 생명 의료 윤리와 사회 윤리는 모두 실천 윤리학의 분야이다.

05 ③ 실천 윤리는 이론 윤리의 토대에서 해결책을 제시하고 올바른 삶의 방향을 제시하므로, 양자는 상호 보완적인 관계에 있다.
| 오답 피하기 |
① 상호 보완적 관계이다.
② 구분되지 않는 것은 아니다.
④ 실천 윤리는 현실의 구체적인 문제에 해결책을 제시하는 것

을 목표로 한다.
⑤ 실천 윤리는 이론 윤리를 토대로 하여 현실에서 발생하는 도덕 문제의 해결을 도모한다.

06 ⑤ A 학문은 '윤리학'이다. 윤리학은 도덕의 이론적 측면과 실천적 측면을 동시에 지니며, 윤리적 문제 상황 속에서 올바른 판단을 내리도록 도움을 준다.

07 ③ 밑줄 친 '이것'은 실천 윤리학이다. 다양한 삶의 영역에서 적용되었던 기존의 윤리가 그 기능을 제대로 발휘하지 못하게 되어 새로운 윤리, 즉 응용 윤리학이 등장하게 되었다. 실천 윤리학은 이론 윤리학을 바탕으로 삼아 구체적인 현실에서 발생하는 도덕 문제의 해결을 도모하고자 한다.

08 ⑤ A는 규범 윤리학, B는 실천 윤리학이다. 실천 윤리학은 성 윤리, 환경 윤리, 생명 윤리, 과학 기술 윤리 등 현대 사회가 복잡해짐에 따라 새롭게 등장하였으며, 구체적인 현실의 도덕 문제를 해결하는 것에 주안점을 둔다.
| 오답 피하기 |
①, ②, ④ 규범 윤리학의 탐구 주제로 적절하다.
③ 메타 윤리학의 탐구 주제로 적절하다.

09 ① 실천 윤리학(B)은 현실 사회에서 발생하는 다양한 도덕 문제를 해결하기 위해 의학, 법학, 과학, 종교학 등 학문을 넘나드는 학제적 접근 방법을 특히 중시한다.
| 오답 피하기 |
②, ⑤ 규범 윤리학에서 긍정의 답을 할 만한 질문이다.
③ 응용 윤리학에서 긍정의 답을 할 만한 질문이다.
④ 메타 윤리학에서 긍정의 답을 할 만한 질문이다.

10 ② 제시된 내용은 모두 실천 윤리에서 다루는 주제들이다.
| 오답 피하기 |
ㄴ. 이론 윤리의 사례이다.
ㄷ. 실천 윤리는 전통 윤리의 틀로 새로운 윤리 문제를 해결하기가 어렵기 때문에 등장하였다.

01 ㉠ 이론 윤리, ㉡ 실천 윤리

02 ㉠ 기술 윤리학, ㉡ 규범 윤리학, ㉢ 메타 윤리학

03 실천적인 성격을 지니고 있다.

04 생명 의료 윤리, 생명 공학 윤리, 직업윤리, 정보 윤리, 과학 기술 윤리, 성 윤리, 문화 윤리, 환경 윤리, 평화 윤리 등

05 | 예시 답안 |
이론 윤리와 실천 윤리는 상호 보완적 관계에 있다.

☑ 채점 기준
이론 윤리와 실천 윤리가 서로 관련되어 있음을 서술해야 한다.

06 | 예시 답안 |
과학 기술의 발달함에 따라 다양한 도덕적 문제들이 등장하였다. / 기존 윤리학만으로 도덕적인 문제를 해결하는 것이 어려워졌다. / 과거에 절대적이었던 신념이나 제도 중 수정을 하거나 예외를 허용할 필요가 있는 것들이 생겨났다.

☑ 채점 기준
실천 윤리가 등장하게 된 배경 및 필요성에 대해 두 가지 이상 올바르게 서술해야 한다.

07 | 예시 답안 |
(1) 과학 기술은 가치 중립적인 것인가? / 과학 기술에도 사회적 책임이 존재하는가?
(2) 인간 중심주의 윤리로 환경 문제를 해결할 수 있는가? / 자연은 개발의 대상인가, 보존의 대상인가?

☑ 채점 기준
과학 기술 윤리와 환경 윤리에서 다루어지고 있는 핵심 주제 두 가지를 올바르게 서술해야 한다.

08 | 예시 답안 |
문제 상황과 관련된 전문적이고 사실적인 지식이 필요하기 때문이다.

☑ 채점 기준
실천 윤리학에서 구체적인 문제 해결 방향을 제시하기 위해서 인접 학문과의 상호 협력이 필요하다고 서술해야 한다.

주제 **02** 현대 윤리 문제에 대한 접근

1단계 **개념 익히기**   20쪽

01 (1) 인(仁) (2) 연기(緣起) (3) 무위자연(無爲自然) (4) 무소유 **02** (1) ㉢ (2) ㉡ (3) ㉠ **03** 정언 명령 **04** (1) ○ (2) × (3) ○ (4) ○ (5) × **05** 최대 다수의 최대 행복 **06** 덕 윤리

2단계 **내신 유형 다지기**   21~22쪽

01 ③ **02** ② **03** ③ **04** ⑤ **05** ③ **06** ② **07** ④ **08** ⑤ **09** ④

01 ③ 천인은 도가의 이상적 인간상이다. 유교의 이상적 인간상은 군자(君子), 대장부(大丈夫), 대인(大人), 성인(聖人)이다.

02 ② 불교에서는 위로는 깨달음을 구하고 아래로는 중생을 구제하여 자비를 실천하는 '보살(菩薩)'을 이상적 인간상으로 제시하였다.

| 오답 피하기 |
①, ⑤ 유교에서 제시하는 이상적 인간상이다.
③, ④ 도가에서 제시하는 이상적 인간상이다.

03 ③ 제시문은 불교 윤리이다. 석가모니는 모든 존재는 서로 의존하여 존재한다는 연기의 가르침을 바탕으로 해탈에 이르는 길을 제시하였다. 또한 살아 있는 모든 존재는 불성(佛性)을 지니고 있으며, 깨달으면 누구나 부처가 될수 있다는 평등적 세계관을 중시한다. 불교 윤리는 현세주의적 성격이 강한 중국과 한국 등에 수용되면서 내세

에 대한 관념을 일깨우는 등 전통 사유 체계에 변화를 가져왔다.
③ 동아시아에서 오랫동안 통치와 교육의 이념으로 많은 영향을 끼쳐 온 것은 유교 윤리 사상이다.

04 ⑤ 제시문은 노자의 대표 사상 중 하나인 상선약수(上善若水)이다.

05 ③ 유교 윤리와 도가 사상은 오늘날 인간성 상실 및 도덕 불감증, 그리고 이기주의의 만연으로 발생하는 다양한 사회적·윤리적 문제를 해결하는 데 도움이 될 수 있다.

③ 동양의 유기체적 세계관은 서양의 과학적 관점에 비해 구체적인 과학적 자료에 근거한 증거 제시가 부족하여 정확성과 실증성이 떨어진다는 한계가 있다.

06 ② 칸트 윤리학에서는 인간의 이성으로 보편적인 도덕 법칙을 발견할 수 있다고 여기며, 행위의 결과보다 동기를 중시하고, 의무 의식에서 나온 자율적인 행위만이 도덕적 가치를 지닌다고 본다. 따라서 칸트 사상의 특징을 묻는 질문이 적절하다.

07 ④ 벤담은 양적 공리주의를, 밀은 질적 공리주의를 주장한다. 벤담은 더 많은 사람이 행복을 누리는 것은 좋은 일이라고 간주하면서 '최대 다수의 최대 행복'이라는 도덕 원리를 제시하였다. 또한 모든 쾌락은 질적으로 동일하며 양적으로 계산할 수 있다고 주장하면서 쾌락을 계산하는 여러 가지 방법을 제시하였다. 이에 반해 밀은 쾌락은 양뿐만 아니라 질적으로도 차이가 있다고 주장하였다. 벤담은 쾌락의 양을 측정하려고 하였고, 밀은 쾌락의 양뿐만 아니라 질적인 차이도 고려해야 한다고 보았다.

08 ⑤ 제시문은 덕 윤리이다. 덕 윤리학자는 고대 그리스의 아리스토텔레스, 현대의 인격 교육을 중시한 매킨타이어 등이 있다. 매킨타이어를 비롯한 현대의 덕 윤리학자들은 개인의 자유나 선택보다는 공동체의 역사와 전통을 중시하고, 그 안에서 더불어 살아가는 인간으로서의 삶을 강조하였다.

09 ④ 제시된 비판으로 미루어 볼 때, (가)는 공리주의, (나)는 칸트의 의무론이다. 칸트는 이성적이고 자율적인 인간은 보편적인 도덕 법칙을 인식할 수 있다고 보았다.
| 오답 피하기 |
①, ② 칸트의 의무론에 해당한다.
③, ⑤ 공리주의 사상의 특징이다.

3 단계 주관식·서술형 잡기
23쪽

01 ㉠ 공자, ㉡ 순자

02 | 예시 답안 |
만물의 근원인 도(道)를 중심으로 한 도가 사상은 자연의 질서에 순응하는 삶을 이상으로 여겼으며, 이를 통해 평등한 인간관을 지향하였다.
✅ 채점 기준
자연의 질서에 따르는 삶을 중시했다는 점과 평등을 지향했다는 점을 정확히 서술해야 한다.

03 내세에 관한 관념을 일깨워 주었다.

04 (존 스튜어트) 밀

05 | 예시 답안 |
아리스토텔레스는 옳고 선한 행위를 반복적으로 실천하고, 이를 습관화하여 자신의 행위로 내면화해야 한다고 강조한다.
✅ 채점 기준
덕 윤리의 관점에서 반복적인 실천을 통한 내면화의 내용을 정확히 서술해야 한다.

1단계 개념 익히기
28쪽

01 ㉠ 자료 수집 및 분석, ㉡ 반성적 성찰 02 (1) 역할 교환 검사 (2) 포섭 검사 (3) 반증 사례 검사 (4) 보편화 결과 검사 03 (1) ○ (2) × (3) ○ 04 ㉠ 비판적 사고, ㉡ 배려적 사고 05 토론 06 (1) 성찰 (2) 실천 07 ㉠ 중용(中庸), ㉡ 호연지기(浩然之氣)

2단계 내신 유형 다지기
29~30쪽

01 ③ 02 ① 03 ① 04 ④ 05 ⑤ 06 ③ 07 ⑤
08 ③ 09 ③

01 ③ 선택 및 정당화 단계에서는 가능한 대안을 마련하고 근거를 검토해야 한다.

02 ① 토론은 토론의 상대방을 설득 또는 이해하는 과정에서 주어진 문제에 대한 최선의 대안을 찾기 위한 것으로, 비판적 사고와 배려적 사고 능력, 윤리 문제에 대한 객관적 관점, 상호 존중 및 협력적 태도, 윤리적 실천 동기와 의지 등 윤리적 실천력을 키워 주는 데 기여한다.

03 ① 플라톤이 제시한 소크라테스의 삶의 자세를 보여 주고 있는 "파이돈"에 나오는 대사이다. 플라톤은 진리에 대한 겸허한 자세로 도덕적 탐구자의 삶을 살아갈 것을 주장한다.

04 ④ 제시문은 생각과 토론의 중요성을 강조한 밀의 주장이다. 밀은 인간은 완전하지 못하기 때문에 옳다고 믿었던 것이 사실이 아닐 수도 있다는 점을 들어 자유로운 토론을 막을 수 없다고 주장한다. 따라서 밀은 토론과 같은 표현의 자유는 보장되어야 한다고 보았다.

05 ⑤ 토론은 일반적으로 입론 → 확인 심문 → 반론 → 재반론 → 최종 발언 → 반성 및 정리의 과정으로 진행된다. 최종 발언 단계에서는 토론 과정을 정리하면서 자신의 입장을 강조하여 밝히는 단계이다.

⑤ 논제의 배경과 개념 정의 및 쟁점 부각은 입론에서 해야 할 내용이다.

06 ③ 가치 선택과 그에 근거한 도덕 판단을 내리는 과정에서 토론은 필요하다. 타인의 의견을 구하거나 토론의 과정을 거쳐 최선의 대안을 도출하는 것이 바람직하다.

07 ⑤ 제시문의 학생은 학교생활의 무료함의 원인과 그 해결 방법을 알고 있으면서도 나약한 실천 의지로 인해 이를 행동으로 옮기지 못하고 있다. 따라서 학생에게 유혹과 충동에 흔들리지 않는 강인한 실천 의지가 필요하다는 조언을 해 줄 수 있다.

08 ③ 사람이라면 누구나 실천 의지와 긍정적 삶의 자세, 결단력 등을 통해 도덕적 앎을 실천으로 옮길 수 있는 능력을 가지고 있다.

09 ③ 제시된 명언들은 모두 윤리적 성찰의 중요성을 강조한다. 인간은 이미 만들어진 존재가 아니라 되어 가는 존재이기 때문에 무엇이 윤리적 행동인지 탐구하여 실천으로 옮기는 것뿐만 아니라 그 과정에서 잘못된 것은 없는지 살피고, 같은 잘못을 되풀이하지 않기 위해 성찰의 과정을 거친다.

3단계 주관식·서술형 잡기
31쪽

01 ㉠ 대안, ㉡ 해결책

02 도덕적 탐구

03 도덕적 행동의 반복된 실천이 필요하다.

04 유혹과 충동을 이겨 내는 강한 실천 의지, 긍정적 삶의 자세, 결단력 등

05 | 예시 답안 |
토론 과정을 통해 윤리 문제를 좀 더 객관적인 관점에서

바라볼 수 있으며, 문제점과 효과, 부작용 등에 대해 실천적으로 접근해 볼 수 있기 때문이다.

✔ 채점 기준
도덕적 탐구 과정에서 토론이 필요한 이유를 객관적 관점과 실천적 측면에서 서술해야 한다.

06 | 예시 답안 |
(1) 비판적 사고는 객관적 증거에 비춰 사태를 파악하고, 여기서 얻어진 판단에 따라 결론을 맺거나 행동하는 과정을 말한다.
(2) 배려적 사고는 도덕적 감수성과 공감 능력을 통해 상대방의 입장에서 생각해 보고, 상대방의 처지와 감정을 존중하는 태도를 말한다.

✔ 채점 기준
비판적 사고와 배려적 사고의 의미를 올바르게 서술해야 한다.

07 | 예시 답안 |
(1) 윤리적 성찰은 자신의 정체성과 가치관에 대해 윤리적 관점에서 반성하는 것을 의미한다.
(2) 윤리적 행동의 실천 가능성을 높이고, 같은 잘못을 되풀이하지 않는 인격적 성숙을 가능하게 하기 때문에 윤리적 성찰이 필요하다.

✔ 채점 기준
윤리적 성찰의 의미와 윤리적 성찰이 왜 필요한지 올바르게 서술해야 한다.

영역 마무리하기

32~35쪽

01 ②	02 ②	03 ②	04 ③	05 ③	06 ①	07 ③
08 ②	09 ④	10 ④	11 ④	12 ①	13 ①	14 ②
15 ②	16 ⑤	17 ②	18 ③			

01 ② ㉠은 메타 윤리학, ㉡은 실천 윤리학, ㉢은 이론 윤리학이다. 메타 윤리학은 도덕적 언어에 대한 분석적 탐구를 강조하고 있으므로 규범 윤리학적 물음에 관심을 갖지 않는다. 실천 윤리학은 생활 속에서 논쟁이 되는 여러 가지 도덕적 문제, 예를 들면 환경, 안락사, 성, 인종 차별, 부의 분배 등의 문제에 관심을 갖고 이론 윤리학의 내용

을 구체적인 삶의 문제에 응용하여 해결책을 모색하고자 한다. 따라서 이론 윤리학은 실천 윤리학보다 도덕 문제에 대해 추상적으로 논의한다.

| 오답 피하기 |
ㄴ. 이론 윤리학의 다양한 분야들이다.
ㄷ. 실천 윤리학의 다양한 분야들이다.

02 ② ㉠은 실천 윤리학이다. 실천 윤리가 다루고 있는 영역들로는 생명 윤리, 성 윤리, 환경 윤리, 정보 윤리, 사회 윤리, 문화 윤리, 평화 윤리 등이 있다.

| 오답 피하기 |
① 메타 윤리학에서 관심을 가질 주제이다.
② 생명 공학 기술의 발달에 따른 실천 윤리의 영역인 생명 의료 윤리의 관심 주제에 해당한다.
③ 이론 윤리학인 덕 윤리에서 관심을 가질 주제이다.
④ 규범 윤리학에서 관심을 가질 주제이다.
⑤ 이론 윤리학인 공리주의에서 관심을 가질 주제이다.

03 ② (가)는 기후 변화 윤리, (나)는 인터넷 윤리, (다)는 동물 윤리로, 모두 실천 윤리학의 유형들이다. 실천 윤리학은 과학 기술의 발달에 따라 기존의 이론적 윤리학의 틀로 해결할 수 없는 문제가 발생하였고 구체적인 삶 속에서 도덕적 문제를 해결해야 할 필요성이 제기됨에 따라 나타났다. 또한 실천 윤리학은 단순히 이론 윤리학의 응용 수준을 넘어서서 인접 학문과의 협력이 필수적으로 요청되고 있으며 독자적인 연구 영역을 확보하고 있다.
② 도덕적 언어의 의미 분석을 탐구의 본질로 삼는 것은 메타 윤리학에 해당한다.

04 ③ (가)는 이론 규범 윤리학, (나)는 메타 윤리학이다. 이론 규범 윤리학은 인생에 객관적이며 보편적인 목적과 법칙으로 작용하는 도덕규범이 있음을 전제로 하여 이를 밝히고 이에 따라 삶을 살아갈 것을 강조한다. 메타 윤리학은 '윤리학이 하나의 학문으로 정립 가능한가?'를 밝히기 위해 언어의 의미 분석에 몰두하는 윤리학이다.

| 오답 피하기 |
ㄴ, ㄹ. 모두 실천 윤리학과 관련이 있다.

05 ③ ㉠은 실천 윤리학이다. 실천 윤리가 다루고 있는 영역

들로는 생명 윤리, 성 윤리, 환경 윤리, 정보 윤리, 사회 윤리, 문화 윤리, 평화 윤리 등이 있다. 이 중 ㄴ은 정보 통신 기술의 발달에 따른 정보 윤리, ㄷ은 생명 공학 기술의 발달에 따른 생명 의료 윤리의 관심 주제에 해당한다.

| 오답 피하기 |
ㄱ. 메타 윤리학의 관심 주제에 해당한다.
ㄹ. 이론 윤리학에 해당하는 공리주의 사상과 관련이 있다.

06 ① 사회 윤리에서는 사회 정의를 중요시하고 공정한 분배의 기준이 무엇인지에 대해 관심을 갖는다.

| 오답 피하기 |
㉠ 과학 기술 윤리, ㉢ 생명 의료 윤리, ㉣ 직업윤리에서 관심을 가질 주제이다.

07 ③ 갑은 메타 윤리학, 을은 규범 윤리학, 병은 실천 윤리학을 말하고 있다. 메타 윤리학은 도덕적 언어의 의미를 분석하고, 도덕 추론의 논증 가능성과 논리적 타당성을 규명하고자 하는 윤리 이론이다. 규범 윤리학은 옳은 것과 선한 것, 혹은 의무가 무엇인가를 묻는 것과 같은 종류의 규범적 성찰을 중시한다. 실천 윤리학은 현실의 구체적인 문제에 타당한 해결책을 제시하는 것을 목표로 한다.

| 오답 피하기 |
ㄱ. 규범 윤리학에 대한 설명이다.
ㄹ. 기술 윤리학에 대한 설명이다.

08 ② 제시된 내용들은 생명 의료 윤리의 핵심 주제들이다. 생명 의료 윤리는 현대 사회에서 새롭게 대두된 실천 윤리 영역으로 생명 과학 기술의 발달로 인해 등장하였다.

| 오답 피하기 |
ㄴ. 이론 윤리학의 다양한 분야들이다.
ㄷ. 실천 윤리에서는 전통 윤리의 틀로 새로운 윤리 문제를 해결하기가 어렵다고 본다.

09 ④ 유교 사상은 충서(忠恕)로 대표되는 강한 도덕 지향과 오륜(五倫)에 나타나는 관계성 중시, 그리고 사단을 통한 착한 본성에 대한 신뢰, 천인합일(天人合一)에서 볼 수 있는 인본주의(人本主義) 등은 오늘날 다양한 사회적 · 윤리적 문제를 해결하는 데 도움이 될 수 있다.

④ 세속적인 생활을 초월하고 대자연과 하나가 되는 것은 도가적 삶의 태도이다.

10 ④ 이것은 '무소유'를 나타낸다. 제시문은 법정 스님이 강조한 무소유 정신을 말하고 있다.

11 ④ 도덕적 수양과 실천을 통해서 도덕적인 완성을 추구하는 것은 유교적 가르침이라고 할 수 있다.

12 ① 도가에서는 이상적 인간상으로 지인(至人), 신인(神人), 천인(天人), 진인(眞人)을 제시하여 세속적인 생활을 초월하고 대자연과 하나가 되어 자연의 흐름에 따르는 삶을 강조하였다.
① 대인(大人)은 유교의 이상적 인간상이다.

13 ① 도가의 대표적인 사상인 무위자연 사상을 나타낸다.

| 오답 피하기 |
② 상선약수(上善若水)는 '가장 선한 사람은 물과 같다.'라는 뜻으로 도가 사상에 해당한다.
③ 인과응보(因果應報)는 '좋은 일에는 좋은 결과가, 나쁜 일에는 나쁜 결과가 따른다.'라는 뜻으로 불교 사상이 나타나 있다.
④ 천인합일(天人合一)은 '하늘과 사람이 하나'라는 뜻으로, 유교 사상이 나타나 있다.
⑤ 호접지몽(胡蝶之夢)은 장자가 나비가 된 꿈이란 뜻으로, 인생의 덧없음을 비유하여 이르는 말이다.

14 ② 갑은 규칙 공리주의 입장에 따라 가치 판단을 하고 있다. ㄱ. 규칙 공리주의는 행위가 '최대 다수에게 최대 행복'을 주는 유용한 규칙에 맞으면 도덕적이라고 판단한다. ㄷ. 규칙 공리주의는 '약속을 지켜야 한다.', '남에게 해악을 끼치지 말라.'와 같이 공리를 극대화하는 경험 규칙은 그것들 사이에 갈등이 생기지 않는 한 준수되어야 한다고 본다.

| 오답 피하기 |
ㄴ, ㄹ. 행위 공리주의에 해당한다. 행위 공리주의는 도덕적 의사 결정 과정에서 우리에게 열려 있는 모든 대안들을 사전에 그 유용성을 계산한 후, 그중에서 최대의 유용성을 산출할 대안을 선택하라고 주장한다.

15 ② 제시문은 덕 윤리의 주장이다. 의무론과 공리주의는 '무엇이 올바른 행위인가?'를 묻는 행위 중심의 윤리 사상인데 반해, 덕 윤리는 '어떤 사람이 되어야 하는가?'를 묻는 행위자 중심의 윤리 사상이다.

| 오답 피하기 |
①, ③, ④, ⑤ 덕 윤리 사상에 대한 옳은 설명이다.

16 ⑤ 제시문은 밀의 "자유론"으로, 인간이 살아가는 사회의 복잡성에 기반하여, 사회의 주도적인 가치가 개인에게 강요될 수 있는 문제점을 지적하고 있다. 이에 대해 밀은 "자유론"에서 개인이 사회의 주도적 가치에 강제될 수 있는 위험성을 지적하고, 토론과 도덕적 성찰을 통해 주체적으로 인식하고 판단하는 능력이 요구됨을 강조한다.

17 ② (가)는 칸트의 의무론이다.
ㄱ, ㄷ. 칸트는 행위의 결과보다는 동기를 중시하면서 오로지 의무 의식에서 나온 행위만이 도덕적 가치를 지닌다고 보았다.

| 오답 피하기 |
ㄴ. 칸트는 감정에서 비롯된 행위는 도덕적 가치를 지니지 못한다고 본다.
ㄹ. 배려 윤리 사상의 입장이다.

18 ③ 일단 결정된 사안은 반성적 성찰을 통해 탐구 과정이 적절했는지 탐구의 과정을 반성하고 최종 정리할 수 있어야 한다.

II 생명과 윤리

주제 **01** 삶과 죽음의 윤리

1단계 개념 익히기
44쪽

01 출생 **02** (1) 행복 (2) 자율성 (3) 금지, 허용 (4) 웰다잉 (well-dying) (5) 자살 **03** (1) ㉠ (2) ㉡ (3) ㉢ **04** (1) ○ (2) × (3) ○ (4) ○ **05** ㉠ 유교, ㉡ 효 **06** 안락사 **07** 적극적 안락사 **08** 뇌사

2단계 내신 유형 다지기
45~46쪽

01 ④ **02** ③ **03** ② **04** ① **05** ② **06** ⑤ **07** ⑤ **08** ② **09** ③ **10** ⑤

01 ④ 과거에는 인간의 출생이 자연스러운 남녀의 결합에 의해 형성되었지만, 현대에 이르러 의학의 발전으로 인간의 출생 과정에 생식 보조술 등의 인위적 요소가 개입되어 새로운 윤리적 쟁점이 되고 있다. 특히 생식 세포 매매나 대리모 문제 등은 사회적 논란거리가 되고 있다.

02 ③ 삶의 질을 측정하는 주관적 지표에는 여가, 문화, 자아실현 등이 있으며, 이는 삶의 질을 중시한다. 객관적 지표는 주택, 재산, 연봉, 직업 등 수치화가 가능한 양적 지표를 말한다.

03 ② 갑은 친생명권을 중시하는 입장으로 인공 임신 중절을 반대하고, 을은 친선택권을 중시하는 입장으로 인공 임신 중절을 찬성한다.

| 오답 피하기 |
① 태아를 완전한 인간으로 보지 않는 것은 친선택권을 중시하는 을의 입장이다.
③, ④ 태아의 생명권을 중시하는 것은 갑의 입장이다.
⑤ 태아를 여성의 몸의 일부로 여겨 여성의 친선택권을 존중하는 것은 을의 입장이다.

04 ① 인공 수정 시술과 시험관 아기 시술은 자연스러운 출산 과정에 인위적으로 개입하는 의료 행위이기 때문에 자연법 윤리에 부합하지 않는다. 하지만 찬성하는 이들은 시

술을 통해 자녀가 없는 난임 부부의 고통을 덜어 줄 수 있고 노동력의 증가를 가져올 수 있다는 논거를 제시한다.

05 ② 태아가 모체로부터 분리되어 독립된 생명체가 되는 것은 출생의 생물학적 의미이다.

06 ⑤ A는 '인공 임신 중절'을 나타낸다. 이를 찬성하는 입장에서는 태아를 여성의 몸의 일부로 보고, 여성의 자율적인 선택권을 인정한다.

07 ⑤ 밑줄 친 이것은 '자살'이다. 유교에서는 불감훼상(不敢毀傷) 효지시야(孝之始也)라 하여 부모로부터 받은 신체를 훼손하지 않는 것을 효(孝)의 시작으로 보았다. 따라서 자신의 생명을 스스로 해치는 자살은 매우 큰 불효에 해당하는 것이다.

| 오답 피하기 |
① 불교의 입장이다.
② 도가에서는 자살이 무위자연의 원리에 반한다고 본다.
③ 기독교의 입장이다.
④ 칸트 윤리에서는 자살을 고통에서 벗어나기 위해 스스로의 목숨을 수단으로 삼는 것으로 여겨 인정하지 않는다.

08 ② 안락사를 찬성하는 사람들은 의료 기술에 의존한 생명 연장보다 삶의 질을 중시하고 환자의 자율성을 강조한다. 또한 치료 가능한 환자에게 안락사 환자의 침상을 양보하여 사회적 비용을 줄이고, 환자와 가족들이 겪는 경제적·심리적 고통을 줄여 주어야 한다고 주장한다.

09 ③ 인공 임신 중절과 관련하여 갑은 친선택론, 을은 친생명론을 지지하고 있다. 친선택본을 중시하는 입장에서는 태아를 완전한 인간이 아니라고 보기 때문에 인공 임신 중절을 허용해야 한다고 주장한다. 또한 태아는 여성 몸의 일부이므로 여성은 자신의 몸에 대한 권리가 있다고 본다. 반면 친생명론을 중시하는 입장에서는 태아를 인간의 범주에 포함시키고, 생명의 소중함을 강조하면서 인공 임신 중절을 반대한다.

10 ⑤ 뇌사를 사망으로 간주해서는 안 된다는 입장에서는 뇌사자가 비록 수일 내에 사망할 가능성이 높지만 남아 있는

생의 길고 짧음에 따라 인간의 삶을 평가해서는 안 된다고 본다.

| 오답 피하기 |
①, ②, ③, ④ 뇌사를 사망으로 인정해야 한다는 입장의 논거들이다.

3단계 주관식·서술형 잡기
47쪽

01 ㉠ 종족(자손), ㉡ 출생

02 ㉠ 생식 보조술, ㉡ 대리모 문제

03 ㉠ 에피쿠로스, ㉡ 하이데거

04 ㉠ 불교, ㉡ 자연법 윤리

05 | 예시 답안 |

인간의 출생은 사회적으로 가정, 지역 사회, 국가 등 다양한 공동체에 속하게 되어 다양한 인간관계 속에서 일정한 역할을 수행하게 되는 출발점이 된다.

◆ 채점 기준
인간의 개인적 출생의 의미가 아닌 사회적 의미, 즉 사회에서의 역할 수행에 대해 서술해야 한다.

06 | 예시 답안 |

뇌사자의 장기를 이식함으로써 많은 생명을 살릴 수 있다. / 환자와 가족의 심리적·경제적 고통을 줄일 수 있다. / 뇌사자의 침상과 의료 서비스를 회복 가능성이 있는 다른 환자들에게 양보함으로써 사회적 비용을 줄일 수 있다.

◆ 채점 기준
장기 이식의 관점, 환자와 가족의 심리적·경제적 부담 완화, 회복 가능한 환자에게 침상 양보 등의 논거를 두 가지 서술해야 한다.

07 | 예시 답안 |

우리 형법상 인공 임신 중절을 원칙적으로 금지하고, 태아의 생명도 하나의 인간으로서 존중받아야 한다는 점을

명확히 밝히고 있다. 하지만 예외적인 경우에 한해 인공 임신 중절을 허용하고 있다.

⊘ 채점 기준
인공 임신 중절의 허용 원칙과 예외가 각각 잘 드러나게 서술해야 한다.

08 | 예시 답안 |
적극적 안락사는 약물 주입, 독극물 주입 등 의사의 적극적인 행위로 생명을 끊는 것을 말하며, 소극적 안락사는 치료를 중단하거나 인공 연명 처치를 중단하여 생명을 끊는 것을 말한다.

⊘ 채점 기준
적극적 안락사는 적극적인 행위를 한 것, 소극적 안락사는 해야 할 처치를 하지 않은 것으로 구분하여 서술해야 한다.

주제 02 생명 윤리

1단계 개념 익히기 52쪽

01 (1) 생명 윤리 (2) 인간 (3) 유전자 치료 (4) 생식 세포 (5) 동물 실험 (6) 찬성 **02** (1) ㉡ (2) ㉠ **03** 장기 이식, 인간 복제, 유전자 조작 **04** 인간 중심주의 **05** (1) 아리스토텔레스 (2) 데카르트 (3) 레건 **06** 종 차별주의

2단계 내신 유형 다지기 53~54쪽

01 ① **02** ② **03** ④ **04** ④ **05** ① **06** ② **07** ②
08 ③ **09** ④

01 ① 생명 과학과 생명 윤리는 공통적으로 인간의 존엄성을 제고하고 삶의 질을 향상해야 한다는 공동의 목적을 가지고 있다.

| 오답 피하기 |
②, ③, ④, ⑤ 모두 생명 윤리에 대한 설명이다.

02 ② 생명 복제는 희귀 동물을 보존하고 우수한 품종을 개발 및 유지할 수 있는 장점이 있다. 반면, 자연의 질서에 위

배되고, 종의 다양성을 해침으로써 특정 바이러스에 의해 멸종될 수 있으며, 생명을 수단시하는 문제가 발생한다.

| 오답 피하기 |
ㄴ, ㄷ 모두 생명 복제를 통해 얻을 수 있는 이점이다.

03 ④ 종 차별주의를 주장하면서 고통을 느끼는 존재인 동물을 인간과 동일하게 대우해야 한다고 주장한 사람은 피터 싱어이다.

04 ④ 인간 복제의 경우 불임 부부의 고통을 덜어 준다는 점에서 찬성하는 입장도 있지만 자연스러운 출산 과정에 어긋난다는 점, 인간 정체성의 혼란, 인간의 존엄성을 훼손할 수 있다는 점에서 반대하는 입장이 많다.

| 오답 피하기 |
① 흔히 인간 복제라고 하면 개체 복제를 말한다.
② 인간 복제를 통해 인간을 상품처럼 만들 수 있으므로 생명을 수단시하는 문제가 발생할 수 있다.
③ 인간 복제를 찬성하는 사람들은 난치병 치료를 근거로 제시한다.
⑤ 인간 복제는 인위적인 조작을 가하여 출산을 유도한다.

05 ① 제시문은 무위자연을 강조하는 노자 "도덕경"의 일부 내용이다. 노자의 입장에 따르면, 유전자 치료는 인간의 자연스러운 삶을 위배하는 것이다.

06 ② 유전자 변형 기술을 찬성하는 입장에서는 유전자 변형 기술을 이용하면 우월한 유전 인자를 가진 농산물을 대량으로 생산하여 인류가 당면한 식량 부족 문제와 기아 문제를 해결할 수 있다고 주장한다. 반면, 이를 반대하는 입장에서는 생태계의 질서와 다양성을 해칠 수 있으며, 유전자 조작 기술을 소수의 다국적 기업들이 독점하여 전통적인 친환경 농업이 파탄에 이를 수 있다고 주장한다.

07 ② 제시문은 GMO에 반대하는 입장으로, 유전자 조작은 생물 종의 다양성을 해치는 행위이며, 우성 유전자만이 지구상에 존재할 권리를 가지는 것이 아니라고 주장한다.

| 오답 피하기 |
ㄴ, ㄷ. 유전자 조작에 찬성하는 논거이다.

08 ③ 제시문은 동물 복제를 찬성하는 입장이다. 동물 복제를 반대하는 입장에서는 동물 권리를 강조하고 동물 복지를 중시한다. 반면 동물 복제를 찬성하는 입장에서는 인간을 위해 동물을 수단시하는 것은 불가피하며, 복제견을 통해 테러 방지, 범죄 방지, 마약 거래 및 사용을 미연에 방지할 수 있다고 주장한다.

09 ④ (나)는 싱어의 주장이다. 그는 동물도 인간과 마찬가지로 고통을 느끼는 쾌고 감수 능력이 있기 때문에 인간과 동물을 차별해서는 안 된다고 주장하였다. 따라서 (가)에 대해 고통을 느끼는 동물을 함부로 대해서는 안 된다고 주장할 것이다.

| 오답 피하기 |
① 생명 중심주의, ② 인간 중심주의, ③ 동양적 자연관, ⑤ 생태 중심주의를 나타낸다.

3단계 주관식·서술형 잡기   55쪽

01 인간의 존엄성 제고, 삶의 질 향상

02 쾌고 감수 능력

03 | 예시 답안 |
인간의 존엄성을 훼손한다. / 기술이 악의적으로 활용될 가능성이 있다. / 인류가 그 결과를 예측하지 못해 재앙을 초래할 수 있다.

☑ **채점 기준**
생명 과학의 발전이 인간의 존엄성 제고와 삶의 질 향상에 기여했다는 점을 인식하고, 이와 상반된 내용을 서술해야 한다.

04 | 예시 답안 |
생명 과학 기술의 발달에 따라 나타난 도덕적 문제에 직면하여 윤리적 정당성과 그 한계를 다룸으로써 생명 과학 연구의 방향을 제시하기 위해 등장하였다.

☑ **채점 기준**
현대 사회에 새롭게 부각된 생명 과학의 문제 해결을 위해 등장했다는 내용을 서술해야 한다.

05 | 예시 답안 |
인간의 복지를 위해 동물 실험의 결과를 맹신해 오던 기존 입장에 반론을 제기하면서 동물들의 극심한 고통과 희생에 주목, 동물 실험의 과정은 과학적 차원뿐만 아니라 윤리적 차원에서도 모두 정당하다고 평가받아야 한다는 사회적 분위기가 조성되었다.

☑ **채점 기준**
동물 실험에 대한 '3R 원칙'은 동물 실험의 비윤리적 문제점을 극복하고자 등장하였음을 서술해야 한다.

06 | 예시 답안 |
배아를 인간으로 볼 수 있는지의 논란이 발생한다. / 인간 정체성의 혼란과 인간 존엄성의 훼손을 초래할 수 있다.

☑ **채점 기준**
인간 존엄성의 훼손과 관련하여 인간 복제의 윤리적 문제를 서술해야 한다.

07 | 예시 답안 |
생태계의 자연스러운 질서와 다양성을 해칠 수 있다. / 유전자 변형 기술을 소수의 다국적 기업들이 독점함으로써 사회 정의에 위배된다.

☑ **채점 기준**
유전자 변형 기술의 문제점에 대해 다양한 관점에서 비판적으로 서술해야 한다.

08 | 예시 답안 |
(1) 동물 실험을 반대한다.
(2) 실험 과정에서 동물들이 극심한 고통을 겪고 있다. / 동물 실험을 하는 상황은 인간이 처한 실제 상황과 많은 차이가 있다. / 인간이 가진 질병 중 동물과 공유하는 것은 2%도 되지 않으므로 동물 실험의 결과는 인간을 이해하는 데 별 도움이 되지 않는다. / 동물 실험이 유용할지라도, 이를 대체할 수 있는 다른 방법이 있다면 실험을 하지 않는 것이 옳다.

☑ **채점 기준**
'동물 실험을 반대한다.'라는 주장을 쓰고, 그 주장에 대한 타당한 근거를 서술해야 한다.

주제 03 사랑과 성 윤리

1단계 개념 익히기
60쪽

01 (1) 책임 (2) 자기 결정권 (3) 결혼 (4) 형제자매 02 (1) ㉢
(2) ㉡ (3) ㉠ 03 ㉠ 여성주의 윤리, ㉡ 배려 윤리 04 성
상품화 05 부부유별(夫婦有別) 06 (1) ㄴ (2) ㄱ (3) ㄷ

2단계 내신 유형 다지기
61~62쪽

01 ④ 02 ② 03 ③ 04 ② 05 ① 06 ② 07 ②
08 ① 09 ④ 10 ⑤

01 ④ ㉠은 '사랑'이다. 사랑과 성은 밀접한 관련이 있다. 사
랑과 성은 상대방에 대한 배려와 존중을 근간으로 할 때
온전한 가치를 지닐 수 있으며, 사랑을 전제로 하는 성은
인간의 인격과 품위를 고양할 수 있다. 그러나 사랑과 성
적 욕망이 항상 일치하는 것은 아니므로 성적 욕망과 사
랑을 혼동해서는 안 된다.
④ 사회적 성에 대한 설명이다.

02 ② 인간의 성은 생식적, 쾌락적, 인격적 가치를 지니고
있다. 그중 인격적 가치는 인간에게만 있는 고유한 것으
로 상대방에 대한 존중과 예의, 배려를 바탕으로 한다.

03 ③ 성과 사랑의 관계를 바라보는 보수주의 입장은 결혼
을 전제로 한 경우에만 성적 관계가 가능하다고 보고, 중
도주의 입장은 두 사람의 사랑을 전제로 한 경우에 성적
관계가 가능하다고 본다. 자유주의 입장은 서로 간의 자
발적 동의만 있으면 성적 관계가 가능하다고 본다.

04 ② 성과 사랑의 관계를 바라보는 ㉠은 보수주의, ㉡은 중
도주의, ㉢은 자유주의의 입장이다.
ㄱ. 보수주의 입장은 결혼을 통해 이루어지는 성적 관계
만이 정당하다고 여기며 혼전이나 혼외 성적 관계는 허
용하지 않는다. ㄷ. 자유주의 입장에서는 자발적 동의
만 있으면 성적 관계가 가능하므로 성과 사랑을 결부시
키지 않는다.
| 오답 피하기 |
ㄴ. 자유주의 입장은 개인 간의 자발적 동의가 있으면 성적 관

계는 가능하다고 본다.
ㄹ. 보수주의 입장은 부부간의 신뢰와 사랑을 전제로 한 성적
관계만이 정당하다고 본다.

05 ① 갑은 성 상품화를 찬성하는 입장이고, 을은 반대하는
입장이므로 ①은 갑의 주장에 대한 논거이다.

06 ② 제시문은 모두 성과 관련된 윤리적 문제들로 성 상품
화, 인공 임신 중절이 초래할 수 있는 문제점을 나타낸다.

07 ② 성 자체를 시장에서 거래되는 하나의 상품처럼 취급
하는 행위를 성 상품화라고 한다. 성 상품화는 직접적으
로 성을 매매하는 행위뿐만 아니라 성적 이미지를 제품
과 연결지어 간접적으로 성을 판매 촉진에 이용하는 경
우도 포함한다.

08 ① ㉠은 정의 윤리, ㉡은 배려 윤리이다. 정의 윤리에서
는 이성, 보편성, 합리성 등을, 배려 윤리에서는 배려, 공
감, 책임, 수용, 관계성 등을 중시한다.
| 오답 피하기 |
②, ③, ④, ⑤ 배려 윤리에서 강조하는 내용이다.

09 ④ (가)는 형제자매 관계, (나)는 부자 관계, (다)는 부부
관계를 나타낸다. 형제자매 관계와 부자 관계는 위로 공
경하고 아래로는 사랑하는 상경하애(上敬下愛)의 정신이
필요하다.
| 오답 피하기 |
① 군신유의(君臣有義)는 임금과 신하 간의 윤리이다.
② 붕우유신(朋友有信)은 친구 간의 윤리이다.
③ 부모와 자녀 간에는 자애와 효도로써 대해야 한다.
⑤ 형우제공(兄友弟恭)은 형제자매 간의 윤리이다.

10 ⑤ 가족 해체 현상은 부모의 이혼이나 그로 인한 청소년
또는 가족 내 구성원의 가출 등으로 일반적인 가족 형태
를 유지하지 못하고 가족이 지닌 본래의 기능을 수행하지
못하는 현대 가족의 모습을 나타낸다. 가족 해체의 원인
중 하나로 여성의 사회적 지위 향상으로 경제적 독립이
가능해졌고 그로 인해 이혼율이 증가했다고 볼 수 있다.

01 보수주의, 중도주의, 자유주의

02 (1) 보편성, 합리성
(2) 돌봄, 공감, 관계성

03 | 예시 답안 |
성에 대한 자기 결정권과 표현의 자유를 인정해야 한다.
/ 성적 매력에 호소하는 것은 소비자의 선호를 반영한 것
으로 자본주의 논리에 부합한다.

◆ 채점 기준
성 상품화를 찬성하는 논거로 성에 대한 자기 결정권과 자본주
의 논리 등에 대해 서술해야 한다.

04 ㉠ 부모에게서 받은 몸을 깨끗하고 온전하게 하는 것,
㉡ 후세에 이름을 떨쳐 부모를 영광되게 해 드리는 것

05 | 예시 답안 |
(1) 형제자매는 부모의 기운을 동일하게 받고 태어났다
는 의미로 예전에는 동기간(同氣間)이라고 하였으며, 형
제자매 관계는 경쟁과 대립, 친애와 협동의 두 측면을 포
함하고 있다.
(2) 과거에는 혈연관계만으로 형제자매 관계가 형성되었
지만 현대 사회에는 재혼이나 입양 등의 방법으로 형제자
매가 되기도 한다.

◆ 채점 기준
경쟁과 협동 등 형제자매 관계의 특징과, 현대 형제자매 관계
가 재혼이나 입양의 형태로도 형성된다는 점을 서술해야 한다.

06 | 예시 답안 |
노인들은 경제적으로 어려운 빈고(貧苦), 몸이 아픈 병고
(病苦), 심리적으로 외로운 고독고(孤獨苦), 마땅히 할 일
이 없는 무위고(無爲苦)에 시달리고 있다.

◆ 채점 기준
노인들이 지니고 있는 경제적 어려움, 고독 등에 대해 서술해
야 한다.

01 ⑤	02 ①	03 ⑤	04 ①	05 ④	06 ②	07 ⑤
08 ①	09 ⑤	10 ④	11 ③	12 ③	13 ⑤	14 ①
15 ⑤	16 ⑤					

01 ⑤ 출생은 한 인간의 삶뿐만 아니라 가정, 지역 사회, 국
가 등 다양한 공동체에 속하게 되는 첫 출발점이 된다. 즉
인간은 출생을 통해 개인 또는 가족 구성원으로서 자리매
김하고, 점차 더 넓은 공동체로 나아가 사회 속에서 일정
한 역할을 수행하면서 개인으로서의 삶뿐만 아니라 사회
적 존재로서의 삶을 살아가게 된다.

| 오답 피하기 |
ㄱ, ㄴ. 출생의 생물학적 의미이다.

02 ① 밑줄 친 법령은 인공 임신 중절을 허용하자는 취지이다.
이에 대한 반대 논거로는 ㄱ. 태아의 생명도 하나의 인간으
로서 존중받아야 한다는 점, ㄴ. 태아의 인간으로서의 잠
재 가능성 논거이다.

| 오답 피하기 |
ㄷ, ㄹ. 인공 임신 중절에 대한 찬성 논거이다.

03 ⑤ (가)는 인공 임신 중절 반대 입장으로 친생명론이고,
(나)는 인공 임신 중절 찬성 입장으로 친선택론이다. 두
입장은 태아의 지위에 대해 상반된 입장을 지니고 있다.
즉 인공 임신 중절 반대 입장에서는 태아를 인간과 동일
한 도덕적 지위를 지닌다고 보고, 인공 임신 중절 찬성 입
장에서는 태아가 완전한 인간이 아니라고 본다.

| 오답 피하기 |
①, ② 인공 임신 중절에 대한 찬성 입장이다.
③, ④ 인공 임신 중절에 대한 반대 입장이다.

04 ① 이것은 '자살'이다. 유교에서는 불감훼상을 효의 시작
으로 보고, 이를 어기면 불효로 인식하였다.

| 오답 피하기 |
② 불교, ③ 도가, ④ 기독교, ⑤ 칸트 사상에서 바라본 자살
에 대한 입장이다.

05 ④ (가)는 불교, (나)는 도가, (다)는 에피쿠로스 사상에
해당한다. 불교에서는 삶과 죽음이 다르지 않다고 주장

하였고, 도가에서는 삶과 죽음은 사계절의 변화처럼 자연스러운 것이라고 보았다. 불교와 도가에서는 모두 죽음을 두려워하지 말고 순리로서 받아들여야 한다고 주장한다.

| 오답 피하기 |
① 불교에서는 삶과 죽음을 모두 괴로움으로 본다.
② 플라톤의 입장이다.
③ 에피쿠로스는 인간이 살아 있는 동안 죽음을 경험하지 못하고 죽어 있는 상태에서는 죽음을 의식하지 못하기 때문에 죽음을 두려워할 필요가 없다고 본다.
⑤ 공자의 입장이다.

06 ② 제시문은 연기설로, 이는 불교의 대표적인 사상이다. 불교의 오계 중 첫 번째 계율인 불살생(不殺生)은 살아 있는 것을 죽이지 말라는 것으로, 다른 생명뿐만 아니라 자신의 생명도 해쳐서는 안 된다는 의미를 담고 있다.

| 오답 피하기 |
① 도가 사상에서 자살을 바라보는 관점에 해당한다.
③ 칸트 사상에서 자살을 바라보는 관점에 해당한다.
④ 자연법 윤리에서 자살을 바라보는 관점에 해당한다.
⑤ 유교 사상에서 자살을 바라보는 관점에 해당한다.

07 ⑤ 불치병 환자의 안락사에 대해 갑은 '최대 다수의 최대 행복'의 원리를 도덕의 원리로 삼는 공리주의 입장에서 찬성한다. 반면, 을은 칸트 사상에서 모든 사람의 인격을 언제나 동시에 수단이 아닌 목적으로서 대우해야 한다는 점과 자연법 윤리의 입장에서 안락사를 반대한다.

| 오답 피하기 |
ㄱ. 기독교의 입장에서 안락사를 반대하는 입장으로 을의 주장에 부합한다.

08 ① 밑줄 친 '다른 결정'은 뇌사를 찬성하는 입장이다. 뇌사는 심폐사와 달리 뇌의 전체 기능이 돌이킬 수 없는 상태로 손상되고, 뇌간의 생명 중추 기능도 상실된 상태를 말한다.

| 오답 피하기 |
ㄷ. 뇌사 찬성론자들은 뇌사 판정을 통해 장기를 이식함으로써 다른 사람의 생명을 살리는 데 의료 자원을 효율적으로 사용할 수 있고, ㄹ. 뇌사 환자와 그 가족의 심리적·경제적 고통을 해소할 수 있다는 것을 논거로 든다. 반면 ㄱ. 뇌사 반대론자들은

장기 이식을 유도하기 위해 뇌사 판정이 남용될 우려가 있으며, ㄴ. 다른 사람의 생명을 이용함으로써 인간의 존엄성을 훼손할 우려가 있다고 본다.

09 ⑤ 인간 복제는 아기를 가질 수 없는 부부의 고통을 덜어 줄 수 있고, 자신이 원하는 유전자형의 아이를 얻을 수 있으며, 난치병 치료를 가능하게 만들 수도 있다. 하지만 배아의 도덕적 지위를 약화시키고 복제된 인간을 수단시함으로써 생명 경시 풍토를 조성할 수 있으며, 복제 인간은 정체성의 혼란을 겪을 수 있다.

10 ④ 갑은 유전자 변형 농산물(GMO) 수입을 찬성하는 입장이고, 을은 인체에 해를 끼치는 식품의 수입은 제한되어야 한다고 보므로 반대하는 입장이다.

11 ③ (가)는 아리스토텔레스의 주장으로, 인간 중심주의이다. (나)는 데카르트의 주장으로, 인간과 달리 동물에게는 정신이나 영혼이 없어서 쾌락이나 고통을 느낄 수 없기 때문에 동물은 권리를 지니고 있지 않다고 보았다. (다)는 레건의 주장으로, 일부 동물의 경우 실험에 이용되지 않을 권리가 있다고 보았다.
③ 아리스토텔레스와 데카르트는 인간을 동물보다 우월한 존재로 여긴다.

12 ③ 제시문은 유네스코에서 선포한 '국제 동물 권리 선언' 전문의 일부이다. 동물 권리론은 동물에게도 일정 부분 지능이나 문화가 있으며, 인간과 동물 사이에 근본적인 차이가 없다는 인식으로 등장하게 되었다.

13 ⑤ (가)는 성이 사랑과 절제를 전제한다는 입장이고, (나)는 자유주의의 입장이다. (가)의 입장에서 (나)의 입장을 상대방에 대한 존중과 책임을 전제하는 것이 성임을 간과하고 있다고 비판할 수 있다.

| 오답 피하기 |
① (나)의 입장에 따르면, 성의 목적을 쾌락에 두고 있다.
② (나)의 입장에서는 사랑이 없는 다양한 성적 활동을 인정한다.
③ (나)의 입장에서는 성적 활동이 지닌 쾌락적 가치를 과대 평가하고 있다.

④ (가)는 성적 활동이 지닌 수단적 가치를 인정하지 않고, (나)는 성적 활동이 지닌 수단적 가치를 강조하고 있다.

14 ① 밑줄 친 '이 대회'는 한국의 미인 대회인 미스코리아 대회를 여성의 성을 상품화하는 대회라고 지적하면서 여성의 외모만을 미의 기준으로 삼던 기존의 미스 코리아 대회에 맞서 새로운 여성미의 다양한 기준을 제시하기 위해 마련된 행사이다.

| 오답 피하기 |

ㄷ, ㄹ. '이 대회'는 여성의 성적 기준을 객관화하자는 취지가 아니며, 타인이 자신에 대해 내리는 성적 평가에 따라 스스로를 구속해서는 안 된다고 주장한다.

15 ⑤ (가)는 여성주의 윤리, (나)는 배려 윤리이다. 양자는 모두 구체적인 맥락이나 인간관계의 중요성을 강조하며, 현실 생활에서 구체적인 해결책을 찾는 데에 효과적인 현대 윤리주의이다. 그러나 특정 상황에서 옳다고 여기는 바가 다를 수 있기 때문에 어떤 행위를 해야 하는지를 분명하게 알려 주는 데에는 한계를 지니고 있다.

| 오답 피하기 |

ㄱ. 규칙 공리주의에 해당한다.
ㄹ. 칸트 윤리에 해당한다.

16 ⑤ (가)는 음양 사상, (나)의 ㉠은 '부부'이다. 음양 사상에 따르면, 양 속에는 음이 있고 음 속에도 양이 있는 것처럼, 남성 속에도 여성성이 있고 여성 속에도 남성성이 있다.

| 오답 피하기 |

① 부부의 성 역할은 고정된 것이 아니라 각자의 능력과 역할에 따라 역할을 분담해야 한다.
② 부부는 서로의 부족한 부분을 채워 주는 보완적 관계이다.
③ 신체적 능력에 따른 차이는 인정하되 이를 차별의 근거로 삼아서는 안 된다.
④ 부부는 남녀의 차이에 따른 서열이 있다고 생각해서는 안 된다.

III 사회와 윤리

01 직업과 청렴의 윤리

1단계 개념 익히기　76쪽

01 (1) ○ (2) × (3) × (4) ○ (5) ○　02 ㄱ, ㄴ, ㄷ　03 (1) 아리스토텔레스 (2) 소명 (3) 직업윤리 (4) 청렴　04 기업가
05 전문직　06 ㉠ 반부패, ㉡ 투명성, ㉢ 책임성

2단계 내신 유형 다지기　77~78쪽

01 ⑤　02 ⑤　03 ③　04 ①　05 ②　06 ⑤　07 ②
08 ③　09 ④　10 ②

01 ⑤ 직업 생활에서 맺게 되는 다양한 인간관계를 통해 사회적 소속감과 정서적 안정감을 얻을 수 있다. 이해 타산적 태도는 이익과 손해를 헤아리는 마음으로 인간관계를 수단으로 여기는 자세이다.

02 ⑤ 직업 생활에 보편적으로 필요한 태도로는 일에 대한 책임감, 이해관계를 초월한 진실성, 근면과 성실, 금욕적 태도, 공평무사한 일처리 등의 직업적 양심, 연대 의식, 소명 의식, 인간애, 전문성 등이 있다.

03 ③ 제시문은 자본주의에서 노동의 소외 문제를 비판하는 마르크스의 글이다. 그는 그 자체가 목적이 되는 자발적인 노동, 자신의 잠재력을 계발하고 진정한 자아실현을 이루는 노동이 필요하다고 본다.

| 오답 피하기 |

① 마르크스는 사유 재산의 철폐를 주장한다.
② 마르크스는 정신노동과 육체노동을 우열 관계로 보지 않는다.
④ 마르크스는 경제적 생산성(효율성)이 아니라 분배의 형평성을 강조한다.
⑤ 개인의 이기심을 근거로 자본주의 이론을 확립한 애덤 스미스의 주장이다.

04 ① 갑은 공자, 을은 플라톤이다. 갑과 을 모두 사회 구성원으로서 각자 주어진 역할에 최선을 다할 때 사회는 안정될 수 있다고 보았으며, 사회적 분업을 강조하였다.

| 오답 피하기 |

② 갑, 을 모두 부의 축적을 직업의 궁극적인 목표로 삼지 않는다.

③ 중세 그리스도교의 직업관에 해당한다.

④ 칼뱅의 직업 소명설에 해당한다.

⑤ 갑, 을 모두 개인의 취향이 아니라 개인의 능력에 적합한 역할을 분담해야 한다고 본다.

05 ② 사례에는 화가로서 자신의 일에 전념하여 그 일에 정통하고자 하는 전문성, 즉 장인 정신이 나타나 있다.

06 ⑤ 비윤리적인 기업의 경우, 잘못된 경영으로 기업의 이미지가 실추되어 단기적인 피해뿐만 아니라 장기적인 이익에도 큰 영향을 미치게 된다.

07 ② 기업의 사회적 책임에는 윤리적 책임, 경제적 책임, 자선적 책임, 법적 책임 등이 있다.

ㄱ, ㄷ. 제시문에는 나눔과 배려를 통해 사회 공헌 활동을 하는 윤리적 책임과 기부나 교육·문화 향상 프로그램 등을 운영하는 자선적 책임이 나타나 있다.

| 오답 피하기 |

ㄴ. 기업의 법적 책임에 대한 설명이다.

ㄹ. 기업의 경제적 책임에 대한 설명이다.

08 ③ 전문직은 고도의 전문적 교육과 훈련을 통해 일정한 자격, 면허를 획득해야만 종사할 수 있는 직업으로, 높은 수준의 윤리 의식이 요구된다. 또한 전문직의 사회적 영향력은 확대되는 추세이며, 전문직의 전문성과 자율성에 따르는 큰 책임 의식을 가지고 있어야 한다.

| 오답 피하기 |

① 전문직의 사회적 영향력은 확대되고 있는 추세이다.

② 전문직의 행동은 개인의 양심뿐만 아니라 법과 제도를 통해서도 규율되어야 한다.

④ 전문직은 높은 사회적 책무성을 가져야 한다.

⑤ 전문직은 고도의 전문적 훈련을 통해 관련 분야의 전문적 지식을 갖추어야 한다.

09 ④ 갑은 정약용이다. 그가 강조한 청렴의 정신에 따르면, 공직자는 국민의 대리인으로서 봉공의 태도를 가져야 한다.

10 ② 근로자는 기업의 이익을 보호하기 위해 업무와 영업에 관련된 비밀을 준수해야 한다.

3단계 주관식·서술형 잡기   79쪽

01 직업은 생계를 유지하기 위한 활동이다.

02 ㉠ 단결권, ㉡ 단체 교섭권, ㉢ 단체 행동권

03 (1) 성실, 근면, 공평 등
(2) 의사의 생명 존중 의식, 언론인의 공정 보도의 태도 등

04 청백리

05 | 예시 답안 |

직업을 부와 명예 등을 얻기 위한 도구로 보는 수단적 관점, 사회 발전에 기여하고 봉사하는 측면을 강조하는 참여적 관점, 개인의 소질과 능력을 발휘하여 직업 그 자체를 목적으로 보는 자아실현적 관점이 있다.

◆ 채점 기준

직업을 바라보는 세 가지 관점과 그 구체적인 내용을 모두 서술해야 한다.

06 | 예시 답안 |

(1) 개인 윤리적 입장에서 기업가는 투명하게 기업을 운영하고 인간애를 바탕으로 근로자의 근무 및 복지 환경의 개선을 위해 노력해야 한다. 근로자는 기업가와의 동반자 의식을 바탕으로 성실하고 책임감 있는 자세로 직무에 임해야 한다.

(2) 사회 윤리적 입장에서 근로 기준법, 노동조합 및 노동관계 조정법 등 기업가, 근로자의 권리를 보장하고 상생의 협력을 실천할 수 있는 법규를 도입해야 한다.

◆ 채점 기준

기업가와 근로자가 개인의 양심과 도덕성에 바탕을 두어야 한다는 개인 윤리적 입장과 노사 갈등을 해결하기 위한 법과 제도적 측면의 노력을 해야 한다는 사회 윤리적 입장을 명확히 서술해야 한다.

07 | 예시 답안 |

전문직 종사자는 고도의 전문적 교육과 훈련을 통해서만 일정한 자격을 획득할 수 있으므로 사회적 지위와 자율성이 높은 편이다. 그러나 그들의 자율성이 남용될 경우 비윤리적이고 반사회적 행위에 따른 폐해가 클 수 있기 때문에 특별히 높은 수준의 윤리 의식과 책무성이 요구된다.

✅ 채점 기준

현대 지식 기반 사회에서 전문직의 위상과 사회적 영향력이 커지고 있으므로 이에 따른 책무성이 요구된다는 내용을 서술해야 한다.

주제 02 사회 정의와 윤리

1단계 개념 익히기 84쪽

01 (1) 정의, 이타성 (2) 집단 이기주의 (3) 준법 (4) 특수적
02 ㉠ 정의, ㉡ 분배적 정의 03 원초적 입장 04 우대 정
책 05 (1) ㉠ (2) ㉡ 06 (1) × (2) × (3) ○

2단계 내신 유형 다지기 85~86쪽

01 ⑤ 02 ⑤ 03 ② 04 ④ 05 ② 06 ③ 07 ②
08 ⑤ 09 ② 10 ③

01 ⑤ 모든 사람이 능력에 따라 일하고 필요에 따라 분배받는 결과적 평등을 지향하는 사상가는 마르크스이다.

| 오답 피하기 |
① 아리스토텔레스의 일반적 정의에 해당한다.
② 아리스토텔레스의 특수적 정의에 해당한다.
③ 아리스토텔레스는 개인의 가치, 업적, 능력에 비례하여 분배하는 분배적 정의를 주장한다.
④ 아리스토텔레스의 교정적 정의에 해당한다.

02 ⑤ 니부어는 사회 문제의 해결을 위해서는 선의지의 통제를 받는 비합리적인 수단을 사용해도 된다고 보았다.

| 오답 피하기 |
① 니부어는 집단 간 힘의 불균형으로 갈등이 확대되었다고 본다.
② 니부어에 따르면, 집단의 도덕성은 개인의 도덕성보다 현저히 떨어진다.
③ 니부어는 집단과 집단 사이의 관계를 정치적인 것으로 본다.
④ 니부어에 따르면, 사회 갈등을 해결하기 위해서는 개인의 도덕성 함양뿐만 아니라 사회 구조 및 제도적인 노력이 필요하다.

03 ② 아리스토텔레스는 정의를 일반적 정의와 특수적 정의로 구분하였는데, 일반적 정의는 공동선을 장려하는 사회 규범, 즉 법을 지키는 준법이라고 하였으며, 특수적 정의는 각자에게 각자의 몫이 공정하게 주어지는 것이라고 하였다.

04 ④ 분배의 기준에는 다양한 비판들이 제기될 수 있다. 능력을 기준으로 삼을 경우 우연적이고 선천적인 요소를 배제할 수 있는지의 문제가, 기여도의 경우 서로 다른 일의 업적을 비교할 수 있는지의 문제와 과열 경쟁으로 위화감이 조성되는지의 문제가, 노력의 경우 정확한 측정이 어렵다는 문제가 있다.

05 ② 제시문은 우리나라의 우대 정책 중 여성 할당제에 관한 내용이다. 우대 정책의 찬성 근거로는 차별에 대한 보상(ㄱ)과 사회 전체 행복 증진(ㄷ) 등을 들 수 있다.

| 오답 피하기 |
ㄴ, ㄹ. 반대 근거로는 보상 책임의 부당성, 업적주의 원칙의 위배 등을 들 수 있다.

06 ③ 가상 대화의 사상가는 노직이다. 그는 자유 지상주의 입장에서 국가는 시민의 안전 보호와 계약 집행의 감독 등 최소 국가의 역할만을 수행해야 한다고 주장한다.

| 오답 피하기 |
①, ② 노직이 주장한 이상적인 국가는 최소 국가이다.
④ 세금 확대를 통한 복지 제도 확충은 복지 국가에서 수행하는 일이다.
⑤ 소득 재분배 정책을 통한 생존권 보장은 복지 국가에서 수행하는 일이다.

07 ② 제시문은 양적 공리주의를 주장한 벤담의 글이다. 그

는 처벌을 시행함에 있어 그 결과적 유용성, 즉 범죄 예방 및 교화를 통한 사회 복귀 등의 효과를 따져 보아야 한다고 주장한다.

| 오답 피하기 |
ㄴ. 자연법 윤리와 관련한 질문이다.
ㄹ. 칸트의 의무론의 입장에서 제시할 질문이다.

08 ⑤ 제시문은 사형에 관한 칸트의 글이다. 칸트는 인간이 이성과 자유 의지로 살인을 선택하고 저질렀다면 동등성의 원리, 즉 죄와 형벌은 동등해야 한다는 원칙과 인간 존중의 원칙에 따라 사형을 집행해야 한다고 본다.

09 ② 형벌의 목적을 범죄자를 교화시켜 다시 사회에 복귀시켜야 한다고 보는 것은 공리주의적 입장에서 사형 제도를 반대하는 입장이다.

| 오답 피하기 |
①, ③, ④, ⑤ 모두 사형 제도를 찬성하는 입장이다.

10 ③ 제시문은 공리주의자 베카리아의 주장이다. 그는 형벌의 강도보다 지속성이 더 효과가 크다고 주장하며, 사형제보다 종신 노역형의 실시를 주장한다.

| 오답 피하기 |
① 칸트의 주장에 해당한다.
② 루소의 주장에 해당한다.
④ 베카리아는 공리주의 관점에서 사형제를 원칙적으로 반대한다.
⑤ 베카리아는 사형은 범죄 예방 등에 효과적이지 않다고 주장한다.

3단계 주관식·서술형 잡기   87쪽

01 ㉠ 형식적, ㉡ 실질적

02 ㉠ 응보, ㉡ 수단

03 | 예시 답안 |
집단의 도덕성은 개인의 도덕성보다 현저히 떨어진다. /

아무리 도덕성이 높은 개인일지라도 집단에 소속되면 도덕성이 약화된다. / 집단의 도덕성은 개인의 도덕성보다 열등하다.

◆ 채점 기준
아무리 양심적인 개인일지라도 집단에 소속되면 집단의 이익을 위해 비도덕적인 행동을 쉽게 할 수 있다는 내용을 서술해야 한다.

04 | 예시 답안 |
공정한 분배의 원칙에 합의하기 위해서는 자연적·사회적 우연성의 영향을 받지 않고, 자신의 유불리를 모르는 누구나 평등한 상황이 확보되어야 하기 때문이다.

◆ 채점 기준
롤스에 따르면 무지의 베일을 쓴 원초적 입장에서 각 개인들은 우연성을 배제한 채 자유롭고 평등하며 합리적인 선택을 통해 정의의 원칙에 합의할 수 있다고 보았다. 무지의 베일을 통해 왜 우연성을 배제해야 하는지에 대한 근거를 서술해야 한다.

05 | 예시 답안 |
갑: 롤스, 을: 노직
롤스와 노직은 모두 절차적 정의를 강조하고 있으며, 다수의 이익을 위해서라도 개인의 자유가 침해될 수 없고, 모든 사람에게 동등한 자유가 최대한 보장되어야 한다고 주장한다.

◆ 채점 기준
롤스와 노직의 공통점인 '절차적 정의'와 '자유의 보장'을 서술해야 한다.

06 | 예시 답안 |
(1) 베카리아는 사형의 범죄 예방 및 억제 효과가 미미하다는 근거로 사형 제도를 반대한다.
(2) 베카리아는 형벌의 강도보다 지속성이 더 큰 효과가 있다고 주장하며, 종신 노역형을 대안으로 제시한다.

◆ 채점 기준
반대 근거로 사형의 범죄 예방 및 억제 효과가 미미하다는 내용과 그 대안으로 종신 노역형을 서술해야 한다.

국가와 시민의 윤리

1단계 개념 익히기 92쪽

01 (1) 효 (2) 계약 (3) 국가, 국가 (4) 자연적 의무 02 (1) × (2) ○ (3) ○ (4) ○ (5) × 03 시민 불복종 04 ㉠ 헌법 정신, ㉡ 정의관(정의감), ㉢ 공리 05 ㉠ 공익, ㉡ 공개성, ㉢ 처벌 감수

2단계 내신 유형 다지기 93~94쪽

01 ② 02 ④ 03 ⑤ 04 ⑤ 05 ② 06 ④ 07 ③ 08 ② 09 ⑤

01 ② 시민들은 국가의 권위에 복종할 뿐만 아니라 국가에 대해 자유권, 평등권, 참정권, 청구권, 사회권 등을 요구할 수 있다.

02 ④ 제시문은 로크의 사회 계약설이다. 사회 계약설에 따르면 국가는 각 개인들이 자신의 기본권을 보장받기 위해 자발적인 계약과 동의로써 만든 인위적 산물이다. 따라서 시민은 계약에 따라 자신의 권리 일부 혹은 전부를 국가에 양도하고, 그 권위에 복종해야 한다.

| 오답 피하기 |
① 로크는 정부가 시민의 기본권을 보호하지 못하거나 침해할 경우, 시민의 저항권을 인정한다.
② 로크는 사회 계약을 통해 시민의 권리를 정부에 위임한다고 본다.
③ 로크에 따르면, 명시적 동의뿐만 아니라 묵시적 동의를 통해서도 국가에 대한 시민의 복종 근거가 성립된다.
⑤ 사회 계약설에서는 국가를 시민의 자연권을 보호하기 위한 수단으로 본다.

03 ⑤ 갑은 국가에 대한 복종의 근거를 인간의 본성에서 찾고 있으며, 을은 공공재와 관행의 혜택에서 찾고 있다. 갑은 을에게 국가와 시민 간의 관계가 지나치게 이해 타산적으로 흐를 수 있다고 반론을 제기할 것이다.

| 오답 피하기 |
①, ②, ④ 을이 갑에게 제기할 수 있는 반론이다.
③ 갑과 을이 사회 계약론자들에게 제기할 수 있는 반론이다.

04 ⑤ 제시문은 헌법에서 규정하고 있는 국가의 의무이다. 국가는 시민의 생명과 재산, 인권을 보호해야 하는 소극적 의무와 모든 국민이 인간다운 삶을 영위할 수 있도록 사회 복지를 증진해야 하는 적극적 의무를 가지고 있다. 국가가 정당한 권위를 행사하기 위해서는 이러한 시민에 대한 의무를 다해야 한다.

| 오답 피하기 |
① 헌법 조항을 통해 알 수 없는 내용이다.
② 국가의 의무와 시민의 권리는 서로 관련이 있다.
③, ④ 국가는 국민의 인권을 보장하고, 사회 보장·사회 복지 증진에 노력할 의무를 진다.

05 ② 개인의 권리가 침해될 경우, 개인은 권리의 보장을 위해 국가에 대해 적극적으로 청구할 수 있는 청구권을 가진다.

| 오답 피하기 |
① 시민은 자신의 생각을 자유롭게 표현할 수 있는 자유권을 가진다.
③ 시민은 국가의 정책이나 정치에 직간접적으로 참여할 수 있는 참정권을 가진다.
④ 시민은 인간다운 삶을 영위하는 데 필요한 조건을 국가에 요구할 수 있는 사회권을 가진다.
⑤ 모든 국민은 법 앞에 평등하고 성별과 종교 등에 의해 차별받지 않을 평등권을 가진다.

06 ④ 제시문은 시민의 정치 참여의 방법인 주민 소환 제도이다. 주민 소환 제도, 주민 투표 등 시민들의 정치에 관한 적극적이고 자발적인 참여는 민주주의 발전의 토대가 된다.

07 ③ 제시문은 '시민 불복종' 개념을 처음으로 사용한 소로의 글이다. 그는 양심에 근거하여 불의한 법에 저항하는 시민 불복종을 주장하였다.

08 ② 제시문은 롤스의 시민 불복종에 관한 글이다. 그는 시민 불복종은 공익을 목적으로, 최후의 수단으로 활용되어야 한다고 주장한다.

| 오답 피하기 |
ㄴ. 롤스에 따르면, 시민 불복종은 그 정당성을 널리 알리기 위해 공개적으로 이루어져야 한다.

ㄷ. 롤스는 시민 불복종이 비폭력적인 방법으로 전개되어야 한다고 보았다.

09 ⑤ 민주주의에서 참여는 본래적 가치, 자기 개발 가치, 도구적 가치로서의 의의를 지닌다. 본래적 가치는 스스로에 대한 자부심과 귀속감을 느끼는 사회적 정체성을 형성하게 되는 것이며, 자기 개발 가치는 사고의 폭이 넓어지고 자아가 성숙해지는 계기가 되는 것이고, 도구적 가치는 사회 구성원 스스로의 이익을 보호하고 민주주의 발전을 심화하는 역할을 하는 것이다.

| 오답 피하기 |
ㄱ. 민주주의는 다수의 지배를 원칙으로 하고 있으며, 시민의 정치 참여는 직접 민주주의를 실현하는 하나의 방법으로 민주주의의 질을 높이는 역할을 한다.

3단계 주관식·서술형 잡기 95쪽

01 시민의 자연권(기본권)을 보장받기 위해서이다.

02 묵시적 동의(암묵적 동의)

03 | 예시 답안 |
(1) 시민의 생명과 재산, 인권을 보호한다.
(2) 모든 국민이 인간다운 삶을 영위할 수 있도록 사회 복지를 증진해야 한다.

04 | 예시 답안 |
(1) 시민 불복종은 불의한 법과 제도에 대항하여 이를 교정하고 국민의 인권을 신장하여 정의로운 사회를 실현하는 데 기여한다.
(2) 시민들의 준법 의식을 약화시키고 국가와 사회의 존립 자체를 위협할 수도 있는 문제점이 있으며, 시민 불복종 운동의 주체가 지닌 대표성의 문제, 감정을 자극하여 시민을 선동하는 문제 등이 있다.

◎ 채점 기준
시민 불복종은 시민의 적극적인 정치 참여를 통해 민주주의 실현에 기여하지만, 준법 의식 약화, 대표성 문제, 시민 선동 등의 문제가 제기된다. 시민 불복종의 문제점 중 하나를 정확히 진술하면 정답으로 인정한다.

05 | 예시 답안 |
시민 불복종은 기본적으로 법체계 전체를 부정하는 것이 아니라 부정의한 일부 법과 정책을 바로잡기 위한 것이므로 그로 인해 예상되는 처벌을 감수해야 한다.

◎ 채점 기준
'법체계의 존중'에 근거하여 서술해야 한다.

06 | 예시 답안 |
• 공공성: 사적 이익 추구가 아니라 사회 정의의 실현 등 공익을 목적으로 삼는 양심적 행동이어야 한다.
• 공개성: 불복종의 정당성과 정의의 규범적·윤리적 근거를 널리 알리기 위해 공개적으로 이루어져야 한다.
• 비폭력적 방법: 비폭력적인 방법으로 전개해야 하며, 불의한 법과 정책에 대해 폭력적으로 대응하거나 이를 선동해서는 안 된다.
• 최후의 수단: 합법적인 방법과 절차에 따랐지만 그 효과가 없을 때 마지막 수단으로 사용해야 한다.
• 처벌 감수: 시민 불복종은 정의롭지 못한 법과 정책을 바로잡고자 하는 행위이므로, 그로 인해 예상되는 체포나 처벌을 감수한다.

◎ 채점 기준
시민 불복종의 정당화 조건과 그 내용을 세 가지 이상 올바르게 서술해야 한다.

07 | 예시 답안 |
다수의 참여가 오히려 잘못된 결과를 초래하고, 결과만을 향유하려는 무임승차의 문제가 발생할 수 있다. / 다수의 참여가 행정과 자원에 과도한 부담을 주어 바람직한 의사 결정을 저해할 수 있다. / 정책의 일관성 및 정치 지도자에 대한 신뢰를 저하시킬 위험성이 있다.

◎ 채점 기준
무임승차의 문제, 바람직한 의사 결정 저해 등 도구적 가치로서의 참여가 가질 수 있는 문제점을 두 가지 서술해야 한다.

01 ⑤ 마르크스는 자본주의하에서의 분업이 인간을 기계의 부속품으로 전락시켰고 노동자는 인간 소외를 경험하게 된다고 비판하였다.

02 ④ 제시문은 칼뱅의 직업 소명설에 관한 내용이다. 그는 자신의 직업을 신의 소명으로 여기고 근면, 성실하게 직업 생활에 최선을 다하는 것이 신의 영광을 드러내는 것이라고 보았다.

03 ③ 신문 기사의 ○○○ 선생님은 전문성을 갖추기 위해 끊임없이 노력하고 있다. 전문성은 자기가 하고 있는 일에 전념하거나 한 가지 기술을 전공하여 그 일에 정통하려고 하는 직업 정신인 장인 정신을 의미한다.

04 ① 제시문은 맹자의 글이다. 맹자는 항산(恒産) 이후 항심(恒心), 즉 일반 백성들은 기본적인 생계가 유지된 후에야 도덕적인 마음이 유지될 수 있다고 주장한다.

05 ③ 갑은 기업의 이윤 추구만을, 을은 기업의 사회적 책임을 통해 공익뿐만 아니라 기업의 장기적 이익 또한 증진할 수 있다는 입장이다. 을은 갑에게 기업은 사회적 책임을 져야 하는 적극적 의무를 가지고 있다고 비판할 것이다.

| 오답 피하기 |
①, ② 갑, 을의 공통된 입장이다.
④ 갑과 을 모두 관련이 없는 내용이다.
⑤ 갑은 기업의 내적 책임을, 을은 내적 책임뿐만 아니라 외적 책임까지 사회적 책임의 영역으로 보고 있다.

06 ② 전문직 종사자에게는 높은 수준의 윤리 의식과 책무성이 요구되고, 공직자에게는 청렴한 태도가 필요하다.

| 오답 피하기 |
ㄴ. 전문직 종사자의 전문성 수준과 윤리 의식이 반드시 비례하는 것은 아니다.
ㄹ. 공직자는 독점적 정보를 사익을 위해 활용해서는 안 된다.

07 ⑤ 제시문은 정약용이 목민관의 의무로서 청렴을 강조한 글이다. 여기에서 청렴은 자신의 본분에 맞는 역할을 수행하며, 절제, 봉공의 정신, 선공후사의 정신 등을 통해 실천할 수 있다.

| 오답 피하기 |
① 공직자는 사(私)보다 공(公)을 우선시해야 한다.
②, ③ 제시문과 관련이 없는 내용이다.
④ 공직자는 혈연, 지연 등 연고주의에 얽매여 일 처리를 해서는 안 된다.

08 ① 제시문은 사회 윤리학자 니부어의 글이다. 그는 사회 갈등을 해결하기 위해서는 개인의 도덕성 함양과 함께 사회 구조, 법과 정책의 개선이 필요하다고 본다. 특히 집단 간 힘의 불균형 상태를 갈등의 원인으로 보았으며, 이를 해결하기 위해 정치적 강제력이 필요하다고 본다.

| 오답 피하기 |
② 니부어에 따르면, 집단 간 힘의 불균형 상태로 인해 사회 혼란이 발생한다.
③ 노직의 소유 권리론에 해당한다.
④ 제시문과 관련이 없는 내용이다.
⑤ 니부어는 개인의 도덕적 완성과 함께 사회 제도적 접근이 함께 필요하다고 본다.

09 ④ 갑은 롤스, 을은 노직이다. 롤스는 선천적 우연성을 사회의 공동 재산으로 여겨야 한다고 보기 때문에 상속세 확대를 찬성할 것이다. 반면, 노직은 개인의 배타적 소유권을 강조하기 때문에 상속세 확대를 반대할 것이다.

| 오답 피하기 |
ㄱ. 롤스는 상속제를 부과하는 정책에 찬성할 것이다.
ㄹ. 롤스는 선천적 우연성을 사회 공동의 자산으로 여겨야 한다고 보며, 노직은 취득과 양도의 절차가 정당하다면 그 소유권을 인정해야 한다고 보기 때문에 롤스만 정책에 찬성할 것이다.

10 ① 칸트는 형벌은 오직 범죄자가 범죄를 저질렀다는 사실만으로 가해져야 할 뿐, 범죄 예방이나 교화를 위한 수단이 될 수 없다고 본다.

11 ③ 제시문은 아리스토텔레스의 정의에 관한 글이다. 아리스토텔레스는 정의로운 분배를 '비례적인 것'으로 보며, 각자에게 각자의 몫이 공정하게 주어져야 한다고 본다.

| 오답 피하기 |
① 아리스토텔레스는 권력, 명예, 재화를 모두 분배의 대상으로 본다.
② 아리스토텔레스는 공동선을 장려하는 법에 복종하는 것을 일반적 정의로 본다.
④, ⑤ 아리스토텔레스에 따르면, 법적 처벌과 관련이 있는 교정적 정의에 있어서는 산술적 비례가, 분배에 있어서는 기하학적 비례가 적용되어야 한다고 본다.

12 ⑤ 정은 병에게 능력을 기준으로 분배를 할 경우, 능력에는 개인의 노력과 상관없는 우연적 · 선천적 요소가 포함되어 있기 때문에 이를 고려해야 한다고 주장할 것이다.

| 오답 피하기 |
① 을은 사회적 약자를 배려하는 분배 원칙을 제시하고 있다.
② '필요'를 분배 원칙으로 제시하는 을이 비판받을 내용이다.
③ 정이 을에게 제기할 반론 내용이다.
④ '업적과 기여도'를 분배 원칙으로 제시하는 정이 비판받을 내용이다.

13 ⑤ 갑은 롤스, 을은 노직이다. 롤스는 사회적 약자, 즉 최소 수혜자를 배려하기 위한 국가의 적극적인 복지 정책을 찬성하는 반면, 노직은 국가는 재분배의 주체가 될 수 없으며, 개인의 자발적인 자선에 맡겨야 한다고 보았다.

14 ② 소수자 우대 정책은 장애인, 여성, 유색 인종 등 불리한 위치에 있는 집단에 대한 차별을 없애고, 이들의 교육 참여와 사회 참여 기회를 확대하기 위한 제도이다. 우대 정책에 대한 찬성 근거로는 보상의 논리, 재분배의 논리, 공리주의의 논리 등이 있다.
ㄱ은 보상의 논리, ㄹ은 공리주의의 논리에 해당한다.

| 오답 피하기 |
ㄴ, ㄷ. 소수자 우대 정책을 반대하는 논거이다.

15 ③ 갑은 출산과 양육이 개인의 사적 영역이라고 보며, 을은 출산 장려를 위해 정부가 재정적 지원을 할 수 있다고 본다.

16 ④ 롤스는 법보다 다수가 공유하는 정의의 원칙을 상위의 가치로 보았으며, 법의 충실성의 한계 내에서 시민의 불복종을 인정하였다.

17 ⑤ 갑은 베카리아, 을은 루소이다. 갑과 을은 모두 사회계약론의 관점에서 사형 제도에 관한 존폐를 논하였다. 베카리아의 경우, 사회 계약에서 인간의 생명권만은 국가에 양도할 수 없다는 논리에서 사형제를 반대하였고, 루소는 일반 의지의 실현을 위해 국가는 시민의 생명권을 박탈할 수 있다고 보았다.

| 오답 피하기 |
① 갑은 사회 계약론의 입장에서 국가가 시민의 생명권을 박탈할 수 없다고 보며, 사형을 반대한다.
② 갑에게만 해당하는 내용이다.
③ 갑은 사형 그 자체를 반대한다.
④ 갑은 형벌의 강도보다 지속성이 더 효과적이라고 본다.

18 ① 참여에 있어 도구적 가치를 강조하는 경우 다수의 참여가 잘못된 결과를 초래하거나 무임승차의 문제가 나타날 수 있다. 또한 정책의 일관성과 정치 지도자에 대한 신뢰를 저하시킬 수 있고, 의사 결정에 있어 행정과 자원 면에서 과도한 부담으로 작용할 수 있다.

| 오답 피하기 |
ㄷ. 정책의 일관성과 정치 지도자의 신뢰를 떨어뜨릴 수 있다.
ㄹ. 도구적 가치를 중시하는 시민들의 정치 참여는 의사 결정의 신속성을 떨어뜨릴 수 있다.

19 ② 시민의 국가에 대한 정치적 의무의 도덕적 근거를 인간의 본성으로 보는 입장에서는 국가는 인간의 본성에 따라 자연스럽게 형성된 산물이며, 인간은 국가 안에서만 자아실현이 가능하다고 보았다. 자연적 의무의 입장에서는 인간이라면 마땅히 해야 할 의무로 타인을 해하거나 고통을 가해서는 안 되며 위기에 놓인 사람을 도와주는 것처럼 국가에 대한 의무도 자연적 의무라고 보았다. 또한 시민이 공공재와 관행의 혜택을 받았다는 입장에서는 국가가 시민에게 도로, 항만, 소방 등 공공재를 제공하고, 공동의 이익을 위해 만들어진 각종 제도 등 관행의 혜택을 주는 것에서 국가에 대한 복종의 의무가 발생한다고 보았다.

주제 01 과학 기술과 윤리

1단계 개념 익히기
108쪽

01 (1) ○ (2) ○ (3) × (4) ○ 02 ㄷ, ㄹ, ㅁ 03 (1) 인터넷 (2) 윤리 (3) 반성적 04 (1) ㉠ (2) ㉡ 05 예방 06 환경 영향 평가

2단계 내신 유형 다지기
109~110쪽

01 ① 02 ① 03 ⑤ 04 ⑤ 05 ⑤ 06 ⑤ 07 ③ 08 ③ 09 ③

01 ① 과학 기술은 자연 과학과 응용 기술을 통칭하는 용어이다. 오늘날 기술의 도움 없이는 과학의 연구가 불가능하고, 응용을 전제로 하지 않는 과학을 생각할 수 없게 됨으로써 과학 기술의 엄격한 경계가 무너지고 있다. 이러한 과학 기술의 발전은 정치·경제·문화·예술 등 우리 삶의 모든 분야를 변화시키고 있다.

02 ① 과학 기술의 가치 중립성을 주장하는 글이다. 가치 중립성 주장은 과학 기술 이론을 검증하는 과정에서만 정당화될 수 있다. 과학 기술의 연구와 개발의 바탕이 되는 이론은 실험과 관찰이라는 객관적 방법을 통해서 검증되어야 하기 때문에 가치 중립성이 요구된다. 하지만 과학 기술의 연구 및 개발에 있어 연구물을 발견하거나, 그 연구물을 사용하는 과정에서는 가치 개입될 수밖에 없다.

03 ⑤ 현대 과학 기술은 물질 풍요, 의학의 발달로 인한 인간 수명 연장, 교통 통신 수단의 발달, 생명 공학의 발달로 인한 식량 문제 해결 등 인간의 삶에 긍정적 영향을 미쳤다.
⑤ 과학 기술의 발전으로 인한 폐해에 해당한다. 과학 기술과 경제적 풍요가 인간의 욕망을 과도하게 확대시켜 오늘날의 윤리적 문제를 야기한 것이다.

04 ⑤ A는 과학 기술의 가치 중립성을 인정하는 입장이고, B는 과학 기술의 가치 개입성을 인정하는 입장이다. 여러 가지 과학 기술의 폐해는 과학 기술이 가치의 문제로부터 자유로울 수 없다는 점을 말해 주고 있다.

| 오답 피하기 |
① 과학 기술 연구자는 자신이 연구한 결과에 대한 책임을 져야 한다는 것은 B의 입장이다.
② 과학 기술은 이용 주체의 의도에 따라 선과 악의 분야에 모두 이용될 수 있다는 것은 가치의 문제로부터 자유로울 수 없다는 뜻이다. 따라서 B의 입장에 해당한다.
③ 과학 기술 연구는 공공 연구 기관이나 기업의 연구비 지원하에 이루어지기 때문에 이러한 주체의 가치가 개입되기 마련이다. 따라서 B의 입장에 해당한다.
④ B의 입장에 따르면 과학 기술은 가치의 문제로부터 자유로울 수 없다.

05 ⑤ 과학 기술의 연구 및 개발에 있어 과학 기술자가 연구물을 발견하거나, 그 연구물을 사용하는 과정에서는 가치가 개입될 수밖에 없다.

06 ⑤ 오늘날 과학 기술 발전의 특징은 나노 기술, 생명 공학 기술, 정보 기술, 인지 과학 등이 융합되어 가고 있다는 것이다.

07 ③ 과학 기술자가 연구물을 발견하거나, 그 연구물을 사용하는 과정에서는 가치가 개입될 수밖에 없는 이유를 묻고 있다. 과학자들의 연구가 대부분 어떤 목적을 지향하는 공공 연구 기관이나 기업의 연구비 지원하에 이루어지고 있기 때문에 이용 주체의 의도에 따라 선과 악의 분야에 모두 이용 가능하다. 따라서 과학 기술은 가치의 문제로부터 자유로울 수 없게 된다. 이뿐만 아니라 과학 기술과 경제적 풍요가 인간의 욕망을 과도하게 확대시켜 오늘날의 핵전쟁의 위험이나 환경 파괴, 자원 고갈, 사생활 침해, 인간 소외 현상 등 윤리적 문제를 야기하였다.

08 ③ 과학 기술에 대한 비관적 견해이며, 과학 기술 혐오주의와 연결된다.

| 오답 피하기 |
① 과학 기술 혐오주의에 해당한다.
② 과학 기술 혐오주의의 입장에서는 과학 기술의 성과보다 부작용에 주목한다.
④ 과학 기술 혐오주의의 입장에서는 과학 기술의 발달이 인류

에게 불행을 가져다줄 것이라고 주장한다.
⑤ 과학 기술 혐오주의의 입장에서는 과학 기술이 인류에게 위협이 될 것이라고 주장한다.

09 ③ 과학 기술자는 예방 윤리를 실천하는 데 초점을 맞추어야 한다. 새로운 과학 기술이 가져올 결과를 미리 생각하고, 나아가 무엇이 윤리적으로 옳은지를 결정해야 한다.

3단계 주관식·서술형 잡기
111쪽

01 융합

02 | 예시 답안 |
과학 기술과 경제적 풍요가 인간의 욕망을 과도하게 확대시켜 오늘날의 윤리적 문제를 야기하였다.
◐ 채점 기준
과학 기술의 발전은 그만큼 인류의 욕망을 과도하게 확대시켜 오늘날 수많은 폐해를 가져오고 있음을 서술해야 한다.

03 | 예시 답안 |
미래 세대의 생존과 직결되는 본질적인 이익보다 현세대의 부차적인 이익이 앞설 수는 없기 때문이다.
◐ 채점 기준
과학 기술의 성과가 현세대에게 아무리 많은 이익을 가져다준다 하더라도 미래 세대와 자연에 심각한 해악을 끼친다면 우리는 그것을 중단해야 한다는 점을 서술해야 한다.

04 | 예시 답안 |
윤리는 과학 기술이 나아가야 할 방향을 안내하는 나침반 역할을 하며, 과학 기술이 추구해야 할 올바른 가치를 제공해 준다.
◐ 채점 기준
윤리가 과학 기술의 나아가야 할 방향을 제시해 준다는 내용을 서술해야 한다.

05 | 예시 답안 |
과학 연구의 결과물은 이용 주체의 의도에 따라 선과 악의 분야에 모두 이용 가능하며, 실제 과학 기술의 발전

이 우리에게 선하고 유익한 것만을 가져다주지는 않았기 때문이다.
◐ 채점 기준
과학 기술이 선과 악의 분야에 모두 활용될 수 있다는 점, 윤리적 문제를 야기했다는 점 등을 서술해야 한다.

주제 02 정보 사회와 윤리

1단계 개념 익히기
116쪽

01 (1) ○ (2) × (3) ○ 02 (1) 개인 정보 자기 결정권 (2) 사이버 (3) 뉴 미디어 (4) 쌍방향성 03 (1) ㄱ (2) ㄷ (3) ㄹ
04 인격권 05 (1) ㉡ (2) ㉠ 06 어그로(aggro)

2단계 내신 유형 다지기
117~118쪽

01 ⑤ 02 ④ 03 ③ 04 ⑤ 05 ③ 06 ③ 07 ④
08 ②

01 ⑤ 사물 인터넷(IoT)의 발달로 각종 사물들이 인터넷에 연결되어 서로 정보를 공유하고 원격으로 조정이 가능하게 되었다.
| 오답 피하기 |
①, ②, ③, ④ 모두 정보 통신 기술의 발전에 따른 사회 변화를 나타낸다.

02 ④ 정보 통신 기술의 발달로 인하여 중앙 집권적이고 수직적이던 사회 구조가 분권적이고 평등한 방향으로 변하고 있다. 반면 급격한 변화에 적응하지 못하는 사람들은 사회적으로 소외되어 정보 격차가 더욱 벌어지고 있다. 또한 사생활 침해나 정보 유출의 위험성이 증가하고, 게임·인터넷 중독과 사이버 폭력 등의 문제로 고통받는 사람들도 많아지면서 사회적 문제가 되고 있다.
| 오답 피하기 |
ㄴ. 사회 구조는 분권적이고 평등한 방향으로 변하고 있다.

03 ③ 인터넷 중독과 사이버 폭력의 문제는 모두 정보화 사

회의 폐해로서 해결해야 할 문제이지, 둘 사이의 갈등 문제로 볼 수는 없다.

04 ⑤ 표현의 자유와 개인의 인격권 보호는 모두 어느 하나도 포기할 수 없는 중요한 권리이며, 어느 한쪽의 일방적 우위를 가리기도 어렵다. 이런 상황에서는 양자를 동시에 실현시킬 수 있는 타협점을 찾는 것이 중요하다.

| 오답 피하기 |
① 모든 사람은 자신의 생각을 자유롭게 표현할 수 있는 표현의 자유를 갖는다.
② 개인의 인격권만을 강조할 경우 공익상 필요할 경우에도 개인의 정보에 접근할 수 없게 되어 불합리한 결과를 가져올 수 있다.
③ 어느 것이 더 중요한지 우위를 두기 어렵다.
④ 개인의 인격권 보호와 표현의 자유 모두 보장받아야 할 권리이다.

05 ③ 제시된 내용은 카피라이트를 나타낸다. 뉴 미디어의 특징인 카피라이트는 다른 사람이 복제, 방송, 전시, 전송하는 것을 허용하거나 금지할 수 있는 권리이며, 이를 지지하는 사람들은 창작자에게 배타적 권리를 부여해야 창작 활동이 늘어나고 문화가 발전된다고 주장한다.

06 ③ 뉴 미디어들은 디지털화·멀티미디어화·영상화·쌍방향성·비동시성 등의 특성을 지닌다. 그중 디지털화(㉠)와 쌍방향성(㉡)을 설명하고 있다.

07 ④ 진실하고 공정한 보도를 위해서는 언론의 자유가 전제되어야 하지만, 그 사회적 책임 또한 크기 때문에 언론의 자유가 남용된다면 심각한 윤리적 문제가 야기될 수 있다.

08 ② 제시문은 의무론에 따르는 매체 윤리의 기준을 설명하고 있다.

3단계 **주관식·서술형 잡기** 119쪽

01 ㉠ 자유, ㉡ 책임

02 | 예시 답안 |
기존의 방송과 달리 규제가 어려운 반면 접근하기는 쉬워 지나치게 폭력적이고 선정적인 소재들이 여과 없이 방송되는 경우가 많기 때문이다.

◆ 채점 기준
뉴 미디어의 문제점을 현실적인 시각으로 명확하게 서술해야 한다.

03 카피레프트(copyleft)

04 | 예시 답안 |
표현의 자유만을 무제한으로 보장한다면 개인의 명예 훼손이나 사생활 침해가 만연해질 수 있기 때문이다.

◆ 채점 기준
표현의 자유와 인격권 보호는 어느 하나도 포기할 수 없는 중요한 권리이며, 개인의 명예 훼손이나 사생활 침해를 우려하여 인격권을 보호해야 한다는 내용을 서술해야 한다.

05 | 예시 답안 |
소비자로서 질 낮은 소재 일색의 미디어 정보들을 구별해 내는 비판적 시각을 가져야 한다.

◆ 채점 기준
오늘날 다양한 종류의 뉴 미디어가 등장하고 있고, 이러한 뉴 미디어에서 검증되지 않은 정보들이 쏟아지고 있기 때문에 이것들을 가려낼 수 있는 비판적 능력이 필요하다는 내용을 서술해야 한다.

주제 **03** 자연과 윤리

1단계 **개념 익히기** 124쪽

01 (1) ㄹ (2) ㄷ (3) ㄴ 02 (1) 동물 해방론 (2) 생명 외경
(3) 네스 03 (1) ㉢ (2) ㉠ (3) ㉡ 04 (1) ○ (2) ○ (3) ×
05 ㉠ 책임 윤리, ㉡ 배려 윤리, ㉢ 슈마허 06 "작은 것이
아름답다."

01 ⑤   02 ⑤   03 ①   04 ④   05 ⑤   06 ⑤   07 ③

08 ②

01 ⑤ 슈바이처는 "나는 '살려고 애쓰는 생명체들 가운데에서 살려고 애쓰는 생명체'라는 사실을 자각하는 것이 중요하다."라고 하면서, 생명은 그 자체로서 신성한 것이라는 생명 외경(畏敬) 사상을 제시하였다. 슈바이처는 탈인간 중심주의를 대표한다고 볼 수 있다.

| 오답 피하기 |
① 베이컨, ② 데카르트, ③ 아리스텔레스, ④ 아퀴나스의 주장이다. 이들은 모두 인간 이외의 다른 모든 존재는 인간의 목적을 이루기 위한 수단으로 바라보는 인간 중심주의 윤리를 주장한다.

02 ⑤ 제시문은 동물 중심주의 윤리를 나타낸다. 동물 중심주의 윤리는 도덕적 배려의 범위를 동물로 확대하자는 입장이다.
⑤ 생명 중심주의 윤리를 주장하는 테일러의 주장이다.

| 오답 피하기 |
① 레건의 주장이다.
②, ④ 싱어의 주장이다.

03 ① 슈바이처는 생명은 그 자체로 신성한 것이라는 생명 외경 사상을 주장하였다.

04 ④ 동양적 자연관에 대한 내용이다. 이러한 자연관은 인간과 자연의 관계를 상호 의존과 협력의 관점으로 보며, 모든 생명체가 상호 연결된 전체의 평등한 구성원이며, 동등한 가치를 가진다고 본다.

| 오답 피하기 |
ㄱ, ㄷ. 인간 중심주의 윤리에서 강조하는 내용이다.

05 ⑤ 생태 중심주의는 전체론적 관점으로서 생태계 전체의 균형과 안정을 중요시하기 때문에 하나하나의 생명체, 심지어는 인간의 희생까지도 대수롭지 않게 취급하는 문제점이 있다.

| 오답 피하기 |
①, ② 생명 중심주의의 한계에 해당한다.
③, ④ 동물 중심주의의 한계에 해당한다.

06 ⑤ 제시문은 도가 사상으로서 물아일체를 나타낸다.

| 오답 피하기 |
①, ② 연기설과 불살생은 불교 사상이다.
③, ④ 천인합일과 안빈낙도는 유교 사상이다.

07 ③ 파리 협정은 그 이전의 교토 의정서와는 달리 선진국과 개발 도상국 모두의 참여를 이끌어 냈다는 데 의미가 있다.

| 오답 피하기 |
① 파리 협정은 2015년에 채택된 것으로, 최초의 국제적 노력으로 보기 어렵다.
② 파리 협정은 2005년 발효된 교토 의정서를 대체하기 위한 신기후 체제이다.
④, ⑤ 교토 의정서에 해당하는 설명이다.

08 ② 생태학적 정언 명령을 제시한 것은 요나스이고, 나딩스는 배려 윤리를 주장하였다.

3단계 주관식·서술형 잡기   127쪽

01 ㉠ 무위자연, ㉡ 제물론, ㉢ 물아일체

02 | 예시 답안 |
미래 세대의 본질적인 이익보다 현세대의 이익이 앞설 수는 없다. 의무론적 윤리 차원에서 볼 때 우리는 미래 세대의 권리를 인정할 수밖에 없다. 또한 도덕적 고려의 범위를 점차 확대해 온 인간의 이타주의나 사랑의 감정에서도 우리는 미래 세대의 행복한 삶을 도와줄 책임이 있다.

◆ 채점 기준
현세대는 미래 세대에 대한 배려가 필요하다는 점을 명확히 서술해야 한다.

03 자정 능력

04 교토 의정서

05 | 예시 답안 |
생태 중심주의는 생명을 가진 존재만 도덕적으로 고려하는 동물·생명 중심주의를 개체주의적이라고 비판하면서 생태계와 같은 전체론적 관점에서 접근해야 한다는 입장이다. 따라서 생명 하나하나의 중요성보다는 생태계 전체의 균형과 안정을 중요시한다.

✔ **채점 기준**
개체주의적인 동물·생명 중심주의에 비하여 전체론적 관점을 취하고 있다는 점을 명확히 서술해야 한다.

영역 마무리하기   128~131쪽

01 ④	02 ④	03 ②	04 ①	05 ⑤	06 ③	07 ④
08 ③	09 ①	10 ①	11 ④	12 ③	13 ④	14 ①
15 ②	16 ①	17 ①	18 ③	19 ①	20 ④	

01 ④ 윤리는 과학 기술이 추구해야 할 올바른 가치를 제공해 준다.

| 오답 피하기 |
① 과학 기술과 윤리는 관련이 크다.
② 과학이 발달할수록 윤리적 성찰의 필요성은 커진다.
③ 과학 기술을 사용하는 과정에서 가치가 개입된다.
⑤ 항상 올바른 결과를 가져다준 것은 아니다.

02 ④ 과학 기술에 대해 낙관적인 견해를 가진 사람들은 과학 기술의 발달이 인류를 질병과 가난으로부터 해방시켜 줄 것이며, 물질적 진보와 꿈의 실현을 통해 우리에게 행복을 가져다줄 것이라고 주장한다. 이러한 과학 기술 지상주의는 과학 기술의 성과만을 일방적으로 높게 평가하는 것이다.
④ 과학 기술 비관주의의 입장이다.

03 ② 과학 기술자들은 인류의 복지에 긍정적으로 기여하려는 선한 의도와 사회적 책임을 가져야 한다. 또한 전문가로서 그에 상응하는 윤리적 책임과 자기 정당화의 의무를 지니고 있어야 한다. 이를 위해 과학 기술자는 고유한

윤리 강령을 따라야 하며, 사회에 대한 책임과 의무를 성실히 이행해야 한다.

04 ① ㉠은 '지상', ㉡은 '혐오'이다. 과학 기술 지상주의와 혐오주의의 개념을 확인하는 문제이다.

05 ⑤ 과학 기술 연구가 아무리 순수하다고 하더라도 과학 기술자는 그 결과의 책임에서 자유로울 수는 없으므로 윤리적 성찰이 필요하다.

06 ③ 정보 통신 기술의 발달로 인해 중앙 집권적이고 수직적이던 사회 구조가 분권적이고 평등한 방향으로 변하고 있다.

07 ④ 카피라이트는 창작물을 만든 사람이 자신의 저작물에 대해서 배타적으로 가지는 권리이며, 창작자에게 배타적 권리를 부여해야 창작 활동이 늘어나고 문화가 발전된다는 논리이다. 이에 반해 카피레프트는 지식과 정보는 소수의 사람들에게 독점되어서는 안 되고, 모든 사람에게 동등하게 열려 있어야 한다고 주장한다.

| 오답 피하기 |
① 카피레프트는 정보의 공공성을 강조한다.
② 카피라이트는 정보의 상품성을 중요시 여긴다.
③ 정보의 공공성에 중점을 두면 기업의 경쟁력이 떨어지고, 상품성에 중점을 두면 정보 격차가 심화되는 문제가 생길 수 있다.
⑤ 카피라이트에 대한 설명이다.

08 ③ FM RADIO는 뉴 미디어로 볼 수 없다. 뉴 미디어로는 DAB, IPTV, 스마트 TV, N-Screen 등이 있다.

09 ① 오늘날 급속한 발전을 거듭하고 있는 정보 통신 기술은 인간이 정보 통신 기술을 어떻게 사용하느냐에 따라 유익할 수도 있고, 해가 될 수도 있는 이중적 특성이 있다. 따라서 윤리적 접근이 가장 중요하다고 할 수 있다.

10 ① SNS의 발달로 정보의 정확성이 증가하기보다는 오히려 부정확한 정보가 빠르게 확산되어 피해와 혼란을 키우기도 한다.

11 ④ 정보 통신 기술의 발전 중 디지털화를 묻고 있다. 뉴 미디어에서는 모든 정보를 디지털화함으로써 신속하고 정확하게 정보를 처리하는 것이 가능해졌다.

12 ③ 매체 윤리의 기준 중 공리주의적 입장에서 국민의 알 권리를 충족해야 함을 강조하고 있다. 언론 보도는 사회 의 진실한 모습을 일반 사람들에게 알리는 것으로, 사건 을 정확하게, 그리고 공정한 시각에서 보도하는 것을 말 한다.

13 ④ 유학의 자연관은 천인합일(天人合一)의 사상이다. 유 학에서는 성인(聖人)이 되는 것이 궁극적인 목표이고, 이 러한 성인은 최고의 인격자, 즉 천인합일(天人合一)의 경 지에 달한 사람을 말한다.

| 오답 피하기 |
①, ② 불교에서 주장하는 사상이다.
③, ⑤ 도가에서 주장하는 사상이다.

14 ① 동물 중심주의 윤리는 도덕적 배려의 범위를 동물로 확대하자는 입장이다.

| 오답 피하기 |
②, ③, ④, ⑤ 동물 중심주의의 한계를 나타내는 물음이다.

15 ② ㉠은 레오폴드의 대지 윤리, ㉡은 네스의 심층 생태학 이다. 레오폴드와 네스는 모두 생태 중심주의 윤리학자 이다. 생태 중심주의 윤리는 생명을 가진 존재만 도덕적 으로 고려하는 동물·생명 중심주의를 개체주의적이라 고 비판하면서, 생태계와 같은 전체론적 관점에서 접근 해야 한다는 입장이다.

16 ① 테일러가 말하는 생명에 대한 인간의 4대 의무는 불침 해, 불간섭, 신의, 보상적 정의의 의무이다.

17 ① 제시문은 요나스에 대한 설명이다. 요나스는 생태계 의 위기를 겪고 있는 현세대의 미래 세대에 대한 책임을 강조하는 책임 윤리를 주장한다.

18 ③ 현대 사회의 환경 문제는 지구의 자정 능력을 넘어서 서 회복하기 어려운 수준으로 악화되고 있으며, 국경을 초월하여 전 지구적으로 연쇄적인 영향을 미치고 있다. 또한 환경 문제는 저항력이 약한 어린이나 노인, 사회적 약자, 아직 태어나지 않은 미래 세대에게 더 큰 피해를 줄 수 있다. 따라서 이들에 대한 배려가 필요하다.

| 오답 피하기 |
ㄱ. 생태계가 자기 조절 능력을 상실할 정도로 현대 환경 문제 는 심각하다.
ㄹ. 환경 문제는 현세대뿐만 아니라 미래 세대에까지 영향을 미 치므로 이에 대한 배려의 관점이 요구된다.

19 ① 선진국과 개발 도상국 모두의 참여를 이끌어 낸 기후 협약은 2015년에 채택된 파리 협정이다.

20 ④ 밑줄 친 그는 '슈마허'이다. 슈마허의 불교 경제학은 적은 수단으로 만족할 만한 결과를 만들어 내는 것이 합 리적이라고 주장하였다.

| 오답 피하기 |
① 슈마허는 자원과 재화 사용의 절제를 강조하였다.
② 슈마허는 많이 소비할수록 행복하다는 양적인 접근을 비합 리적인 것으로 보았다.
③ 슈마허는 최소한의 소비로 최대한의 복지를 확보하는 것이 합리적이라고 보았다.
⑤ 슈마허는 불교 사상을 통해 해결책을 찾았다.

주제 01 예술과 대중문화 윤리

1단계 개념 익히기

140쪽

01 심미주의 02 (1) 도덕주의 (2) 대중화 (3) 상업화 (4) 문화 산업 03 (1) ○ (2) × (3) ○ 04 (1) ㉡ (2) ㉠ 05 플라톤 06 와일드, 스핑건 07 자본 종속

2단계 내신 유형 다지기

141~142쪽

01 ③ 02 ③ 03 ③ 04 ⑤ 05 ⑤ 06 ④ 07 ① 08 ① 09 ③ 10 ③ 11 ③

01 ③ 제시문은 공자의 주장으로, 도덕주의의 입장이다. 도덕주의는 예술을 통해 개인과 사회가 윤리적인 모습을 완성할 수 있다고 주장한다.

| 오답 피하기 |
①, ②, ④, ⑤ 예술에 대한 심미주의의 입장이다.

02 ③ 제시문은 도덕주의의 입장이다. 시, 예, 악이 인간됨의 형성에 있어 기본적인 교양이 된다는 의미이다.
③ 미적 가치와 윤리적 가치를 분리해서 보는 입장은 심미주의이다.

03 ③ 톨스토이와 정약용 모두 도덕주의의 입장을 강조하고 있다. 도덕주의는 예술이 사회적 영향력을 가지고 있으므로 사회 모순을 지적하고 사회 발전에 기여해야 한다는 참여 예술론을 지지한다.

04 ⑤ 제시문은 심미주의의 입장이다. 심미주의는 예술이 사회와 윤리적 잣대로부터 독립되어 예술을 위한 예술만을 추구해야 한다고 보는 입장이다.
⑤ 예술에 대한 도덕주의의 입장이다.

05 ⑤ 사례는 현대 미술의 조류 중 하나인 팝 아트에 대한 내용이다. 팝 아트와 같은 대중 예술은 일반 대중들이 예술을 쉽게 접할 수 있는 계기를 마련하였다.

06 ④ 현대 예술은 대중화와 상업화 등을 통해 일상에서 접할 수 있는 다양한 소재들을 예술로 승화하고 있다.

| 오답 피하기 |
① 대중문화의 확산으로 대중이 예술을 향유하는 주체가 되었다.
② 순수 예술의 분야가 일상생활에서 활용되고, 광고, 영화 등에 예술이 폭넓게 활용되고 있다.
③ 현대 사회에 접어들어 전통적인 미의 기준이 허물어지기 시작하면서 예술의 경계가 확장되었다.
⑤ 예술을 상품화하여 경제적 이익을 취하려는 사람들도 등장하였다.

07 ① 제시된 사례들은 대중문화가 상업적인 가치를 갖게 되었음을 나타낸다. 따라서 대중문화의 상업화와 관련된 제시문이다.

08 ① 제시문은 문화와 예술의 상업화를 비판하는 아도르노의 입장이다. 아도르노는 후기 자본주의의 대중문화와 대비해 '문화 산업'이라는 용어를 만들었는데, 이는 대중문화가 상업화되고 이윤 창출을 적극적으로 추구하면서 자본에 의해 지배받고 하나의 산업의 모습이 나타났음을 표현하기 위해 사용한 용어이다. 아도르노는 대중문화의 상업화가 문화를 획일화시킨다고 주장한다.

09 ③ 예술의 상업화 예술을 하나의 교환 가능한 상품으로 바꾸어 버렸다. 그 결과 예술을 소비하는 사람이 일반 대중으로 확대되었다. 따라서 상업화로 인해 예술이 특정 계층의 예술적 취향을 강조하게 되었다는 진술은 적절하지 않다.

10 ③ 제시문은 도덕주의 사상가인 공자의 입장이다. 도덕주의는 예술에 있어서 도덕적인 가치를 고려해 창작하고 평가해야 한다는 입장이다.

11 ③ 제시문은 예술의 상업화를 옹호하는 입장이다. 상업화로 다양한 계층이 예술을 소비하게 되면, 그만큼 문화의 다양성도 증가하게 된다고 본다.

③단계 주관식·서술형 잡기 143쪽

01 ㉠ 미적 가치, ㉡ 윤리적 가치

02 외설

03 ㉠ 포스트모더니즘, ㉡ 상업화

04 문화 산업

05 | 예시 답안 |
예술은 인간의 감정과 생각을 자유롭게 표현하도록 함으로써 문화의 다양성을 촉진시키고, 인간의 욕망을 대신 해소시켜 줌으로써 정서적 안정을 준다.

◑ 채점 기준
예술이 인간에게 미치는 영향을 올바르게 서술해야 한다.

06 | 예시 답안 |
예술 작품을 상품적 가치에 따라 평가함으로써 예술의 본질이 왜곡된다. / 예술이 상업화되며 시장의 요구에 맞춰 선정성, 폭력성 등을 강조하다 보면 감상자의 인격에 악영향을 끼칠 수 있다. 등

◑ 채점 기준
예술의 상업화로 인해 야기될 수 있는 예술의 본질 왜곡, 감상자에게 폭력성과 선정성의 문제를 일으켜 인격에 악영향을 미친다는 관점에서 서술해야 한다.

07 | 예시 답안 |
지나친 표현으로 불쾌감과 수치심을 일으킬 수 있다. / 대중을 무감각하게 만들고, 상상력과 능동성을 제한할 수 있다. / 폭력적인 성향을 일으킬 수 있다.

◑ 채점 기준
대중문화의 선정성과 폭력성이 사회 구성원들에게 미칠 수 있는 부정적 영향을 올바르게 서술해야 한다.

주제 02 의식주 윤리와 윤리적 소비

①단계 개념 익히기 148쪽

01 윤리적 소비 **02** (1) 윤리적 문제 (2) 과시적 (3) 동물 복지 (동물 학대) (4) 주거 (5) 윤리적 소비 **03** (1) ㉠ (2) ㉡ **04** (1) ○ (2) ○ (3) × (4) ○ **05** 밴드왜건 효과 **06** 로컬 푸드 운동 **07** 베블렌 효과 **08** 고향의 상실

②단계 내신 유형 다지기 149~150쪽

01 ② **02** ⑤ **03** ① **04** ③ **05** ③ **06** ⑤ **07** ④ **08** ④ **09** ⑤

01 ② 갑은 유행을 통해 개인이 주체적으로 자신의 개성을 드러낸다고 보고, 을은 기업이 만들어 낸 유행에 개인이 무비판적으로 동조하게 된다고 본다.
② 갑은 유행이 자기 자신을 표현하는 수단이라고 보고 있으므로, 의존적인 성향을 나타낸다는 진술은 적절하지 않다.

02 ⑤ 제시문은 자신을 과시하기 위해 명품을 소비하기보다는 자신의 내면을 돌보고, 자신에게 의미가 있는 물건을 소비하기를 권고하고 있다.

03 ① 제시문은 불교의 입장이다. 불교는 연기적 세계관을 바탕으로 하여, 음식 또한 인연생기(因緣生起)의 법칙을 벗어나지 않는다고 주장한다.

04 ③ 제시문은 햄버거 패티에 쓰이는 소고기를 얻기 위해 얼마나 환경에 악영향을 주는지를 제시하고 있다. 따라서 음식 소비가 환경과 깊은 연관성이 있음을 알 수 있다.

05 ③ 음식 정의 실현은 윤리적 문제 해결을 통해 도달할 목표이지 문제라고 볼 수 없다.

| 오답 피하기 |
① 육류 소비 증가와 대규모 공장식 사육 및 도축으로 동물 복지 문제가 등장하였다.
② 식량의 생산·유통·소비 과정에서 환경 오염이 발생하였다.
④ 인체에 해로운 첨가제, 유전자 변형 농산물, 이윤 극대화를

위한 부정 식품 등으로 식품 안전성 문제가 발생하였다.

⑤ 제3 세계 인구의 증가, 국가 간 빈부 격차 심화 등으로 음식 불평등 문제가 발생하였다.

06 ⑤ 바슐라르와 하이데거 모두 주거 공간의 정신적 가치를 중시하였다. 그들은 주거 공간의 경제적 가치보다는 정신적 가치를 강조하였다.

07 ④ 제시문은 주거 공간에 거주하는 사람들의 믿음을 부여한 사례를 제시하고 있다. 따라서 ④가 가장 적절하다.

08 ④ 타인에게 자신의 부를 과시하는 소비는 윤리적 소비, 지속 가능한 소비와 거리가 멀다. 제시문의 소비 방식들은 모두 소비에 있어서 윤리적인 고려를 하고 책임을 질 것을 요구하고 있다.

| 오답 피하기 |

①, ②, ③, ⑤는 모두 윤리적 소비로, 우리가 실천해야 할 태도이다.

09 ⑤ 제시문은 윤리적인 소비의 예로서 공정 무역과 같은 예를 들고 있다. 공정 무역은 제3 세계 생산자들에게 공정한 임금을 보장하는 운동이다.

3단계 주관식·서술형 잡기
151쪽

01 ㉠ 베블렌 효과, ㉡ 밴드왜건 효과

02 슬로푸드(Slow Food)

03 ㉠ 본래적 의미, ㉡ 고향의 상실

04 공정 무역

05 **| 예시 답안 |**

인간의 가장 기본적인 욕구를 만족시켜 주면서도 우리가 속한 사회의 문화적 정체성을 드러내 준다.

✅ 채점 기준

의식주 문화가 갖는 인간의 욕구 충족, 문화적 정체성 표현이라는 두 가지 의의를 올바르게 서술해야 한다.

06 **| 예시 답안 |**

자동화되어 양산되는 패스트푸드에 반대하는 슬로푸드 운동, 지역 내 음식의 소비를 강조하는 로컬 푸드 운동 등이 있다.

✅ 채점 기준

환경 오염, 동물 학대, 빈부 격차 심화 등 음식 문화가 야기할 수 있는 윤리적 문제들을 해결하기 위한 소비 운동의 사례를 적절히 제시해야 한다.

07 **| 예시 답안 |**

주거 문화 전반에서 소통, 정서적 교감이 상실되어 가고, 이웃 사람들, 자연 등의 우리 주변 공동체와 단절되는 문제점과 주거의 본질적 가치보다 경제적 가치가 우선되는 문제가 있다.

✅ 채점 기준

도시화로 인해 발생되는 주거 문화와 관련한 문제점을 올바르게 서술해야 한다.

08 **| 예시 답안 |**

친환경적인 상품을 소비하는 녹색 소비, 개발 도상국 생산자들에게 정당한 임금을 보장하는 공정 무역 등이 있다.

✅ 채점 기준

녹색 소비, 착한 소비 등 윤리적 소비의 올바른 사례가 포함되어 있다.

주제 03 다문화 사회의 윤리

1단계 개념 익히기
156쪽

01 다문화 사회　02 (1) 문화 상대주의 (2) 보편 윤리 (3) 용광로 이론 (4) 엘리아데 (5) 보편적 윤리　03 (1) ⓒ (2) ⓒ (3) ⊙　04 (1) × (2) ○ (3) × (4) ○　05 관용 정신　06 국수-고명 이론　07 뒤르켐

2단계 내신 유형 다지기
157~158쪽

01 ③　02 ③　03 ④　04 ⑤　05 ②　06 ⑤　07 ⑤
08 ⑤

01 ③ 갑은 용광로 이론, 을은 샐러드 볼 이론을 주장한다. 용광로 이론은 다양한 문화를 하나로 통합해 주류 문화로 편입시키거나, 새로운 문화를 창출해야 한다고 본다. 반면 샐러드 볼 이론은 다양한 문화가 각자의 색채를 유지해야 한다고 본다. 따라서 '문화 통합을 거쳐 새로운 문화를 창출해야 하는가?'라는 질문에 갑은 긍정, 을은 부정의 대답을 할 것이다.

02 ③ 대화에서 갑은 이슬람 문화권에서 온 을을 이해하지 못하는 모습을 보인다. 갑은 문화 상대주의적 태도를 가지고 타 문화에 대해 존중하는 자세가 필요하다.

03 ④ 제시문은 자신의 문화가 다른 문화보다 열등하다고 생각하는 자세를 나타낸다. 이러한 관점은 문화 사대주의, 타문화 중심주의 등이 해당된다.

| 오답 피하기 |
ㄱ. 국수주의는 자기 나라의 역사, 문화, 국민성 등과 같은 전통을 다른 나라보다 뛰어난 것으로 믿고, 다른 나라나 민족을 배척하는 태도를 말한다.
ㄷ. 자신의 문화는 우수한 것으로 여기면서 다른 문화는 수준이 낮거나 미개하다고 판단하는 태도를 말한다.

04 ⑤ 제시문은 엘리아데의 입장이다. 엘리아데는 참된 삶이 무엇인지 그 의미를 탐구하며, 초월성에 대해 탐구하라고 말한다.

05 ② 제시된 사례들은 종교 분쟁을 나타낸다. 종교 간에 서로의 차이를 이해하지 못하고 분쟁이 벌어지는 사례이므로, 다른 종교에 대한 편견과 자기 종교에 대한 맹신이 그 원인이라고 할 수 있다.

06 ⑤ 제시문은 종교의 차이를 넘어서서 서로 공유할 수 있는 보편적인 윤리적 규범이 있음을 제시하고 있다.

07 ⑤ 강연자는 완전한 지혜를 갖춘 신이 어떤 행위를 우리에게 명령하는 이유는 지혜를 활용해 그 행위가 옳다는 것을 알고 있기 때문이라고 주장한다. 강연자는 신이 지혜를 활용해 옳은 행위를 알고 있다고 했으므로, 선악의 기준은 신과 독립되어 있음을 알 수 있다.

08 ⑤ 제시문은 종교 간의 교리적 차이에도 불구하고 다양한 종교 간의 윤리적 공통분모들을 찾으면 세계 윤리의 근간이 될 것이라고 본다.

3단계 주관식·서술형 잡기
159쪽

01 다문화

02 문화 상대주의

03 ⊙ 동화주의, ⓒ 문화 다원주의, ⓒ 다문화주의

04 보편 윤리

05 | 예시 답안 |
종교는 사람들에게 마음의 평화와 위안을 주고, 올바른 가치관의 형성에 기여하며, 인류가 나아가야 할 바람직한 방향을 제시해 주는 등의 순기능을 갖고 있다.

❤ 채점 기준
종교가 사람들에게 미치는 긍정적 영향을 두 가지 모두 서술해야 한다.

06 | 예시 답안 |

다른 종교에 대한 무지와 편견에서 벗어나 서로 존중하는 태도를 가져야 하며, 대화를 통해 서로를 이해하고 협력을 통해 평화 공존의 길을 모색해야 한다.

◎ 채점 기준

종교 간 갈등을 해결하기 위해서 존중과 이해의 태도가 필요하다는 점을 언급하였는지 확인한다.

영역 마무리하기

160~163쪽

01 ①	02 ①	03 ②	04 ③	05 ①	06 ①	07 ②
08 ⑤	09 ④	10 ③	11 ①	12 ⑤	13 ④	14 ②
15 ②	16 ①					

01 ① 제시문은 와일드로 대표되는 심미주의 입장이다. 심미주의는 예술을 도덕으로부터 분리시키려 하며, 창작자의 표현의 자유를 중시한다.
① 예술의 도덕적 가치를 중시하는 견해는 도덕주의이다.

02 ① 제시문은 플라톤의 주장이다. 플라톤은 예술이 도덕에 부합해야 하며, 그렇지 않은 예술들은 검열의 대상이라고 주장하였다.

03 ② 갑은 도덕주의 입장(플라톤), 을은 심미주의 입장이다. 플라톤은 예술이 사회적으로 좋은 영향을 끼쳐야 함을 강조하며, 심미주의 입장에서는 예술이 미적 가치로만 평가받아야 함을 주장한다.

04 ③ 제시문은 예술의 기능으로 감정의 정화를 꼽고 있다.

05 ① 제시문은 도덕주의 입장이다. 도덕주의는 미를 통해 선을 드러내야 한다고 보았다.
| 오답 피하기 |
②, ③, ④, ⑤ 예술에 대한 심미주의 입장이다.

06 ① 갑은 예술이 사회를 비판할 수 있는 힘을 지녀야 되며, 대중문화는 대중의 생각을 예속시킨다고 주장한다. 따라서 문화 산업이 사회를 몰개성화한다고 본다. 반면 을은 예술이 우리의 삶 속에서 존재하고 있으며, 대중 예술은 미의 구현이 가능하다고 본다.

07 ② 갑은 아도르노의 문화 산업에 관한 관점을 보여 주고 있다. 따라서 현대 예술은 자본에 종속되어 상업화의 길을 걷고 있음을 비판하고 있다.

08 ⑤ 슬로푸드 운동은 지역 생산 곡물의 지역 소비를 강조하는 것으로, 패스트푸드의 공격에 대응하는 지역 음식 지키기 운동이다.

09 ④ 갑은 명품 소비가 개인의 결정으로 이루어지며, 이런 결정을 통해 자신의 만족감과 동시에 품위를 높여 주는 일이라고 주장한다. 반면 을은 명품 선호가 자신을 과시하려는 잘못된 욕망에서 비롯되었다고 본다.
| 오답 피하기 |
①, ②, ③ 갑은 부정, 을은 긍정의 대답을 할 질문이다.
⑤ 갑이 부정의 대답을 할 질문이다.

10 ③ 보드리야르는 상품의 가치가 일반화되어 상업주의 성향을 띠고, 본질적 가치를 잃어 간다고 본다.
ㄱ, ㄹ. 광고의 상업주의 성향을 비판하고, 소비 대상의 본질적 가치를 중시할 것이다.

11 ① 갑은 하이데거이다. 을은 주거의 경제적 가치만을 강조한다. 하이데거는 이런 을과 같은 입장이 '고향의 상실'을 초래한다고 주장하였다.
① 주거의 과시적 기능은 하이데거의 주장과는 거리가 멀다.

12 ⑤ (가)는 자문화 중심주의, (나)는 문화 사대주의이다. (가)와 (나) 모두 문화를 절대적 기준으로 평가하고 우열을 가리므로 문화 절대주의 입장이다.
| 오답 피하기 |
① (가)는 자문화 중심주의에 해당한다.
② 자문화 중심주의는 자기 문화에 대한 자부심을 강화시켜 사회 통합에 기여할 수 있다.
③ (나)는 문화 사대주의에 해당한다.

④ 문화 사대주의는 자기 문화의 정체성이나 주체성을 상실할 우려가 있다.

13 ④ 제시문은 종교가 인간의 보편적 감정에서 기인하고, 신앙심을 누구나 가지고 있으며, 마음의 안정에 기여한다고 본다. 종교가 고통을 주고, 사회 혼란을 주기도 한다는 내용에는 동의하지 않을 것이다.

14 ② 종교와 윤리의 관계에 관해 다양한 이론이 있다. 제시문에서는 종교가 도덕적 삶에 해답을 제시한다는 측면에서 연결 고리를 찾고 있다.

15 ② 제시문은 이태석 신부가 기독교의 가르침에 따라 이웃의 구제와 사랑을 실천한 사례이다. 이를 통해 종교의 윤리적 실천성을 알 수 있다.

16 ① 제시문에서 한스 큉은 종교 간의 윤리적 공통분모에 근거하여 소통할 필요성을 강조하고 있다. 종교 간의 소통을 통해 공통된 가치 규범과 세계 윤리 정초를 통해 세계 평화가 가능함을 역설하고 있다.

VI 평화와 공존의 윤리

주제 01 갈등 해결과 소통의 윤리

1단계 개념 익히기   172쪽

01 역지사지(易地思之)   02 (1) 가치관 (2) 갈등 (3) 소통 (4) 하버마스 (5) 화쟁   03 (1) × (2) ○ (3) ○ (4) ○   04 하버마스   05 (1) ㉠ (2) ㉡   06 사회적 자본

2단계 내신 유형 다지기   173~174쪽

01 ①   02 ⑤   03 ②   04 ③   05 ①   06 ①   07 ⑤   08 ①

01 ① 세대 갈등에 대한 대화 내용이다. 세대 간 추구하는 가치와 문화의 차이로 인하여 서로 이해하지 못하고 발생하는 대표적인 사회 갈등이다.

02 ⑤ 사회 갈등이 빈발하는 원인은 정치적, 사회·경제적, 문화적 변화와 밀접한 관련이 있다. 정치적으로는 권위주의 체제가 종식되었고, 시민 사회의 자율성이 확대되면서 집단적으로 다양한 이익이 표출되기 때문이다. 또한 경제적으로는 자본주의적 생산 양식과 생활 방식 속에서 양극화와 경쟁의 심화가 갈등의 원인이 되기도 한다.

| 오답 피하기 |

ㄱ. 무한한 인간의 욕망에 비해 이를 충족시켜 줄 수 있는 자원이나 기회가 제한되어 있어서 갈등이 발생한다.

03 ② 신문 기사는 층간 소음 문제 해결을 위한 자발적인 협력을 위한 공동체를 운영하는 내용이다.

04 ③ 합리적 의사소통 상황에서는 다른 사람의 주장에 대해 언제든지 의문을 제기할 수 있으며, 비판도 할 수 있어야 한다.

05 ① 하버마스의 담론 윤리는 의사소통의 효율성을 실현하고자 하지 않는다. 하버마스는 의사소통의 합리성을 실현해 모두가 평등한 주장의 기회를 얻고 자유롭게 토론에 참여하는 것을 목표로 한다.

06 ① 제시된 사례는 지역 갈등으로, 지역 이기주의인 님비 현상을 나타낸다. 님비 현상은 사람들이 필요성을 인식하면서도 혐오 시설이 들어섰을 때 끼치는 여러 가지 위해적인 요소로 인하여 자기 지역에 들어서는 것을 꺼리는 현상이다.

07 ⑤ 하버마스는 합리적인 의사소통을 통해 도덕적 문제를 해결하고자 하였다.

| 오답 피하기 |
① 하버마스는 논쟁 과정에 다른 사람의 주장에 대해 의문을 제기하고 비판할 수 있다고 보았다.
② 하버마스에 따르면, 담론에 참여하는 누구나 담론을 통해 이성적으로 보편화 가능한 도덕규범에 합의할 수 있다.
③ 말할 수 있고 행위할 수 있는 능력이 있는 사람은 누구나 토론에 자유롭게 참여할 자격이 있다.
④ 토론 과정에서 자신의 주장이 지닌 문제점을 발견하면 이를 철회할 수도 있어야 한다.

08 ① 하버마스는 담론에서 논의되는 규범이 타당성을 가지기 위해서는 모든 구성원이 그 규범을 준수할 때 생기는 결과와 부작용을 어떤 강요도 없이 받아들여야 한다는 담론의 보편화 원칙을 제시하였다.

③단계 주관식·서술형 잡기   175쪽

01 사회적 자본

02 담론 윤리

03 원효, 화쟁 사상

04 이념 갈등, 문화 갈등, 세대 갈등, 빈부 갈등, 노사 갈등, 지역 갈등, 남녀 갈등 등

05 | 예시 답안 |
갈등은 근본적인 원인을 검토하게 함으로써 서로 이해의 장을 만들어 주는 소통을 가능하게 한다. 따라서 해결 과정에서 사회는 더 나은 방향으로 발전할 가능성이 있다.

✅ **채점 기준**
상호 이해를 통해 더 나은 발전 방향을 모색한다는 내용을 서술해야 한다.

06 | 예시 답안 |
상호 소통하기 위한 합리적 절차를 확립해야 한다. / 다양한 이해 집단 간 대화와 타협, 협상과 합의를 통해 문제를 해결하기 위한 합리적 절차를 마련하여 공정하게 운영되어야 한다.

✅ **채점 기준**
합리적 절차 마련, 대화와 타협 등 사회 갈등을 해결하기 위한 사회적 차원의 노력을 서술해야 한다.

07 | 예시 답안 |
현대 사회는 정치적으로 권위주의 체제가 종식되었으며, 시민 사회에 자율성이 확대되면서 다양한 집단의 이익이 표출되기 때문이다. 경제적으로는 자본주의적 생산 양식과 생활 방식 속에서 양극화와 경쟁의 심화가 갈등의 원인이 되기도 한다.

✅ **채점 기준**
갈등의 양상이 사회 갈등으로 심화되는 원인을 현대 사회의 정치적·사회적·경제적 변화와 관련하여 서술해야 한다.

주제 02 민족 통합의 윤리

①단계 개념 익히기   180쪽

01 (1) 통일 비용 (2) 보편적 가치 (3) 국제적   02 (1) ㉠ (2)
㉡   03 (1) ○ (2) ○ (3) ○   04 통일 비용   05 ㉠ 흡수,
㉡ 점진적 평화   06 열린 민족주의

2단계 내신 유형 다지기

01 ②	02 ①	03 ②	04 ⑤	05 ②	06 ③	07 ②
08 ⑤	09 ④	10 ⑤				

01 ② 이산가족의 상봉 등 남북한의 사회 · 문화적 교류는 이산가족의 아픔을 해소하기 위한 노력이다. 따라서 신문 기사에서는 이산가족의 아픔을 해소하기 위한 통일의 필요성을 제시하고 있다.

02 ① 통일 비용에는 사회 · 문화적 통합 비용, 인프라 구축 비용 등이 포함된다.

| 오답 피하기 |
② 남북 경제 협력과 대북 지원비는 분단 비용이 아니라 평화 비용에 해당한다.
③ 평화 비용은 한반도의 긴장 완화와 평화 정착을 도모함으로써 분단 비용을 절감하는 효과를 가져온다.
④ 바람직한 통일을 위해서는 평화 비용이 증가되어야 한다.
⑤ 분단 비용은 소모적인 특성이 있는 반면, 평화 비용과 통일 비용은 그렇지 않다.

03 ② 설문 조사 결과 우리나라의 국력 신장을 통일이 필요한 가장 중요한 이유로 생각하고 있다. 분단 비용 절감도 통일이 필요한 이유로 보고 있지만, 응답 비율이 가장 낮은 편이다.

04 ⑤ 통일은 우리 민족 내부의 문제이면서도 동시에 국제적 성격을 지닌다는 점을 이해해야 한다.

05 ② 오랜 분단 기간 동안 남북 간의 이질성이 심화되었고, 이로 인한 갈등을 줄여 나가기 위해서는 서로를 이해하고 존중하는 가운데 점진적으로 통일을 진행해야 한다.

06 ③ 우리 민족의 우월성을 중시하여 다른 민족을 차별, 배제하는 닫힌 민족주의는 통일 한국이 추구하는 민주적이며, 인간 중심적 사회 체제 형성을 방해할 수 있다.

07 ② 이것은 '통일 편익'이다. 통일 편익이란 통일로 인해 얻게 되는 경제적 · 경제 외적 보상과 혜택의 총체를 의미한다. 따라서 통일에 수반되는 비용보다 통일로 얻게 되는 이익이 더 크기 때문에 통일 편익은 통일의 필요성을 설명해 준다.

08 ⑤ 경제 영역에서의 미래상은 자유 경제 · 개방 경제를 지향하는 시장 경제, 정치 영역에서의 미래상은 국민의 다양한 이익을 반영하는 대의제 민주주의이다. 사회 영역에서의 미래상은 민주적이고 개방적이며 인간 중심적인 체제이며, 대외 영역에서의 미래상은 평화를 지향하는 비핵 국가이다.

09 ④ 열린 민족주의란 세계화에 따른 세계 시민과 우리 민족의 목적과의 조화를 이루어 내고, 이에 따라 전 인류의 보편적 가치를 추구하는 것이다. 또한 자기 민족의 가치가 이러한 보편적 가치에 어긋나지 않도록 서로 조화롭게 어울리며 인류 공동체 발전에 기여할 수 있도록 하는 민족주의를 의미한다.

10 ⑤ 통일의 필요성을 설명하는 민족주의 논리의 가장 큰 문제점 중 하나는 오랜 기간 동안 이념적으로 대립하며 체제 경쟁을 수행해 온 남북한 사이에 발생한 이질성이다. 남북한 두 사회는 지향하는 가치와 사고, 그리고 생활 양식의 영역 등에서 다양한 괴리가 발생하였다.

3단계 주관식 · 서술형 잡기

01 ㉠ 분단 비용, ㉡ 평화 비용

02 | 예시 답안 |
인구와 국토의 증가로 인해 경제 규모가 커진다. / 통일 이후 다양한 종류의 직업과 새로운 일자리가 창출되면서 청년 실업 등의 문제를 해결할 수 있다. / 막대한 양의 국방비를 줄여 복지와 사회 보장 제도 확충을 위해 사용할 수 있다.

◎ 채점 기준
통일 한국의 긍정적인 모습 두 가지를 올바르게 서술해야 한다.

03 | 예시 답안 |

남북한 철도와 도로가 연결되면, 우리는 섬 아닌 섬 생활에서 벗어나 우리의 생활 공간을 육로를 통해 대륙으로 확장하는 결과를 가져올 수 있다. / 공간 통합은 우리 상품의 수송비와 수송 시간을 크게 절감시켜 주므로 경제적 편익을 창출해 줄 것이다. / 시베리아의 천연가스를 송유관을 통해 도입한다면 보다 저렴한 가격에 에너지원을 공급받을 수도 있다.

◉ 채점 기준
남북한의 공간 통합이 가져올 긍정적인 효과를 경제적·사회적 측면 등에서 올바르게 서술해야 한다.

04 | 예시 답안 |

남북한의 이질성으로 인한 갈등을 줄여 나가기 위해서 남북한의 공통점을 바탕으로 민족적 동질성을 회복해야 한다. / 남북한의 경제적 격차를 해소하기 위해 남북 경제 협력과 대북 지원 등을 통한 평화 비용의 중요성을 이해해야 한다.

◉ 채점 기준
통일 이후 남북한 체제가 통합하는 데 소요되는 비용인 통일 비용을 경감시키기 위해서는 민족적 동질성 회복과 경제적 격차 축소 등의 노력이 필요함을 올바르게 서술해야 한다.

05 | 예시 답안 |

(1) 통일을 통해 얻게 되는 경제적 이익에는 새로운 성장 동력 제공, 경제 발전, 국민 생활 공간 확대 등이 있다.
(2) 통일을 통해 얻게 되는 비경제적 이익에는 북한 주민의 인간다운 삶 보장, 이산가족 문제 해결, 안보 불안 해소, 민족 문화 회복, 동북아·세계 평화 기여 등이 있다.

◉ 채점 기준
통일을 통해 기대되는 다양한 이익을 경제적·비경제적 측면으로 나누어 적절히 서술해야 한다.

06 | 예시 답안 |

평화 비용, 분단 비용, 통일 비용의 합보다 통일로 인한 경제적·비경제적 혜택의 합인 통일 편익이 더 크기 때문에 통일이 필요하다.

◉ 채점 기준
주어진 단어들을 모두 활용하여 각종 비용의 측면에서 통일이 필요한 이유를 타당하게 서술해야 한다.

주제 03 지구촌 평화의 윤리

1단계 개념 익히기
188쪽

01 (1) × (2) ○ (3) ○ (4) ○   02 ㉠ 소극적, ㉡ 적극적
03 세계화   04 (1) ㉡ (2) ㉠   05 ㉠ 롤스, ㉡ 자선   06 싱어

2단계 내신 유형 다지기
189~190쪽

01 ③   02 ①   03 ①   04 ⑤   05 ③   06 ⑤   07 ①
08 ④

01 ③ 밑줄 친 정의는 '형사적 정의'를 나타낸다. 형사적 정의는 범죄를 저지른 가해자를 처벌함으로써 실현되는 정의로서, 전쟁이나 집단 학살, 테러와 같이 반인도적 흉악 범죄를 교정하는 것을 의미한다.

02 ① 국제 분쟁은 기본적으로 다양한 정치·경제적, 종교적 이해관계가 얽혀 복잡하게 드러나기 때문에, 국제 분쟁을 이해하기 위해서는 그 원인을 단편적으로만 살펴보아서는 안 된다.

03 ① 갈퉁이 주장하는 적극적 평화는 구조적 폭력과 문화적 폭력도 제거될 때 진정으로 달성되는 것이다.

| 오답 피하기 |
② 직접적 폭력과 간접적 폭력 모두 용인될 수 없다.
③ 물리적·직접적 폭력뿐만 아니라 구조적 폭력과 문화적 폭력 등의 간접적 폭력까지 제거해야 적극적 평화가 달성되는 것이다.
④ 국가 간 전쟁과 무력 충돌은 직접적 폭력에 해당한다.
⑤ 테러나 빈곤에 의한 위협 외에도 문화적 폭력 등이 제거되어야 한다.

04 ⑤ 올바른 세계화는 결국 불평등한 부의 분배의 시정으로 이루어짐을 이해해야 한다.

05 ③ 제시문은 구조적 폭력에 대한 설명이다. 갈퉁은 평화를 소극적 평화와 적극적 평화로 구분하고, 적극적 평화 실현을 위해 노력해야 한다고 주장하였다. 그는 적극적 평화를 직접적 폭력뿐만 아니라 구조적 폭력과 문화적 폭

력 등의 간접적 폭력까지 제거하여 인간다운 삶을 영위할 수 있도록 한 상태라고 정의한다.

06 ⑤ 갑은 싱어, 을은 롤스이다. 롤스는 싱어와 달리 빈곤 문제의 해결에 있어 제도적 차원의 접근을 중시한다.

| 오답 피하기 |
①, ③, ④ 갑에 비해 을이 강조하는 내용으로 적절하지 않다.
② 싱어와 롤스 모두 해외 원조는 의무적 차원에서 이루어져야 한다고 본다.

07 ① 국제 형사 재판소와 국제 형사 경찰 기구의 활동은 모두 형사적 정의를 실현하기 위한 노력이다.

08 ④ 노직은 해외 원조를 부유한 개인이나 국가가 자율적으로 선택할 문제라고 보는 자선의 입장을 취하고 있다.

③ 주관식·서술형 잡기 191쪽

01 ㉠ 평화 유지, ㉡ 국제 협력

02 세계화가 진행되면서 특정 국가의 권익과 보편 윤리로서의 인권이 충돌할 가능성이 커졌다. / 국가 간 빈부 격차가 심화된다. / 지역적 특색이 있는 문화가 상실될 수 있다. 등

❷ 채점 기준
세계화가 확산되면서 발생한 인권 침해, 국가 간 분쟁, 빈부 격차 등 다양한 문제점을 두 가지 이상 올바르게 서술해야 한다.

03 | 예시 답안 |
노직은 해외 원조를 자선의 영역으로 이해한다. 그 이유는 의무로 강제하는 행위는 개인의 권리를 침해하는 것이기 때문이다.

❷ 채점 기준
노직이 해외 원조를 보는 입장을 쓰고, 그 이유가 개인의 권리 침해 요소가 있기 때문임을 자선의 영역과 연결하여 서술해야 한다.

04 | 예시 답안 |
현대 사회는 과거와 달리 국제 관계 속에서 교류와 협력의 중요성이 커졌다. 따라서 교류와 협력 속에 정의의 실현을 중시해야 한다.

❷ 채점 기준
과거와 달리 현대 사회에서 국제 사회의 교류와 협력이 중시되었다는 점을 정의와 연결하여 서술해야 한다.

05 ㉠ 고통, ㉡ 쾌락, ㉢ 의무

06 | 예시 답안 |
우리나라도 과거 절대적 빈곤 국가였던 시절에 다른 나라로부터 원조를 받았고, 이를 통해 가난과 궁핍에서 벗어나 세계 최초로 원조 수혜국에서 원조 공여국이 되었다. 따라서 우리나라는 원조에 대한 보답과 정의 실현 차원에서 해외 원조를 마땅히 하는 것이 바람직하다.

❷ 채점 기준
과거 원조 수혜국이었던 우리나라가 보답 차원에서 해외 원조에 앞장서야 함을 분명히 한다.

영역 마무리하기 192~195쪽

01 ③	02 ⑤	03 ②	04 ④	05 ②	06 ③	07 ①
08 ①	09 ①	10 ②	11 ①	12 ③	13 ②	14 ③
15 ③	16 ①					

01 ③ (가)는 세대 갈등, (나)는 빈부 갈등, (다)는 지역 갈등의 사례이다. 사회 갈등은 서로 다른 이해 당사자가 추구하는 가치와 신념의 차이에서 발생되어 사회 구조적 갈등 상황으로 나타나는 것이 일반적이다.
③ 갈등 상황을 개인적 차원을 넘어서 사회 구조적 차원에서 문제를 인식할 수 있어야 한다.

| 오답 피하기 |
① (가)는 세대 갈등의 사례이다.
② 집단, 계층 간 갈등 사례에 해당한다.
④ 갈등의 주체가 (가)의 경우에는 노인 세대와 젊은 세대이고, (나)는 부유층과 일반 국민으로 볼 수 있으므로, 갈등의 주체가 동일하다고 보기 어렵다.

⑤ 갈등의 원인과 주체가 다르기 때문에 그 해결 방법도 다양하다. 양극화 해소는 빈부 갈등을 해결하는 방안으로 적절하다.

02 ⑤ 제시문은 갈등이 긍정적인 결과를 가져온 사례이다. 갈등은 나쁜 것이니 무조건 피하는 것이 답이 되는 것이 아니다. 갈등의 원인이 있는데도 회피하기만 하는 자세는 옳은 태도가 아니기 때문이다. 근본적인 갈등의 원인을 충분히 검토하고 문제 해결을 위한 적극적인 자세가 요구된다.

03 ② (가)는 개인적 차원, (나)는 사회적 차원의 갈등 해결 방법을 제시하고 있다. (가)는 상대방에 대한 역지사지의 자세로 자신과 다른 견해나 입장을 차별이 아닌 차이로 인식하고 수용하는 자세가 필요함을 강조하는 것이고, (나)는 정부에 의한 공식적인 논의와 제도화를 통해 문제를 해결하기 위한 정책적 노력이 필요함을 강조한 것이다.
② 다른 것과 틀린 것을 구분하여 다원주의적 가치를 존중하는 자세는 필요하지만, 가치 상대주의 관점으로 접근한다면 문제 해결의 기준이 모호해지는 문제가 발생할 수 있으므로 오답이다.

04 ④ 제시문은 이웃 간 층간 소음 문제를 벌금과 과태료를 부과하는 법적·제도적 차원에서 해결해야 한다는 주장이다. 문제에서 요구하는 내용은 제시문의 주장을 비판하는 관점의 근거로 적절한지를 따지는 것이다. 따라서 법적·제도적 차원의 해결 방법의 문제점을 지적하거나, 개인적·문화적 차원으로 층간 소음 문제를 해결해야 한다는 주장의 근거로 적절한지를 검토해야 한다. 따라서 ④ 법적, 제도적 차원의 해결책과 관련한 근거이므로 반대 근거로 적절하지 않다.

05 ② 제시문은 담론 윤리의 대표자인 하버마스의 주장이다. 하버마스는 담론을 위한 조건으로 배려와 공감의 태도보다는 이성적이고, 수평적인 관계를 강조하였다. 그는 현대 사회의 다양한 문제를 해결하기 위한 공정한 담론 절차를 강조하면서 자유로운 대화를 통한 상호 합의가 있어야 한다고 주장하였다. 이상적 담론 조건으로 이해 가능성, 정당성, 진리성, 진실성을 제시하였고, 대화 당사자 간의 평등하고 수평적인 관계를 강조하였다. 이

러한 담론을 통해 이성적으로 보편화 가능한 도덕규범에 합의할 수 있다고 본 것이다. 또한 현대 사회가 행정·경제 체제의 과도한 영향력이 증가되고 있는 현실 인식에서 시민의 의사를 공적으로 처리하는 의사소통을 위한 절차의 중요성을 강조하였다.

06 ③ 제시문은 하버마스가 제시한 이상적인 담론의 조건들이다. 하버마스는 대표적인 담론 윤리학자로서 의사소통의 합리성을 중시한 인물이다.

07 ① 제시문은 원효의 화쟁 사상이다. 원효는 '말다툼, 즉 논쟁[諍]을 조화[和]시킨다.'라는 뜻의 화쟁을 강조하였다. 그는 대립하거나 갈등하는 불교 이론들에 대해서 각 종파의 서로 다른 이론을 인정하면서도 더 높은 차원의 깨달음을 강조하였다. 원효는 종파들 간의 이해와 진리를 위해서 소통하는 자세를 중시하였다.

| 오답 피하기 |
② 지눌은 조계종의 창시자로서 돈오점수(頓悟漸修)를 주장한다.
③ 정혜쌍수(定慧雙修)는 선정(定)과 지혜(慧)를 함께 닦는다는 뜻으로 불교의 교리이다.
④, ⑤ 의천은 이론과 실천의 양면을 강조하는 교관겸수(敎觀兼修)와 내외겸전(內外兼全)을 주장한다.

08 ① 통일 비용의 종류는 제도 통합 비용, 위기 관리 비용, 경제적 투자 비용, 사회 보장 비용 등이 있다.

| 오답 피하기 |
ㄷ, ㄹ. 군사 유지 비용과 이산가족의 고통은 분단 비용에 해당한다.

09 ① ㉠은 분단 비용이고, ㉡은 평화 비용이다. 분단 비용은 분단 상태가 지속되는 과정에서 소모되는 비용이고, 평화 비용은 통일 이전에 한반도의 평화를 유지하고 정착시키기 위해 드는 비용이다.

10 ② 제시문은 남북한의 진정한 통합을 위해 필요한 신뢰의 자세를 설명하고 있다. 따라서 적절한 제목은 '남북한 문화적 갈등을 줄이기 위해 필요한 자세'가 될 것이다.

11 ① 갑은 통일의 필요성을 이익과 손해를 떠나 인도주의적 차원과 민족의 논의로 설명하고 있다. 을은 비용과 편익을 고려하여 효용성을 바탕으로 통일의 논의가 전개되어야 함을 강조하고 있다.

12 ③ 통일 한국의 사회는 민주적이고 개방적이며 인간 중심적인 체제를 추구해야 한다. 그렇다고 하여 다른 민족의 모든 문화를 무조건적으로 수용해서는 안 된다. 또한 통일 한국의 문화는 전통문화에 뿌리를 둔 개방적·진취적인 문화로서 인간의 가치, 즉 인본주의로서 민족의 전통문화에 뿌리를 두어야 한다.

13 ② 제시문은 독일의 통일 과정에서 발생한 갈등에 대한 설명이다. 이를 해결하기 위해서는 사회·문화적 통합을 위한 노력이 필요하다.

14 ③ 통일은 남북한의 합의에 의한 점진적 평화 통일을 추구해야 하며, 평화적 합의를 이끌어 냄으로써 남북한 국민들의 자유, 인권, 안전과 같은 보편적 가치를 구현해야 한다.

15 ③ 갈퉁은 평화를 소극적 평화와 적극적 평화로 구분하고 적극적 평화의 실현을 위해 노력해야 한다고 주장한다.

16 ① 해외 원조를 자선의 입장으로 보는 대표적 인물은 노직이다.

MEMO

MEMO